新 요한복음 공부

바람으로 계시는 創造主 하나님의 靈 · 下

(요한복음 1장~20장)

임중기

시와사람

임중기의 新 요한복음 공부

바람으로 계시는 創造主 하나님의 靈 · 下

차 례

新 요한복음 공부

바람으로 계시는 創造主 하나님의 靈 · 下

(요한복음 1장~20장)

임 중 기

〈공부 4주년 특집〉

바람으로 계시는 創造主 하나님(2)

성서 말씀 창세기 1장 1~2절에는 "**태초에 하나님이 천지를 창조하시니라. ◇땅이 혼돈하고 공허하며, 흑암이 깊음 위에 있고, 하나님의 신은 수면에 운행하시니라.**"고 되어있다.

하나님과 바람은 하나

창세기 첫머리에 하나님의 신 - 즉, 영(靈)은 수면에 운행하셨다고 하였다. 하나님의 영은 원문 히브리어 '루앗하'(Ruach)인데 본래 구약성서에서는 바람, 호흡, 생기 등의 의미로 쓰인다고 한다. 하나님의 영이 '바람'이라고 하였으니 수면에 운행하신 영은 곧 바람이다. 이 부분은 '수면에 바람이 불었다' 또는 '바람으로 다니시다'로 읽어도 좋겠다. 어떻든 성서는 분명히 '하나님의 靈이 운행하셨다'고 기록하고 있다. 이 '운행'은 영으로 있는 '바람이 불었다', 또는 '바람 소리가 있었다'는 말이다. 바람 소리는 "로고스"의 소리로 하나님의 말씀이었다. "로고스" 소리는 바람으로 세상 창조의 말씀이니 그 소리는 아래와 같은 말씀이었다(천우모임에서 이기영 목사).

"**하나님이 가라사대 '빛이 있으라!' 하시매 빛이 있었고, ◇그 빛이 하나님의 보시기에 좋았더라. 하나님이 빛과 어두움을 나누사 ◇빛을 낮이라 칭하시고 어두움을 밤이라 칭하시니라. 저녁이 되며 아침이 되니 이는 첫째 날이니라.**"(창1:3~5) - 위의 말씀은 지난번 말씀 중 일부임 -

해체(解體)와 합체(合體)의 이론(理論)에 대하여

해체와 합체의 이론은 무슨 이론인가? 이 이론은 造物主 하나님께서 인류! 곧 "사람"(아담 adam)을 創造하신 이론이다. 하나님께서 사람을 만드실 때에 가장 좋은 흙을 채취하시여 흙을 가루로 해체하시고, 여기에 물을 부어 버무려 반죽을 하셨다. 정리하면, 흙을 채취하여 가루로 만드신 과정이 '해체'요, 여기에 물을 더하여 반죽하는 과정이 합체이다.

그러면 인류역사에서 성서학자들은 하나님이 사람을 만드신 과정을 어떻게 보았는가를 알아볼 필요가 있다.

『통독(通讀)을 위한 성서해설』(번역 문희석, 황성규)의 저자인 미국의 「아놀드 B 로드스」는 **"사람의 창조"** 과정을 이렇게 썼다.

"여호와 하나님이 흙으로 사람을 지으셨다." 여기서 "지으시다"라는 동사의 분사형(分詞形)은 "옹기장이"를 의미하고 있다. 하나님은 흙을 빚어서 원하는 형태를 만드시는 옹기장이로 설명되어 있다. 히브리어에는 교묘한 언어의 유희가 있는데, "사람"(adam)과 "흙"(adama)이 관련되어 있다는 사실을 나타내는 일종의 표현 양식이다(비교 고전15:47). 우리가 하나님의 형상으로 지으심을 받은 존재라는 것을 잊어버리지 말아야 하겠지만, 그러나 또 한편으로 우리가 흙에서 나온 존재라는 것도 기억해야 할 것이다."

앞의 설명대로 흙을 채취하여 이물질이 걸러진 고운 가루에 물을 부어 반죽한 뒤에 '흙을 빚어서 원하는 형태를 만드는 일'을 옹기장이가 한다는 말이다. 사람을 창조하신 하나님은 사람을 창조하실 때에 옹기장이의 역할을 하신 셈이다. 다 만드신 후에는 코에 生氣!! 즉, 당신의 기운(바람, 호흡, 생기)을 불어 넣어 생명이 있는 사람을 창조하셨으니 하나님은 생명체를 만드시는 옹기장이인 셈이다.

천우모임에서 내가 제일 많이 했던 말씀은 '접붙임'과 '하나님의 영은 바람'에 대해서였다. 사실, 바람의 이야기는 내 개인적 신앙의 눈으로 본 것이었지만, 이기영 목사께서 천우모임(2012년 10월)에서 하신 성령에 대한 말씀은 내 말씀에 대해 학문적으로 뒷받침을 해주시는 말씀이 되셨다.

신앙과 학문은 동전의 양면 같은 것으로, 내가 '바람'의 이야기를 할 때에는 오로지 신앙의 눈으로 본 것이었다. 그런데 이 목사께서 그 '바람'에 대하여 학문적으로 뒷받침 되는 성서적 성령의 의미를 말씀해 주셨으니 - 이는 나의 말씀에 대한 학문적 증언과 같은 것이었다. 이 목사 말씀은 하나님의 은혜로 이루어진 것으로, 한없는 감사를 드린다.

내가 바람을 하나님의 영으로 말씀드리는 것은 영으로 계신 하나님을 지금까지는 통상 '하늘에 계신 하나님'이라고 멀리 계신 것으로 보고 불렀는데, 이제는 바람 · 호흡 · 생명으로 우리와 함께 있는 하나님으로 믿기 때문이다.

물론 여러분은 나의 '바람'에 대한 말씀에 대해서 전체적 또는 부분적으로 수긍하는 분도 계실 테고, 그렇지 않는 분도 계실 것이다. 그러나 어떤 선택을 하시든 읽는 분들의 자유임을 말씀드리고 싶다.

바람은 사람에게만 호흡 - 즉, 생명으로 존재하는 것이 아니라 모든 동식물과도 함께 한다. 동식물뿐만 아니라 사람이 만든 무

생명의 것들도 바람이 작용함으로써 만들어진다. 곧, 하나님의 靈!!이라는 '바람'이 "지구 표면을 변화시키는 힘으로, 또한 지진 화산 지각운동 등의 작용에 의한 내적에서 일어나는 것들의 힘으로 있다"는 말이다. 다시 말하여 지금까지는 하나님을 저 멀리 계신다고 피상적으로 보고 믿고 하였는데, 하나님의 영을 바람으로 보면 늘 우리와 함께 호흡으로, 생명으로, 생기로 계심을 깨닫게 된다. 곧 나와 모든 인류와 만물의 생명과 함께 하시는 하나님으로 믿는 것이다. 이래서 '바람'의 의미가 참으로 크다.

이제까지의 예로 보아 **"하나님의 영이 바람"**이라는 것은 분명하다. 그것은 21세기에 최고로 발달한 영상과학으로 사람 뇌 속의 미세한 혈관을 촬영하고, 많은 물질의 입자들도 촬영을 하며, 심지어는 수만 광년 거리에 있는 수천 억 은하계 별들을 촬영하고 있지만, 지금까지도 형체를 찍어내지 못하는 것이 있으니 - 바로 '바람'이다. 일기예보에서 태풍의 눈을 중심으로 소용돌이 모습의 기상사진은 바람을 찍은 것처럼 보이지만 사실은 구름사진이다.

바람은 자연에나 인체 안에나 존재하지만 그 실체는 촬영할 수 없다고 한다. 식물의 꽃대나 줄기 속에도 바람은 있지만 그 또한 촬영할 수 없다. 만약 바람을 촬영하는 사람이 있다면 촬영에 성공한 날이 죽는 날이 될 것이다. 왜? 바람의 실체는 하나님이요, 하나님을 본 사람은 죽는다고 하였기 때문이다. 이러한 의미로 하나님은 바람의 영으로 만유에 계신다. 다시 말하면 바람이 없다면 사람이 우선 숨을 쉴 수 없어 살 수 없고, 아무것도 만들 수 없다는 사실이다. 사람이 무엇을 만들면 그곳에는 반드시 바람이 함께 있어 창작품이 만들어 진다.

해체(解體)와 합체(合體)의 미(味) (새 이론 발견)

세상에는 많은 음식이 있다. 그렇지만 그 많은 음식들이 해체(解體)와 합체(合體)의 미(味)라고 생각하는 사람은 많지 않다. 놀랍도록 많은 음식들이 해체와 합체의 과정을 거쳐 만들어지며, 이 과정에서 공기 곧, 바람이 들어가 맛을 더해 준다는 사실은 생각할수록 신비스럽기만 하다.

음식 재료에는 쌀 · 보리 · 밀 · 콩 등의 곡물이 있고, 밤 · 대추 · 사과 · 배 같은 과일류, 그리고 채소류, 거기에다 육류와 해산물이 있다. 이런 재료들은 그대로 먹기도 하지만, 대부분 해체하여 음식으로 만들어진다. 칼로 자르고, 쪼개고, 절구통에 넣어 가루로 만들고, 분쇄기에 갈아서 음식을 만든다. 이런 과정을 거쳐 만들어진 음식들은 헤아릴 수 없이 많다.

송편을 예를 든다면, 먼저 쌀을 절구질하여 가루로 만들고, 그 쌀가루에 물을 붓고 계속 이겨서 반죽을 한다. 이때 반죽에는 바람이 들어가 쌀가루를 부드럽게 하는 역할을 하고, 종국에는 바람이 많이 들어있는 송편이 된다. 이 과정에서 해체는 쌀을 가루로 만드는 것이요, 합체는 반죽으로 이겨내는 것이다. 이때 합체 곧, 반죽의 기술은 송편의 맛을 좌우한다.

해체와 합체의 과정을 거치면서 만들어지는 음식이 어디 송편뿐이겠는가. 세계인이 즐겨 먹는 빵 종류도 재료만 다를 뿐, 송편을 만드는 과정과 다름이 없다. 해체와 합체의 과정에서 바람이 들어가는 것도 같다. 이 과정에서 인위적으로 바람을 넣지 않아도 자연적으로 바람이 들어가 좋은 음식으로 거듭난다. 물론, 합체의 과정에서 다른 재료들이 들어가면 맛을 더해준다.

우리나라에 국한된 일이긴 하지만, 1980년을 전후로 상당히

오랜 동안 호빵이 유행하였다. 찐빵이 없었던 건 아니지만, 늦가을부터 초봄까지 구멍가게 앞에서 행인들을 유혹하던 유리통 안의 호빵은 부드럽기 그지없었다.

그렇다면 같은 재료, 같은 방법으로 쪄낸 찐빵과 호빵의 큰 차이점은 무엇일까? 그것은 반죽에 있다. 찐빵은 손 반죽이요, 호빵은 기계반죽이라는 점이다. 찐빵은 손으로 반죽을 하므로 고르게 되지 않고, 호빵은 기계로 반죽을 하기에 반죽이 고르게 잘 되어 있다. 이렇게 만들어진 빵의 맛에도 차이가 있다. 찐빵보다는 호빵이 먹을 때에 입천장과 치아에 덜 붙으면서 질감과 맛에서 앞선다. 호빵을 쪼개면 작은 바람구멍이 무수히 나 있는데, 이 바람구멍들이 있어 호빵의 부드러운 질감을 더해준다. 만약 '음식 맛은 손맛'이라는 논리대로라면 손으로 반죽을 한 찐빵이 더욱 맛이 있어야 하겠지만, 결과는 바람이 많이 들어간 호빵에 밀렸다고 하겠다.

빵 외에도 요리사가 요리를 할 때 인위적으로 바람을 넣지 않아도 바람은 자연히 들어간다. 왜 그럴까? 그것은 처음 아담 창조 때에 "흙으로 만든 사람의 모형에 하나님께서 생기를 불어넣어 아담을 창조하신" 창조의 근본 원리에 따라 만물의 생성도 그렇게 되도록 섭리하시기 때문이다.

성서 말씀에는 하나님을 "만유(萬有)의 하나님"으로 부르는 곳이 많다. 만유는 모든 곳과 모든 것에 - 곧, 어떤 물건이나 어떤 곳에도 계시기 때문이다. 그래서 우리가 만들어 먹는 음식에도 하나님의 령이 함께 하신다.

"주(主)의 손가락으로 만드신 주의 하늘과 주의 베풀어 두신 달과 별들을 내가 보오니"(시편8:3)라고 다윗은 노래하였다.

숨 쉬는 항아리

우리나라의 어느 집이나 장독 항아리 한두 개 쯤은 갖고 있다. 이 항아리는 간장이나 된장을 담아 두거나 담그는 독이다.

항아리에 물을 담으면 물독, 된장이나 간장을 담으면 장독, 쌀을 담으면 쌀독이라고 한다. 그런데 이 항아리의 만드는 과정을 살펴보면 신비함을 보게 된다.

항아리를 만들려면 여기에 알맞은 흙을, 청자나 백자 도자기를 만들려도 그것에 맞는 흙을 구해야 한다. 구해진 흙은 곱게 해체하는데, 돌이나 모래 같은 이물질을 골라내는 과정에서 흙! 미세한 흙가루(粘土)가 바람과 섞이며 새로운 기운 - 즉, 바람의 힘을 얻는다. 여기에 물을 더해 이겨서 도자기나 항아리를 빚을 반죽이 만들어진다. 그런데 반죽하는 과정을 자세히 보면 이 과정에서도 바람이 계속 스며들면서 눈에는 보이지 않는 공기구멍(氣空)이 빽빽하게 생기면서 숨 쉬는 도자기나 항아리가 만들어진다.

옹기장이는 옹기나 도자기를 만들 때에 자신의 혼을 불어넣어 만든다고 해서 숨 쉬는 도자기라고 한다. 하지만, 실은 반죽 과정에서 자연스레 바람이 들어가 숨을 쉬는 도자기와 항아리가 만들어진다는 사실은 간과하고 있다.

달리 생각하면 옹기장이가 만드는 도자기나 항아리도 하나님의 영인 바람이 깃든다는 말이다. 그러면 사람은 어떻게 만들어졌는가? **"흙으로 사람을 지으시고 생기를 그 코에 불어 넣으시니 사람이 생령이 되었다"**(창2:7)고 하였다. 즉, 옹기장이가 흙으로 도자기나 항아리를 만들듯이 창조 당시 하나님이 **"흙으로 사람을 지으시고 생기를 그 코에 불어 넣으시니 사람이 생령이**

되었다"는 말씀이다. 그래서 처음 하나님이 사람에게 불어넣은 생기! 즉, '바람이 모든 생명의 근원'이라고 하겠다. 다시 말하여 하나님의 작품을 사람이 본떠서 흙으로 만든 것이 옹기장이가 만든 도자기나 항아리와 그릇들이다. 이러한 항아리, 접시 등 여러 종류의 많은 그릇들 모두가 해체와 합체의 과정에서 하나님의 영인 바람이 자연히 스며들어 만들어진다는 말씀이다.

쌀의 생산 과정

쌀농사를 지으려면 제일 먼저 하는 일이 논바닥을 갈아엎는 일이다. 농사를 다른 말로 경작이라고 한다. 경(耕)은 '갈다'라는 뜻이고 작(作)은 '짓는다'라는 말이다. 경작의 핵심은 논을 가는 데에 있다. 쟁기로 논을 갈아 흙을 엎어 가루가 되게 가는 것이다. 그런데 이것을 단순히 흙을 뒤집어 가루가 되게 가는 것으로 생각하면 큰 오해이다. 하나님의 령(靈) - 곧 바람을 불어 넣기 위하여 논갈이를 하는 것이기 때문이다. 논을 갈 때에 먼저 물을 넣지 않고 논을 한번 간 후에 물을 넣고 다시 두세 번 정도 갈아서 모내기를 하는데, 단단해진 땅을 부드러워지도록 갈아 바람을 넣는 것이 논갈이이다.

논을 갈아엎는 것은 흙의 해체다. 논바닥의 흙을 잘고 가늘게 해체하는 과정에서 바람이 흙 속에 스며들어 벼가 살아가게 되는 것이다.

갈아엎은 논바닥을 모를 내기 전에 고르는 것은 합체의 과정이다. 해체하여 가루된 흙이 다시 제 모습으로 돌아가게 하니 합체라고 할 수 있다. 거칠게 갈렸던 흙이 곱게 부서져 제 모습으로 되돌아가 있는 모양이다. 그래서 해체와 합체의 과정에서 많은 바람 즉, 공기가 흙 속에 들어가 살아 호흡하는 흙이 되는 것이다. 이렇게 흙이 공기를 많이 섭취하여 합체된 위에 모내기를 한다.

모내기를 할 때에 논갈이가 잘된 논을 발로 밟으면 논바닥에서 부글거리는 소리를 내며 공기방울이 올라온다. 거꾸로 논갈이가 덜 된 논에서는 논바닥에서 공기방울이 거의 올라오지 않는다. 하나님의 영! 곧 바람이 있는 곳에는 소리가 있다. 농부들은 발 밑 논바닥에서 부글거리며 나는 소리를 알아듣는다. 이 부글거리는 소리가 많이 올라올 때 만족감을 느낀다. 이런 과정들을 다시 생각하면 벼농사의 주된 작업인 논갈이는 바람 - 곧, 령(靈)을 논바닥 흙 속에 넣어주는 일이라고 보면 맞는 말이다.

농부가 농사를 짓는 데에 바람이 함께 있다는 것을 알 수 있다. 하나님의 령을 본디 바람이라고 하는데, 이 바람은 어느 곳에나 함께 있다. 하나님은 농사일에도 바람으로 함께 하신다.

이렇게 모내기를 하고 일출과 더불어 햇볕이 논 위를 비추면 햇볕과 논의 습기가 만나 열이 발생하여 수증기가 높은 공간으로 올라가고, 일몰과 함께 기온의 상승이 멈추면 습기가 맺혀서 이슬이 된다. 이슬은 모든 식물의 목을 날마다 적셔주므로 하나님과 농부의 합작으로 사람들에게 의식주를 제공하는 일이 일어난다. 빛으로 계신 하나님께서 함께 하시고, 령으로 계신 하나님이 함께 하시어 농사일을 하심으로써 결실을 맺게 되는 것이다.

벼 외의 대다수 곡식은 밭에 씨앗을 뿌려 생산을 한다. 밭농사도 기본적인 일은 논농사와 같다. 밭을 깊이 갈아 밭두렁을 만들어 그 위에 곡식을 심는데, 중요한 것은 밭갈이를 어떻게 하느냐는 것이다. 밭갈이를 할 때 흙이 떡가루처럼 되어야 밭갈이를 잘

하였다고 본다. 그렇게 갈아야 흙 속에 많은 바람이 들어가기 때문이다. 이렇게 되어야 씨앗의 뿌리가 튼튼하게 내려 성장하게 된다. 하나님은 이렇게 빛으로 바람으로 천지를 운행하시면서 농작물을 성장하게 하신다.

살아 숨을 호흡하는 건축물

우리가 살고 있는 집과 건물들 또한 해체와 합체의 논리로 지어진다. 해체는 돌을 가루로 만들어 시멘트를 만드는 것이고, 합체는 만들어진 시멘트에 모래와 자갈을 섞고 물을 더해 단단한 콘크리트를 만드는 것이다. 이렇게 합체로 만들어진 콘크리트를 쌓아 올려 집을 짓는다.

벽돌 제작도 같은 방법으로 만들어진다. 흙을 잘게 가루로 해체하여 물과 섞어 반죽을 한 뒤에 모양을 만들어 불에 구워 만든다. 이 과정에서 흙을 가루로 만드는 일이 해체요, 물을 섞어 반죽하는 과정이 합체의 일이다. 건축물의 바닥과 외벽을 장식하는 타일도 각기 해체와 합체로 만들어지며, 실내 장식을 하는 모든 장식물들도 같은 과정을 거쳐 만들어진다. 심지어 벽을 아름답게 꾸미는 벽지까지도 과정은 마찬가지다.

집(건물)은 이렇게 해체와 합체의 과정으로 만들어진 여러 건축 자재들이 모아져 지이진다.

이러한 건축자재들이 만들어지는 과정에서 바람은 중요한 역할을 한다. 원재료가 미세한 가루로 해체되고, 모아지는 합체의 과정에서 분리된 개체와 개체 사이로 바람이 통하면서 호흡하는 자재가 만들어진다. 시멘트도 반죽이라는 합체의 과정에서 미세한 입자 사이로 바람이 들어가 호흡하면서 단단해지므로 본래의 돌보다 강도가 훨씬 높은 콘크리트로 만들어진다. 이처럼 집을 짓는 데에도 바람은 매우 중요한 역할을 한다.

하나님께서 처음 아담을 창조하실 때에 **"여호와 하나님이 흙으로 사람을 지으시고 생기를 그 코에 불어 넣으시니 사람이 생령이 된지라"**(창2:7)는 말씀처럼 하나님이 흙으로 빚은 당신의 형상을 띤 모형에 생기를 불어 넣어 생령이 있는 사람이 되게 하셨다. 콘크리트 역시 하나님이 자갈, 모레, 시멘트가 모아지는 합체의 과정을 통해 바람을 넣어 주셔서 단단한 콘크리트가 된다. 물론, 해체와 합체의 과정에서 사람이 인위적으로 바람을 불어 넣지 않아도 자연적으로 시멘트 가루 사이에 바람이 스며들게 된다.

나는 과학에 대하여 문외한이다. 그러나 '이것이 과학이다'라는 생각이 든다. 콘크리트를 보아도 돌을 가루로 해체하는 과정에서 많은 바람이 섞여 들어가 돌가루는 생명체처럼 하나하나의 상태로 유지되고, 또한 합체의 과정에서도 많은 바람이 섞여 들어가 하나의 창조물인 콘크리트가 생성되기 때문이다. 이렇게 만들어진 콘크리트는 건축물에서 중요한 역할을 한다.

그렇다면 왜 바람이 어디에나 함께 할까? 그것은 하나님이 태초에 형식과 절차에 따라 모든 것을 창조하셨기 때문이다. 그것은 아담에게 생기를 불어 넣어 창조하신 형식과 절차다. 하나님은 이 형식과 절차를 모든 것에게 적용하셨다. 하나님의 능력이 참으로 위대하다. 어디나 어떤 것에나 늘 계신 주 하나님께 영원히 찬송과 영광을 돌린다.

전통 한과(韓菓)

우리나라 먹거리 중에 바람을 이용한 먹거리가 있는데, 전통 한과도 그중 하나다. 한과는 숭숭 뚫린 바람구멍이 보인다. 한과에는 쌀과 밀로 만든 유밀과와 들깨 참깨로 만든 강정, 그리고 쌀이나 호박 등을 고와 만든 엿이 있다.

한과 중에서 엿의 제조과정을 들여다보자. 엿은 물엿과 갱엿이 있고, 길거리에서 보통으로 파는 하얀 엿도 있다. 하얀 엿은 붉은 갱엿을 늘리고 겹치기를 수십번 반복하면 만들어지는데, 이 과정에서 바람이 많이 들어가게 되어 숭숭 뚫린 바람구멍이 만들어진다. 그래서 엿에는 크고 작은 바람구멍이 나 있음을 본다. 이 바람구멍이 많이 나있을수록 좋은 엿이며 맛 또한 좋다.

엿을 만들 때에도 해체와 합체의 과정을 거쳐야 한다. 처음에 엿기름을 가루로 만든다. 이 가루로 만드는 것이 해체의 논리다. 밥이나 호박 삶은 물과 혼합하여 숙성시켜서 끓이면 물엿이 되고, 물엿을 계속 끓이면 조청이 되며, 조청이 굳으면 갱엿이 되는데 여기까지가 합체의 과정이다.

이 모든 과정이 바람과 연관이 있다. 처음 엿기름과 밥을 섞어 숙성시키고 끓이는 과정에도 바람이 들어가며, 다시 물엿을 끓일 때에도 바람이 들어간다. 이렇게 끓인 물엿은 조청이 되고, 조청이 굳으면 불그레한 갱엿이 된다. 갱엿은 다시 하얀 엿을 만드는데, 여기까지 바람이 필요치 않은 과정은 하나도 없다.

맺는 말씀

위에서 살펴본 대로 하나님의 령인 바람은 사람들에게서 공기로 불리며 이 땅 어디에나 존재하고, 이 땅 어느 것에나 작용한다. 하늘에도 땅 속에도 존재하고, 물속에도 있다. 땅 위의 짐승들과 하늘의 새들과 물속의 고기들에도 작용하며, 나무와 풀들에게도 작용한다. 그래서 이 땅을 번성케 한다.

음식을 만드는 데에서도 바람의 역할은 매우 크다. 한과뿐만 아니라 빵을 만드는 밀가루 반죽에서도 놀라움을 본다. 밀가루 반죽이 잘되면 될수록 바람이 많이 들어가 빵이 부드럽고 연하며 질감도 좋아서 맛을 돋운다.

여기서 놀라운 것은 건축자재인 시멘트와 벽돌은 적절한 비율로 반죽을 잘하면 잘할수록 콘크리트는 더욱 단단해지지만, 먹거리인 빵은 반죽을 잘하면 잘할수록 연하고 부드러워진다는 사실이다. 바람의 역할의 결과는 이렇게 용도에 따라 달라진다.

이상에서 본대로 사람이 만든 모든 것들은 대체로 '해체와 합체'의 과정으로 만들어지는데, 사람이 인위적으로 바람을 불어넣지 않아도 자연스레 바람이 들어가게 된다. 왜 그럴까? 그것은 하나님의 아담 창조의 원리이기 때문이다. **"여호와 하나님이 흙으로 사람을 지으시고 생기를 그 코에 불어 넣으시니 사람이 생령이 된지라"**(창2:7)는 말씀에서 코에 생기를 불어 넣으신 그 원리를 사람이 만드는 모든 것에도 허락하시여 물건이 만들어지게 되었다고 본다.

이렇게 사람이 만든 것들이 바람과의 합작으로 만들어지지만, 음식을 먹을 때에도 바람이 있어 부드럽게 목구멍으로 넘어간다. 음식을 먹을 때에도 바람은 능력을 발휘하기 때문이다. 뿐만 아니다. 음식물이 뱃속에 들어가 소화되는 과정이나 배설물로 나올 때에도 바람이 없다면 불가능하다. 정말 하나님의 령! 바람은 만유 위에 계신다. 우주 만물 창조주 하나님께 무한한 영광과 찬송을 돌린다.

2013년 4월 10일 발표

〈제46과〉
내가 저희에게 영생을 주노니

본문 말씀 10:22~33

"22예루살렘에 수전절(修殿節)이 이르니 때는 겨울이라. 23예수께서
성전 안 솔로몬 행각에서 다니시니 24유대인들이 에워싸고 가로되, 당
신이 언제까지나 우리 마음을 의혹케 하려 하나이까? 그리스도여든 밝
히 말하시오 하니 25예수께서 대답하시되, 내가 너희에게 말하였으되
믿지 아니하는도다. 내가 내 아버지의 이름으로 행하는 일들이 나를 증
거하는 것이어늘 26너희가 내 양이 아니므로 믿지 아니하는도다. 27내
양은 내 음성을 들으며, 나는 저희를 알며, 저희는 나를 따르느니라. 28
내가 저희에게 영생을 주노니 영원히 멸망치 아니할 터이요, 또 저희를
내 손에서 빼앗을 자가 없느니라. 29저희를 주신 내 아버지는 만유(萬
有)보다 크시매 아무도 아버지 손에서 빼앗을 수 없느니라. 30나와 아
버지는 하나이니라 하신대 31유대인들이 다시 돌을 들어 치려하거늘 32
예수께서 대답하시되, 내가 아버지께로 말미암아 여러 가지 선한 일을
너희에게 보였거늘 그 중에 어떤 일로 나를 돌로 치려하느냐? 33유대
인들이 대답하되 선한 일을 인하여 우리가 너를 돌로 치려는 것이 아니
라 참람함을 인함이니 네가 사람이 되어 자칭 하나님이라 함이로라."

영생을 내 손에서 빼앗을 者는 없다

지난 45과 공부에서 예수 그리스도는 "내가 문"(9절)이라고 하셨다. 즉, 예수 그리스도와 양이 함께 십자가라고 하는 죽음의 문으로 들어가서 예수 그리스도의 생명을 받아 영생할 것이라는 말씀이다. 오늘 공부하는 28절에서는 "(나에게서 생명을 받은) 저희에게 영생을 주노니 영원히 멸망치 아니할 터이요, 또 저희를 내 손에서 빼앗을 자가 없다"고 하신다.

또 29절에서는 농부인 하나님 아버지가 예수 그리스도를 통해

주신 생명을 어느 누구도 빼앗을 수 없다는 이유로 "내 아버지는 만유(萬有)보다 크시매 아무도 아버지 손에서 빼앗을 수 없다"고 하신 후, "나와 아버지는 하나"라고 하신다. 즉, **'하나님과 예수 그리스도는 각각이면서도 하나'**라고 말씀하신 것이다.

다시 풀어 생각하면 우주 만물 창조자 아버지와 예수 그리스도는 하나인데, 하나님은 농부로서 그 일을 하시고, 아들! 예수 그리스도는 참포도나무로서의 역할을 하신다는 말씀이다.

그러므로 예수님과 함께 죽음의 문을 같이 통과하는 자는 예수 그리스도의 피와 살을 받는 자(者)인데, 6장에서는 이렇게 말씀하셨다.

"내 살을 먹고 내 피를 마시는 者는 내 안에 거(居)하고, 나도 그 안에 거(居)하나니 살아계신 아버지께서 나를 보내시매 내가 아버지로 인(因)하여 사는 것 같이 나를 먹는 그 사람도 나로 인(因)하여 살리라."(6:56)

이 말씀은 즉, 하나님 아버지와 예수 그리스도가 하나이고, 예수 그리스도의 살과 피를 받은 우리 그리스도인도 '하나'라는 말씀이다. 그러므로 예수 그리스도를 믿는 사람은 흙으로 지음을 받지 않은 예수 그리스도의 생명! 곧 영원한 생명을 받아 하나님의 아들이 된다는 말씀이다.

본문 공부

22~4절 "예루살렘에 수전절이 이르니 때는 겨울이라. ◇예수께서 성전 안 솔로몬 행각에서 다니시니 ◇유대인들이 에워싸고 가로되 당신이 언제까지나 우리 마음을 의혹케 하려 하나이까? 그리스도 여든 밝히 말하시오 하니"

'수전절(修殿節)'은 예루살렘 성전을 중수한 것을 기념하는 겨울철에 있는 절기로, 예수께서 수전절에 성전 안 솔로몬 행각을 거니실 때에 일어난 일이다.

마치 거리에서 폭력배들이 상대의 두목을 만나 여럿이 둘러싸고 겁박하듯 유대인들이 예수님을 둘러싸고 묻는다.

'도대체 당신이 언제까지나 우리 마음을 의혹케 할 겁니까?' 유대인들이 또 다그친다. **'당신이 그리스도이거든 확실하게 밝히시오.'**

만일 제대로 밝히질 않는다면 가만두지 않겠다는 태세다. 자칫하면 폭력이 일어날지도 모르는 일촉즉발의 순간이다.

솔로몬 행각'은 '솔로몬 기념관' 정도로 보면 되겠다.

25,6절 "예수께서 대답하시되, 내가 너희에게 말하였으되 믿지 아니하는도다. 내가 내 아버지의 이름으로 행하는 일들이 나를 증거하는 것이어늘 ◇너희가 내 양이 아니므로 믿지 아니하는도다."

유대인들의 다그치는 말에 예수께서 대답한다. "내가 너희에게 말하였지만 너희는 믿지 않았다." 사실, 예수께서는 그동안 아버지로부터 왔음을 저들에게 여러 차례 말하였지만 저들은 믿지 않고 있음을 예수께서 지적하신 것이다.

"내가 내 아버지의 이름으로 행하는 일들이 나를 증거하는 것"이란 말씀대로 예수께서는 그동안 인간으로서는 할 수 없는 이적들을 보여 왔다. 이러한 일들을 자세히 생각해 보면 모두가 예수는 하나님의 아들이요, 하나님께로부터 왔음을 증거하는 것들이다. 그럼에도 불구하고 유대인들은 믿지 않고 증거만 보이라고 한다. 참으로 답답한 사람들이 아닐 수 없다.

유대인들의 불신에 대하여 예수께서는 **"너희가 나를 믿지 못하는 것은 너희가 내 양이 아니기 때문"**이라고 정의를 내리신다. 바꾸어 말하면 "나는 목자인데 너희가 내 양이라면 나를 믿지 않겠느냐?"는 말씀이기도 하다.

여기서 우리 그리스도인이 깊이 생각할 점이 있다.

예수 그리스도의 지적대로 유대인들만 예수의 양이 아니었을까? 아니다. 예수의 직제자들을 포함한 인류 만민이 예수 그리스도를 바로 알지 못하였다면 예수 그리스도의 양이 아니다.

이러한 인간의 우매함을 아시는 하나님께서는 당신의 아들 예수 그리스도를 보내시어 십자가상에서 강도와 예수 그리스도가 함께 죽게 함으로써 강도(인류)가 예수 그리스도의 진액! - 생명을 받게 함으로써 성령의 역사가 이루어졌다는 점이다.

네 복음서 전체가 장차 십자가상에서 이루어 가실 예고의 말씀을 담고 있다.

27절 "내 양은 내 음성을 들으며, 나는 저희를 알며, 저희는 나를 따르느니라."

"내 양들은 목자인 내 음성을 알아듣고, 목자인 나는 저희를 알아보며, 저희는 목자인 나를 따른다." 이는 예수 그리스도를 우리 인류의 생명의 근원으로 믿을 때에 예수의 양이 된다는 말씀이다.

참 그리스도교(敎)는 예수 그리스도의 부활 후에 존재하게 되었다. 예수 그리스도의 생명을 가진 사람들의 모임이 곧 그리스도교회(敎會)다. 우리가 **'예수 그리스도의 음성을 듣고 따르는 길'**이 **'그리스도인의 참 길'**이다. 증언자 바울은 '내가 나의 생명의 근원인 예수 그리스도라는 푯대를 향하여 달려갈 뿐'이라고 하였다.

28절 "내가 저희에게 영생을 주노니 영원히 멸망치 아니할 터이요, 또 저희를 내 손에서 빼앗을 자가 없느니라."

예수께서는 26절에서 '저들이 내 양이 아니므로 믿지(따르지) 않는다' 하셨고, 27절에서는 '내 양은 나를 믿고 따른다'고 하셨으며, 이제 28절에서는 '저희(내 양)에게 영원한 생명을 주겠다'고 하신다. 또, 주신 그 생명은 "영원히 멸망치 아니하고, 또 저희를 내 손에서 빼앗을 자가 없다"고 확고한 말씀을 하신다.

농부이신 하나님이 들포도나무에 참포도나무를 접붙임하여 참포도나무가 되었는데, 참포도나무인 그 양의 생명은 어느 누구도 빼앗을 자(者)가 없다는 말씀이다.

29절 "저희를 주신 내 아버지는 만유(萬有)보다 크시매 아무도 아버지 손에서 빼앗을 수 없느니라."

앞절에서의 **'양의 영원한 생명'**을 빼앗아 가지 못하는 이유를 말씀하신다.

'저희를 주신 내 아버지' 즉, 하나님께서는 만유(萬有)보다 크시다고 하신다. 그러면 '만유보다 크시다'는 무슨 말인가? 우주 만물의 운행자요, 창조자란 뜻이다. 그 운행자요, 창조자가 주신 양들을 당신의 뜻이 아니면 아무도 빼앗을 수 없다는 말씀이다.

30절 "나와 아버지는 하나이니라 하신대"

예수께서 앞절에서 '내 아버지는 만유보다 크시다'고 하신 말씀에 이어서 '나와 아버지는 하나'라고 하신다. 그러면 왜 예수 그리스도와 하나님 아버지는 하나인가?

여기에 대한 답으로 사도 요한은 **"아버지 품속에 있는 독생하신 하나님이 나타내셨다"**고 했다. 즉, 아담은 "사람"(adam)이며, 사람은 "흙"(adama)으로 지음을 받았는데, "흙"(adama)으로 지음 받지 않은 "독생하신 아버지 품속"에 계시다가 성령의 잉태로 동정녀 마리아를 통해서 이 땅에 오신 예수 그리스도는 오직 하나님의 혈통! 성령의 하나님으로 오신 분이기 때문에 두 분을 하나로 보아야 한다.

31,2절 "유대인들이 다시 돌을 들어 치려하거늘 ◇예수께서 대답하시되, 내가 아버지께로 말미암아 여러 가지 선한 일을 너희에게 보였거늘 그 중에 어떤 일로 나를 돌로 치려하느냐?"

'나와 아버지는 하나'라는 예수님의 말씀에 유대인들이 돌을 들어 치려한다. 당연한 반응이다. 유대인들은 예수님을 자기들과 똑같은 사람으로 보았기에 '나와 하나님은 하나'라는 말에 돌을 들어 치려한 것이다. 예수 그리스도가 성령의 잉태로 오신 분이라는 것을 알지 못하는 유대인들로서는 당연한 행동이라고 하겠다.

유대인들이 돌로 치려하므로 예수께서는 '내가 아버지께로부터 와서 여러 가지 선한 일을 너희에게 보였다. 그런데 어떤 일이 잘못 되어 나를 치려고 하느냐?'고 물으신다.

33절 "유대인들이 대답하되, 선한 일을 인하여 우리가 너를 돌로 치려는 것이 아니라 참람함을 인함이니 네가 사람이 되어 자칭 하나님이라 함이로다."

유대인들의 대답이 '우리가 당신의 선한 일을 문제 삼는 것이 아니다. 당신은 사람이면서 자칭 하나님이라 하니 바로 그 참람함 때문이다'라고 한다. 예수 그리스도를 알지 못하는 유대인들로서는 당연한 말이요, 행동이다. 우리 인류는 모두가 그 때에 예수 그리스도를 알지 못했기에 그렇게 밖에 할 수 없었을 것이다. 예수님의 직제자뿐 아니라 그 때로부터 이천년이 지난 지금도 너와 나 할 것 없이 모두가 예수 그리스도를 제대로 알지 못하고 있다.

2013년 5월 10일 발표

〈제47과〉
생각하는 신앙생활 – 그 일(事)은 믿으라

본문 말씀 10:34~42

"34예수께서 가라사대 너희 율법에 기록한바, '내가 너희를 신이라
하였노라' 하지 아니하였느냐. 35성경은 폐하지 못하나니 하나님의 말
씀을 받은 사람들을 신이라 하셨거든 36하물며 아버지께서 거룩하게 하
사 세상에 보내신 자가 '나는 하나님 아들'이라 하는 것으로 너희가 어
찌 참람하다 하느냐. 37만일 내가 내 아버지의 일을 행치 아니하거든
나를 믿지 말려니와 38내가 행하거든 나를 믿지 아니할찌라도 그 일은
믿으라. 그러면 너희가 아버지께서 내 안에 계시고 내가 아버지 안에
있음을 깨달아 알리라 하신대, 39저희가 다시 예수를 잡고자 하였으나
그 손에서 벗어나 나가시니라. 40다시 요단강 저편 요한이 처음으로 세
례 주던 곳에 가사 거기 거하시니 41많은 사람이 왔다가 말하되 '요한
은 아무 표적도 행치 아니하였으나 요한이 이 사람을 가리켜 말한 것은
다 참이라' 하더라. 42그리하여 거기서 많은 사람이 예수를 믿으니라."

생각하는 신앙생활 – 그 일(事)은 믿으라

예로부터 '말은 쉽지만 실천은 어렵다'고 했다. 또한 '말로는 무슨 일인들 다 한다'라는 말도 있다. 예수께서는 유대인들을 향해 '내가 하나님의 아들이라는 나의 말을 너희가 믿지 못하겠으면 내가 행하는 그 일들이 하나님의 일임을 믿으라'고 하신다.

요한복음에 기록 된 사람 중에서 예수를 깊이 생각하고 믿었던 사람은 「니고데모」다. 그는 예수에 대하여 깊이 생각하고 밤에 찾아와 "선생님, 당신은 하나님께로부터 오신 분인 줄 우리가 압니다. 하나님께서 함께 하시지 아니하시면 당신의 행하시는 이 표적은 아무나 할 수 없기 때문입니다." 라고 자기의 생각을 말

한다.

예수께서는 본문 37,8절에서 '만일 내가 내 아버지의 일을 행치 아니하거든 나를 믿지 말려니와 내가 행하거든 나를 믿지 아니할지라도 그 일은 믿으라. 그러면 너희가 아버지께서 내 안에 계시고 내가 아버지 안에 있음을 깨달아 알리라' 고 말씀하신다. 이 말씀은 곧 '유대인들아! 너희 자신을 깊이 생각하여 보라. 그리하면 깨달아질 것'이라는 말씀인 것이다. 이 말씀을 깊이 생각해 보면 '아버지께서 내 안에 계시고, 내가 아버지 안에 있음'을 깨닫게 된다. 이것을 깨달은 니고데모는 자신의 신앙을 예수께 고백한 것이다.

이런데도 옛날의 유대인들이나 오늘날의 현대인들이 예수 그리스도에 대하여 깊이 생각하고 있지 않는데, 이것이 큰 문제라고 생각한다. 깊이 생각하여 보면 다 알 터인데도 생각은 하지 않고, 그저 목사의 설교나 자신들이 잘 아는 전도자들의 말만을 무조건 믿는 신앙이다. 다시 말하여 '정통신앙'이란 깃발 아래 루터가 정한 신앙만을 신봉한다는 말이다. 신앙의 진리라는 도(道)에 '정통'이 과연 있는가? '정통'이라는 것은 하나의 틀을 만들어 그 틀 안에만 있게 하는 종교집단의 전형적인 못된 고집이요, 횡포다.

신앙의 도(道)란 아브라함이 자신의 혈육의 종족을 떠나 하나님이 지시한 땅을 향하여 갔던 순종의 길이다. 이것이 진리의 길(道)이다. 앞으로 가는 길이되, 당자에게는 미래가 보이지 않는 길이다. 오로지 하나님께서 자신에게 하신 말씀만을 믿고 가는 길이다. 오늘의 우리 신앙인이 성서의 말씀을 믿으며 각자가 찾아가는 길에 '정통신앙'이라고 정해진 목표가 있다면 자동차가 아스팔트 도로를 달리듯이 다져진 길을 편하게 갈 수 있을 것이다. 그러나 '정통신앙'은 없다. 왜? 생명이 있는 진리는 어느 하나를 짚어 '이것!'이라고 정의(定義)할 수 없기 때문이다. 예를 들어 사람의 신체 중 어느 일부분이 생명의 중심이라고 말하기는 어렵다. 호흡기? 심장? 아니면 피? 그도 아니면 뇌? 신체의 구조에서 어느 것 하나라도 없으면 생명은 유지될 수 없다. 우리의 생명이 이럴진대 하물며 우주 만물을 창조하시고, 관장하시는 하나님에 대해 '이것이 진리!'라고 정의(定義) 할 수 있겠는가? 그래서 그 분을 찾아가는 길에 인간이 정하는 '정통신앙'이란 길은 있을 수 없다.

성서 공부하는 사람들에게 큰 문제가 있다. 성서를 공부하는 사람은 예수를 깊이 생각하여 예수 그리스도의 뜻을 밝히고 예수 그리스도를 활짝 드러내는 것이 목절일 텐데도 성경보다는 '루터는 이렇게 이야기 하였다.' '칼빈은 저렇게 말하였다.'는 등에 더욱 열을 올려 공부하니 종교집단의 못된 '정통신앙만을 찾아 공부하는 꼴'이 되어 간다. 나는 성서 공부하는 사람들이 선인들의 주해서(註解書)에 의지하면 안 된다고 말해 왔다. 성서 공부하는 사람이 참고할 책은

첫째는 성경 전체요,

둘째는 자연! 곧 산천의 동식물들이요,

셋째가 사람의 인체이다.

그리스도인들이 각자 예수 그리스도를 깊이 생각하면서 그분이 택하여 기록하신 성경! 그 분이 창조하신 자연! 그분이 만물의 영장으로 창조하신 사람의 신체를 참고하며 그 분을 향해 가는 길이 신앙의 길이지 않을까 싶다.

본문 공부

34,5절 "예수께서 가라사대 너희 율법에 기록한바 '내가 너희를 신이라 하였노라' 하지 아니하였느냐. ◇성경은 폐하지 못하나니 하나님의 말씀을 받은 사람들을 신이라 하셨거든"

참으로 놀라운 말씀이다. 율법에 '내가 너희를 신이라 하였다'고 기록한 대로 너희 - 곧, 우리를 신이라고 하였다는 말씀이다. 그 때에 내가 - 예수께서 그렇게 기록하게 하였다는 말씀이다. 그 때에 이미 예수께서 하나님으로서 역사(役事)하였다는 말씀이다.

'성경은 폐하지 못하나니' **'나 예수가 기록한 성경은 폐하지 못한다'**고 못을 박으신다. 하나님의 말씀을 받은 사람들을 신이라고 하였다. 곧 하나님과 영감(靈感)으로 소통하는 사람들은 모두가 신이라는 말씀이다.

36절 "하물며 아버지께서 거룩하게 하사 세상에 보내신 자가 '나는 하나님 아들'이라 하는 것으로 너희가 어찌 참람하다 하느냐."

'하물며' '그럼에도' 즉, 하나님과 영감으로 소통하는 사람을 신이라고 하였는데도 아버지께서 거룩하게 하시려고 세상에 보내진 자가 '나는 하나님 아들'이라 하는데 너희가 어찌 참람하다 하느냐는 나무람의 말씀이다.

여기에서 '참람(僭濫)하다'는 무엇 무엇이 분에 넘치고 넘친다. 즉, 격이나 이치에 맞지 않다는 말이다.

37,8절 "만일 내가 내 아버지의 일을 행치 아니하거든 나를 믿

지 말려니와 ◇내가 행하거든 나를 믿지 아니할찌라도 그 일은 믿으라. 그러면 너희가 아버지께서 내 안에 계시고 내가 아버지 안에 있음을 깨달아 알리라 하신대"

'내가 내 아버지의 일을 행치 아니하거든'은 무슨 말씀인가? '나, 예수가 하나님의 아들이라고 하면서 능력의 증거를 보이지 않으면' 믿지 말라는 말씀이다.

'내가 행하거든' 내가 말로만이 아니라 하나님의 아들이라는 것을 증거로 행하거든, '그 일은 믿으라' 너희가 설령 내 말은 믿지 못해도 '내가 행하는 그 증거인 능력은 믿으라'고 하신다.

내 말과 행함을 깊이 생각하여 상고(相考)하여 보라. 그러면! 너희가 '아버지께서 내 안에 계시고 내가 아버지 안에 있음을 깨달아 알 것'이라고 하신다. 여기서 중요한 것은 '깨달아' 너희 스스로 생각해 보라는 말씀이다. 누구를? 제사장, 루터, 칼빈, 내촌감삼, 또는 한국의 선각자 김교신, 나의 스승인 국희종 등 선인들의 말을 참고하지 말고, 너 스스로 깊이 생각하면 '하나님 아버지께서 내 안에 계시고 내가 아버지 안에 있음을 알리라'고 하신다. 이는 곧, '하나님 아버지와 나 예수가 하나라는 것을 알게 되리라'는 말씀이다.

39,40절 "저희가 다시 예수를 잡고자 하였으나 그 손에서 벗어나 나가시니라. ◇다시 요단강 저편 요한이 처음으로 세례 주던 곳에 가사 거기 거하시니"

'나의 행위를 깊이 생각하면 내가 하나님의 아들이라는 것을 깨달아 알게 될 것'이라는 예수님의 말씀에 저들이 분노하여 예수를 잡고자 한다. 그러나 예수님은 그들의 손에서 벗어나 나가신다.

예수께서는 자신을 잡고자 하는 자들을 피해 요단강 건너편, 요한이 처음 세례 주던 곳에 가 계셨다.

41,2절 "많은 사람이 왔다가 말하되 '요한은 아무 표적도 행치 아니하였으나 요한이 이 사람을 가리켜 말한 것은 다 참이라' 하더라. ◇그리하여 거기서 많은 사람이 예수를 믿으니라."

예수께서 요단강 건너편, 세례요한이 처음 세례를 주던 곳으로 몸을 피하자 여기까지 따라 온 많은 사람이 예수 그리스도 주위에 몰려와서 '요한은 아무 표적도 행치 아니하였지만, 요한이 이 사람을 가리켜 말한 것은 다 참'이라고 입들을 모은다.

세례요한이 예수를 가리켜 말한 것은 다 참이었음을 생각해낸 많은 사람들이 예수님을 믿었다는 기사다.

2013년 6월 10일 발표

〈제48과〉

나사로의 부활을 통한 인류 부활의 예고(1)

본문 말씀 11:1~16

"1어떤 병든 자가 있으니 이는 마리아와 그 형제 마르다의 촌 베다
니에 사는 나사로라. 2이 마리아는 향유를 주께 붓고 머리털로 주의 발
을 씻기던 자요, 병든 나사로는 그의 오라비러라. 3이에 그 누이들이 예
수께 사람을 보내어 가로되 주여 보시옵소서. 사랑하시는 자가 병들었
나이다 하니, 4예수께서 들으시고 가라사대 이 병은 죽을병이 아니라
하나님의 영광을 위함이요, 하나님의 아들로 이를 인하여 영광을 얻게
하려함이라 하시더라. 5예수께서 본래 마르다와 그 동생과 나사로를 사
랑하시더니 6나사로가 병들었다 함을 들으시고 그 계시던 곳에 이틀을
더 유하시고 7그 후에 제자들에게 이르시되 유대로 다시 가자하시니 8
제자들이 말하되 랍비여, 방금도 유대인들이 돌로 치려하였는데 또 그
리로 가시려 하나이까? 9예수께서 대답하시되 낮이 열두시가 아니냐.
사람이 낮에 다니면 이 세상의 빛을 보므로 실족하지 아니하고, 10밤에
다니면 빛이 그 사람 안에 없는 고로 실족하느니라. 11이 말씀을 하신
후에 또 가라사대 우리 친구 나사로가 잠들었도다. 그러나 내가 깨우러
가노라. 12제자들이 가로되 주여 잠들었으면 낫겠나이다 하더라. 13예수
는 그의 죽음을 가리켜 말씀하신 것이나, 저희는 잠들어 쉬는 것을 가
리켜 말씀하심인줄 생각하는지라. 14이에 예수께서 밝히 이르시되 나사
로가 죽었느니라. 15내가 거기 있지 아니한 것을 너희를 위하여 기뻐하
노니 이는 너희로 믿게 하려함이라. 그러나 그에게로 가자고 하신대 16
디두모라 하는 도마가 다른 제자들에게 말하되 우리도 주와 함께 죽으
러 가자 하니라."

나사로의 부활을 통한 인류 부활의 예고 (1)

성경 신 · 구약 전체가 예수 그리스도와 인류가 십자가상에서 함께 죽는 데에 초점이 맞추어져 있다. 더욱이 신약의 첫 예고자 세례요한은 자신을 선지자 이사야의 말처럼 '주(主)의 길을 곧게 하라고 광야에서 외치는 자(者)의 소리'라고 하였다. 요한은

세례를 주면서 '나는 물로 세례를 주지만, 내 뒤에 오실 하나님의 아들은 성령으로 세례를 주신다'고 예언을 하였다. 성령은 무엇인가? 하나님이 당신 아들의 생명을 인류에게 주신다는 말씀이다.

예수께서는 요한복음 6장에서 "내 살을 먹고 내 피를 마시는 자는 영생을 가졌고 마지막 날에 내가 그를 다시 살리리니" 라고 하셨다. 그런데 예수의 생명을 받기위해서는 예수 그리스도와 같이 내가! 인류가! 양이! 죽음의 문을 통과 하여야 한다고 10장에서 말씀 하신다.

"내가 문이니 누구든지 나로 말미암아 들어가면 구원을 얻고, 또는 들어가며 나오며 꼴을 얻으리라."(6:9) 나는 문이다. 그러므로 구원의 문을 믿음으로 강도나 양의 모습으로 참여하여 - 곧, 예수와 함께 십자가상에서 믿음으로 죽고 다시 살 때에는 예수의 흘린 피를 받아 살면 구원을 얻고, 또는 들어가며 나오며 꼴을 얻어 믿음으로 산다는 말씀(공부45과)이다.

통상, 성서 공부하는 대부분의 사람들이 10장의 '죽음의 문'으로 들어가는 예수 그리스도의 말씀과 이번에 공부하는 '나사로의 부활' 기사를 분리하여 생각하는데, 이는 결코 나뉠 수 없으며 두 말씀이 서로가 연결되어 있다. 그것은 이번 공부의 본문 16절의 "디두모라 하는 도마가 다른 제자들에게 말하되 '우리도 주와 함께 죽으러 가자' 하니라"는 기사를 보아도 그렇고, 또한 25,6절에서는 "예수께서 가라사대 나는 부활이요 생명이니 나를 믿는 자는 죽어도 살겠고, 무릇 살아서 나를 믿는 자는 영원히 죽지 아니하리니 이것을 네가 믿느냐?"고 물으신다. 믿음으로 예수 그리스도와 같이 죽음의 문으로 통과 하여 무덤 속에 있는 나사로를 농부이신 하나님의 은혜로 다시 살게 하시는 기사이다.

그리고 15장에 가서 농부이신 하나님께서 인류라는 농장에 무성한 들포도나무를 참포도나무로 개조하시려고 **"나는 참포도나무요, 너희는 가지, 내 아버지 하나님은 일하시는 농부"**라고 하신다.

본문 공부

1,2절 "어떤 병든 자가 있으니 이는 마리아와 그 형제 마르다의 촌 베다니에 사는 나사로라. ◇이 마리아는 향유를 주께 붓고 머리털로 주의 발을 씻기던 자요, 병든 나사로는 그의 오라비러라."

병든 '나사로'는 마리아와 마르다 자매가 사는 베다니 마을에 살고 있다.

2절에서는 마리아의 행적과 나사로와의 관계를 소개하고 있다. '마리아는 향유를 주 예수께 붓고 자신의 머리털로 예수의 발을 씻겼던' 사실과 '병든 나사로는 그녀들의 오라비'라고 밝히고 있다.

3,4절 "이에 그 누이들이 예수께 사람을 보내어 가로되 주여 보시옵소서. 사랑하시는 자가 병들었나이다 하니 ◇예수께서 들으시고 가라사대 이 병은 죽을병이 아니라 하나님의 영광을 위함이요, 하나님의 아들로 이를 인하여 영광을 얻게 하려함이라 하시더라."

나사로가 병석에 눕자 그의 누이들이 예수께 사람을 보내어 '당신이 사랑하시는 나사로'가 병들었다는 소식을 전한다.

마리아 자매의 전언을 들은 예수께서는 놀라워하기보다 오히려 '이 병은 죽을병이 아니라' 고 하시며, 오히려 나사로가 병든 것은 '하나님의 영광을 위함이요, 이를 인하여 하나님의 아들인 자신이 영광을 얻게 하려 함'이라고 하신다.

나사로의 병으로 왜 예수 자신이 영광을 얻게 되는가? 죽은 사람을 살리는 일은 오직 생명 창조자 하나님만 하시는 일이다 그 일을 자신이 하게 되므로 세상 사람들에게 자신이 그리스도이자 하나님의 아들이라는 것을 널리 알리게 되므로 그것을 보는 사람들이 믿게 되어 영광을 받는다는 말씀이다.

5,6절 "예수께서 본래 마르다와 그 동생과 나사로를 사랑하시더니 ◇나사로가 병들었다 함을 들으시고 그 계시던 곳에 이틀을 더 유하시고"

요한복음 기자는 여기서 '예수께서 본래 나사로와 누이들을 사랑하셨다'고 특별히 쓰고 있다.

예수께서 특별히 사랑하는 나사로가 병들었다 함을 들으셨지만, 계시던 곳에서 이틀을 더 묵으셨다.

바로 가지 않으시고 왜 그렇게 하셨을까?

7,8절 "그 후에 제자들에게 이르시되 유대로 다시 가자하시니 ◇제자들이 말하되 랍비여, 방금도 유대인들이 돌로 치려하였는데 또 그리로 가시려 하나이까?"

나사로가 병들었다는 소식을 들으신 예수께서 이틀을 더 묵으신 후에야 제자들에게 '유대로 다시 가자'고 하시니 제자들은 스승의 마음을 알다가도 모르겠다고 했을 것이다.

이상하다고 생각한 제자들이 '선생님! 며칠 전에도 유대인들이 돌로 치려하였는데 또 그리로 가시렵니까?' 하며 묻는다.

9,10절 "예수께서 대답하시되 낮이 열두시가 아니냐. 사람이 낮에 다니면 이 세상의 빛을 보므로 실족하지 아니하고, ◇밤에 다니면 빛이 그 사람 안에 없는 고로 실족하느니라."

예수께서는 6절부터 제자들이 이해하지 못하는 행동과 말씀을 계속 하신다. 당신이 사랑하는 나사로가 병들었다고 하는데도 이틀이 지난 후에서야 '유대땅 나사로의 마을로 가자' 하시고, '유대인들이 돌로 치려하는데도 그리로 가시려 합니까?' 하고 염려하는 제자들에게 이해 할 수 없는 말씀을 하신다.

열두시는 한낮이다. 사람이 낮에 다니면 이 세상의 빛을 보므로 실족하지 아니한다. 고 하신다. 이 말은 무슨 뜻인가? 또한 '이 세상의 빛' 은 무엇을 말하는가?

예수께서는 제자들에게 '빛이 있는 한낮에는 실족치 않는다' 고 하셨는데, 이 말을 바꾸면 '세상의 빛인 나와 함께 있으면 실족하지 않는다'는 뜻이 있다. 왜? 예수 자신은 '이 세상의 빛'이므로 빛과 같이 있을 동안에는 실족하지 않기 때문이다. 사도요한은 요한복음 1장 5절에서 "빛이 어두움에 비춰되 어두움이 깨닫지 못하더라" 하였고, 세례자 요한은 "나는 빛이 아니요, '빛에 대하여 증거'하러 왔다"고 하였다. 지금 예수 그리스도께서는 세례자 요한이 증거한 것처럼, '나는 빛이므로 너희가 나와 함께 있으면 낮과 같은 동안에 있으므로 실족하지 않을 것'이라고 말씀하신다.

반면에 '어두운 밤에 다니면 빛이 없어 실족한다'고도 하신다. 즉, 빛이신 예수 그리스도와 함께 하지 않으면 영의 눈이 어두워져 '빛이 그 사람 안에 없는 고로 실족한다'는 말씀이다.

11,2절 "이 말씀을 하신 후에 또 가라사대 우리 친구 나사로가 잠들었도다. 그러나 내가 깨우러 가노라. ◇제자들이 가로되 주여 잠들었으면 낫겠나이다 하더라."

사람이 잠들었다가 깨는 것은 일반적인 상식인데도 예수께서는 '깨우러 간다' 고 하시고, 제자들은 나사로가 잠들었으면 깨는 대로 일어나겠다는 일반적인 생각을 했던 것이다.

13,4절 "예수는 그의 죽음을 가리켜 말씀하신 것이나 저희는 잠들어 쉬는 것을 가리켜 말씀하심인줄 생각하는지라. ◇이에 예수께서 밝히 이르시되 나사로가 죽었느니라."

제자들이 스승의 말씀을 알아듣지 못했다. 예수께서는 나사로의 죽음을 '잠든 것'으로 말을 하니 제자들은 곧이곧대로 나사로가 '잠들어 쉬는 것'으로 생각했다.

예수께서는 당신의 말을 알아듣지 못하는 제자들에게 알아듣도록 말씀하신다. '나사로가 죽었다' 고.

15절 "내가 거기 있지 아니한 것을 너희를 위하여 기뻐하노니 이는 너희로 믿게 하려함이라. 그러나 그에게로 가자 하신대"

여기서 예수께서는 새로운 말씀을 하신다. '내가 나사로가 살아 있을 때에 거기 가지 않은 것을 기뻐한다'는 말씀이다. 이는 역설적인 말씀이 아닐 수 없다. 왜? '너희로 나를 믿게 하려함' 이라는 말씀이다. 예수 자신이 죽은 나사로를 살리심으로, 이 능력으로 인해 자신이 하나님께로부터 오신 생명의 근원이라는 것을 앞의 제자들뿐만 아니라 온 인류가 믿게 되는 것을 기뻐한다는 말씀이다.

16절 "디두모라 하는 도마가 다른 제자들에게 말하되 우리도 주와 함께 죽으러 가자 하니라"

인류 역사에서 디두모라 하는 도마의 말! 곧 "우리도 주와 함께 죽으러 가자" 이 말을 바르게 주해한 사람은 한 사람도 없었다고 본다. 여러분이 이 부분, 이제까지의 여러 주해자(註解者)들의 주해서를 읽어보면 하나같이 도마의 말을 '헛된 소리'로 주해하고 있음을 알 수 있다. 왜 그럴까? 루터 개혁 500년 역사에서 대속의 신앙관(信仰觀)으로 주해를 하였기 때문이다. 대속의 신앙관에서 보면 도마의 말은 헛된 소리로 들리기 때문이다.

그러나 십자가의 사건을 "접붙임의 만남"으로 보면 "우리도 주와 함께 죽으러 가자"는 말이 참으로 진리의 말로 다가온다. 예수 그리스도의 십자가상의 죽음은 예수 그리스도 혼자 죽는 죽음이 아니었다. 좌 · 우 편의 두 강도! 인류를 상징하는 강도와 같이 죽는 죽음이었다. 도마의 말은 이 강도의 모습으로 '예수와 함께 죽으러 가자'는 말이며, 또한 장차 다가올 십자가 사건이 예수 혼자만의 죽음이 아니라 인류! 곧 좌우편에 강도와 함께 맞는 죽음임을 예고하는 말이기도 하다.

2013년 7월 10일 발표

〈제49과〉

나사로의 부활을 통한 인류 부활의 예고(2)

본문 말씀 11:17~27

"[17]예수께서 와서 보시니 나사로가 무덤에 있은 지 이미 나흘이라.
[18]베다니는 예루살렘에서 가깝기가 한 오리쯤 되매 [19]많은 유대인이 마
르다와 마리아에게 그 오라비의 일로 위문하러 왔더니 [20]마르다는 예
수 오신다는 말을 듣고 곧 나가 맞되, 마리아는 집에 앉았더라. [21]마르
다가 예수께 여짜오되 주께서 여기 계셨더라면 내 오라비가 죽지 아니
하였겠나이다. [22]그러나 나는 이제라도 주께서 무엇이든지 하나님께 구
하시는 것을 하나님이 주실 줄을 아나이다. [23]예수께서 가라사대 네 오
라비가 다시 살리라. [24]마르다가 가로되 마지막 날 부활에는 다시 살줄
을 내가 아나이다. [25]예수께서 가라사대 나는 (너희들의) 부활이요, 생
명이니 나를 믿는 자는 죽어도 살겠고, [26]무릇 살아서 나를 믿는 자는
영원히 죽지 아니하리니 이것을 네가 믿느냐? [27]가로되 주여 그러하외
다. 주는 그리스도시오 세상에 오시는 하나님의 아들이신 줄 내가 믿나
이다."(괄호 안은 필자 삽입)

예수는 인류의 부활이요, 생명

예수께서는 나사로의 동네 베다니에서 "나는 부활이요 생명"이라고 말씀하셨다. 죽은 나사로에게 부활이요, 생명이라는 말씀이자 우리 모든 인류에게도 부활이자 생명이라는 말씀이다.

그런데 이제까지 이 부분을 주해(註解)한 사람들은 어떻게 말해왔는지 살펴볼 필요가 있다.

내가 본 주해서 중에서 예수 그리스도 말씀의 뜻에 가장 가깝게 풀이한 사람은 성경공부에 일생을 바쳤다고 할 수 있는 일본의 내촌감삼도 아니요, 독일의 루터도 아닌 한국의 「최선근」 선생이다. 한양대학교 물리과 교수였던 선생은 이 부분을 아래와

같이 설명하고 있다.

"그리스도께서 십자가에 달려 죽으심과 함께 우리의 옛 사람이 (들포도나무로) 죽어야 그리스도의 부활과 함께 우리의 영으로 (들포도나무가) 다시 살게된다(고전15-22). 그러므로 믿음 안에서 예수 그리스도는 우리의 부활이요 생명이시다. 우리는 날마다 그리스도의 십자가의 죽음에 함께 동참하여 옛 사람이 죽고, 그리스도의 부활과 함께 신생하여야 한다. 그리하여 교회를 핍박하던 옛 사람인 사울이 그리스도와 함께 십자가에 죽음으로써 이방인의 사도 바울로서 신생되어 자기 안에서 그리스도께서 사신다고 고백하였다." (괄호 안은 필자 삽입)

대속이라는 신앙관으로 볼 때 이 부분이 정말 명료하게 설명되어 있다. 그런데 여기에는 믿음만의 신앙이다. 이 부분을 좀더 생각한다면 믿음만의 설명보다는 논리로 성립되는 진리가 한 단계 더 높다고 하겠다. 논리가 성립되어지는 믿음!! 논리가 성립되지 않으면 21세기의 그리스도교 진리로는 부적격이다. 믿음에도 논리의 성립은 꼭 필요하기 때문이다.

여기서 다시 최선근 선생의 주해로 돌아가 생각해보자 "그리스도께서 십자가에 달려 죽으심과 함께 우리의 옛 사람이 죽어야 그리스도의 부활과 함께 우리의 영으로 다시 살게 된다."에서 "우리의 영으로 다시 살게 된다"는 부분이 문제이다. 우리 옛 사람이 그리스도와 함께 믿음으로 죽는다고 한 것은 맞는 말이다. 그렇지만, 죄인인 우리가 '우리의 영'으로 부활하면, 우리는 다시 들포도나무이다. '우리의 영'이 아닌 '예수 그리스도!! 참포도나무로의 부활'이어야 한다. 우리의 부활이 그리스도의 영! 생명에 의한 부활이 아니라면 부활은 아무 가치가 없다. 오직 그리스도의 영에 의한 부활이라야 그리스도와 하나 되어 하늘 백성이 되는 것이다.

최선근 선생의 글대로 십자가상에서 죽을 때는 우리의 옛 사람 아담의 자손인 들포도나무가 죽고, 그리스도와 함께 살 때에는 그리스도의 흘리신 '피! 곧 참포도나무 가지에 의한 부활'이다(벧전1:2). 이는 곧「접붙임」이다. 그리스도 생명에 의한 부활은 영접이다. 나의 생명으로서의 그리스도 영접이다. 이리하여 그리스도와 혈통이 같은 그리스도 생명으로의 부활이 우리의 구원이다. 구원은 하나님이 십자가상에서 접붙임으로 이루어 놓으신 구원의 진리를 믿는 믿음이다. 이렇게 그리스도의 생명으로 부활할 때에 생명철학의 논리로 성립되는 진리요, 생명과학의 논리이다. 십자가상의 접붙임의 진리는 현대 의학에도 적용된다. 곧 외과적 이식수술 모두가 접목술을 인용한 수술인 것이다. 그래서 십자가 접목이라는 논리는 과학의 근원이라는 자연과학과도 통하는 진리이다.

그런데 왜 최선근 선생은 십자가상에서 죽을 때에는 우리의 옛 사람이 그리스도와 함께 죽는다고 하면서, 부활 할 때에는 '우리의 영으로 부활'한다고 하였을까? 그것은 예수의 죽음을 대속의 신앙관으로 보았기 때문이다. 대속의 신앙관으로는 최고의 주해이다. 그러나 예수 그리스도께서는 이 땅에 오신 목적이 '너희' 즉 '우리'와 하나 되기 위해 왔다고 하셨다. 6장 56,7절의 '하나'란 '하나의 혈통'을 말하는 것이다. 예수 그리스도와 하나의 혈통이 되려면 오직 접붙임의 신앙뿐이다.

증언자 바울 선생은 "그런즉 누구든지 그리스도 안에 있으면 새로운 피조물이라. 이전 것은 지나갔으니 보라 새 것이 되었도다"라고 하였다. 이사야의 말을 빌리면 "들포도나무의 시대는 지나갔다. 보라 새것, 그리스도의 생명으로 다시 살게 된 참포도나무의 시대가 왔다"고 할 수 있겠다. 새것. 이 새것은 새 피조물 - 새로 지음을 받았다는 말이다. 농부이신 하나님이 십자가상에서 접붙임으로 새로 지으셨다는 말씀이다.

본문 공부

17~9절 "예수께서 와서 보시니 나사로가 무덤에 있은 지 이미 나흘이라. ◇베다니는 예루살렘에서 가깝기가 한 오리쯤 되매 ◇많은 유대인이 마르다의 일로 위문하러 왔더니"

예수께서 나사로가 병들었다는 소식을 접하시고도 이틀을 지나 베다니에 와서 보시니 나사로는 죽어 무덤에 장사지낸 지 이미 나흘이나 되었다.

베다니 마을은 예루살렘에서 오리쯤 떨어져 있어서 많은 유대인들이 마르다와 마리아를 위문하러 와 있었다.

20~2절 "마르다는 예수 오신다는 말을 듣고 곧 나가 맞되, 마리아는 집에 앉았더라. ◇마르다가 예수께 여짜오되 주께서 여기 계셨다면 내 오라비가 죽지 아니하였겠나이다. ◇그러나 나는 이제라도 주께서 무엇이든지 하나님께 구하시는 것을 하나님이 주실 줄을 아나이다."

마르다는 예수 오신다는 말을 전해 듣고 맞으러 나오고, 마리아는 집에 앉아 있었다고 했다. 그녀는 예수 오심을 미처 알지 못하였기 때문이다.

마르다가 예수께 마음속에 담아두었던 말을 하고 있다. "선생님이 여기 계셨더라면 내 오라비가 죽지는 않았을 것입니다." 다소 원망 섞인 말이다.

그렇지만 주님께서 지금이라도 하나님께 무엇이든지 구하시면 들어주실 줄 안다고 마르다가 말한다. 이 말을 바꾸면 **"주님께서 제 오라비를 살려주시라고 하나님께 기도하면 살려주실 것"**이라는 말이다.

23,4절 "예수께서 가라사대 네 오라비가 다시 살리라. ◇마르다가 가로되 마지막 날 부활에는 다시 살줄을 내가 아나이다."

예수 그리스도를 붙잡고 하나님께 기도하여 무엇이든지 좀 해보시라는 마르다의 간청에 대하여 예수께서 답을 하신다.

"네 오라비가 다시 살리라"고.

'네 오라비가 다시 살리라'는 말씀을 마르다는 최후의 부활을 떠올리며 '마지막 날에는 다시 살줄을 알고 있다'고 말한다.

마르다의 최후의 부활에 대한 확실한 믿음이 드러나 보이는 대목이다.

25절 "예수께서 가라사대 나는 (너희들의)부활이요, 생명이니 나를 믿는 자는 죽어도 살겠고"(괄호 안은 필자 삽입)

그리스도께서는 **"나는 너희들의 부활이요 생명"**이라고 말씀하신다. 그리고 이어서 중요한 말씀을 하신다. **'나를 믿는 자는 죽어도 살겠다!'**는 말씀이다. 누구의 생명으로인가? 예수 그리스도의 생명으로 산다는 말씀이다. 십자가상에서 우리 아담의 자손인 죄인은 예수 그리스도와 함께 죽고, 최선근 선생의 주해처럼 나를 비운 자리에 예수 그리스도의 생명이 영접되어! 접목되어! 예수 그리스도의 생명으로 살게 되므로 그리스도와 한 혈통이 된다는 말씀이다.

26절 "무릇 살아서 나를 믿는 자는 영원히 죽지 아니하리니 이것을 네가 믿느냐?"

'살아서 나를 믿는 자' 란 살아서 십자가상 죽음을 체험한 사람 즉, 살아 있을 때에 그리스도 예수의 생명을 영접한 사람을 일컫는 말씀이다.

'영원히 죽지 아니하리니' 살아있을 때에 예수그리스도를 영접한 사람은 비록 육신(肉身)이 죽더라도 영혼은 영원히 죽지 않고 그분의 생명으로 산다는 말씀이다. '이것을 네가 믿느냐?' 고 예수께서 마르다에게 묻고 계신다.

27절 "가로되 주여 그러하외다. 주는 그리스도시요, 세상에 오시는 하나님의 아들이신 줄 내가 믿나이다."

앞절에서의 '이것을 네가 믿느냐?' 는 질문에 마르다가 대답한다. '주여, 그러 하옵니다. 주님은 그리스도이십니다. 세상에 오시여 생명을 주시는 하나님의 아들이신 줄 제가 믿습니다. 당신은 우리의 부활의 근원이시오, 부활의 생명이십니다'라고.

여기서도 마르다의 고백이 얼마나 신실한가가 드러나 보인다.

2013년 8월 10일 발표

〈제50과〉
나사로의 부활을 통한 인류 부활의 예고(3)

본문 말씀 11 : 28-37

"28 이 말을 하고 돌아가서 가만히 그 형제 마리아를 불러 말하되
'선생님이 오셔서 너를 부르신다' 하니 29 마리아가 이 말을 듣고 급히
일어나 예수께 나아가매 30 예수는 아직 마을로 들어오지 아니하시고 마
르다의 맞던 곳에 그저 계시더라. 31 마리아와 함께 집에 있어 위로하
던 유대인들은 그의 급히 일어나 나가는 것을 보고 곡하러 무덤에 가는
줄로 생각하고 따라가더니 32 마리아가 예수 계신 곳에 와서 보이고 그
발 앞에 엎드리어 가로되 '주께서 여기 계셨더면 내 오라비가 죽지 아
니 하였겠나이다' 하더라. 33 예수께서 그의 우는 것과 또 함께 온 유대
인들의 우는 것을 보시고 심령에 통분히 여기시고 민망히 여기사 34 가
라사대 '그를 어디 두었느냐?' 가로되 '주여, 와서 보옵소서.' 하니 35
예수께서 눈물을 흘리시더라. 36 이에 유대인들이 말하되 '보라, 그를 어
떻게 사랑 하였는가' 하며 37 그중 어떤 이는 말하되 '소경의 눈을 뜨게
한 이 사람이 그 사람은 죽지 않게 할 수 없었더냐? 하더라."

예수 그리스도의 통분의 눈물을 깊이 생각하자

이번 과에서도 같은 말로 시작한다. 통상 성서 공부하는 사람들이 예수 그리스도의 **'통분(痛憤)의 눈물'**을 잘 못 공부하여 왔다고 생각한다. 그 예로 최선근 선생의 『요한복음 주해서』에서 이 대목을 요약하면 다음과 같다.

"예수님은 사랑하는 마리아가 발 앞에 엎드리어 흐느껴 우는 애처로운 모습에 접하여 깊은 심령에서 용솟음치는 동정심과 유대인들의 관습적으로 우는 그들의 행동의 베일 속에 숨겨진 불신과 위선, 그리고 인간들의 죄와 죽음의 나락으로 떨어지게 한

사탄에 대한 분노로써 심령에 통분(痛憤)히 여기셔서 울었다."

○ 통분 ; '성난 말이 콧김을 뿜는다'는 말이며 큰 감정의 파동으로 말미암아 정신적으로 억압되었을 때에 나오는 발음.

○ 민망 ; 정신적으로 교란 되었다. 당황하고 낭패하였다.

- 최 선생의 '통분'과 '민망'에 대한 원어 해설 -

위에서 원어의 해설은 잘 되었다고 본다. 그런데 "예수님은 사랑하는 마리아가 발 앞에 엎드리어 흐느껴 우는 애처로운 모습에 접하여 같이 울었다"는 대목의 해석은 잘 못되었다고 생각된다. 그것은 마르다와의 대화에도 잘 나타나 있다.

"예수께서 가라사대 네 오라비가 다시 살리라. 마르다가 가로되 마지막 날 부활에는 살줄을 내가 아나이다. 나는 부활이요, 생명이니 나를 믿는 자는 죽어도 살겠고, 무릇 살아서 나를 믿는 자는 영원히 죽지 아니하리니"(11:23~26)

예수께서는 지금 나사로가 '다시 살리라'고 하였는데 마리아는 예수 발 앞에 엎드리어 울고 있음을 보고 통분(痛憤)을 느끼고, 민망해 하였다는 기사이다.

예수께서는 세상에 오셔서 제일 사랑하였던 마리아지만, 장차 하늘의 생명인 자신을 던져 죄악 속의 인류를 새 생명으로 살리실 자신을 알아보지 못하는 것에 대한 통분이었다. 이때에 분명히 마리아는 예수를 알아보지 못했다. 오라비 나사로를 살리려 오셨다는 것을 알았다면 예수께 나아가 "선생님이 오셨으니 이제 저의 오라비는 살아나게 되었습니다." 하면서 영접했어야 맞는 일이다. 그런데 오히려 "선생님이 여기 계시지 않아 제 오라비가 죽었습니다." 원망을 하며 울고 있다. 이에 대한 통분(痛憤)이다.

원어의 해설로 돌아가 생각해 보면

'통분'은 성난 말이 콧김을 뿜는다는 말이며, 큰 감정의 파동으로 말미암아 육체적으로 억압되었을 때에 나오는 발음이라고 하였다.

'민망히'는 "정신적으로 교란되었다, 당황하고 낭패하였다는 뜻"이라고 하였다. 그렇다면 무슨 낭패인가? 마리아는 나사로를 살리실 분으로 예수를 영접하지 못하고 '선생님이 여기에 계시지 않았기 때문에 죽었다'고 하며 발치에 앉아 우는 모습을 보면서 느꼈던 낭패감이다.

한마디로 말하면 예수 그리스도를 알아보지 못함에 대한 민망이다. 이어지는 말씀에서도 알 수 있다. "예수께서 그의 우는 것과 또 함께 온 유대인들의 우는 것을 보시고 심령에 통분히 여기시고 민망히 여기사 가라사대 그를 어디 두었느냐?!"(33,4) 책망의 말이 담긴 질문을 하신다.

33절의 통분은 당신께서 사랑하는 마르다와 마리아까지도 당신을 알아보지 못한 것에 대한 통분이다. 예수께서는 내가 그 토록 많은 말로 너희에게 새로운 생명을 주실 하나님의 아들이라고 하였건만, 진실어린 말을 믿어준 사람이 없었다는 슬픔의 통분이다. 그런데 마리아 곁에 있던 소수 유대인들은 "보라, 그를 어떻게 사랑 하였는가"(36절) 하고 있다. 성서 공부 한 사람들은 이 부분을 대부분 예수께서 마리아를 사랑하여 울었다고 보았다. 그러나 아니다. 나사로를 살리려 오셨는데 "선생님이 여기 계시지 않아 내 오라비가 죽었다"는 원망의 말에 의한 통분의 울음이었다.

본문 공부

28절 "이 말을 하고 돌아가서 가만히 그 형제 마리아를 불러 말하되 '선생님이 오셔서 너를 부르신다' 하니"

'이 말을 하고'는 49과에서 공부했던 대로 마르다는 **'주여 그러하외다. 주는 그리스도시오, 세상에 오시는 하나님의 아들이신 줄 내가 믿나이다.'**(27절) 라고 한 말이다. 이 말을 마치고 집으로 돌아가 동생 마리아를 불러 '선생님이 오셔서 너를 부르신다' 고 말한다.

29,30절 "마리아가 이 말을 듣고 급히 일어나 예수께 나아가매 ◇예수는 아직 마을로 들어오지 아니하시고 마르다의 맞던 곳에 그저 계시더라."

예수님이 부르신다는 말에 마리아가 급히 일어나 예수님을 뵈러 나아간다.

예수께서는 마르다와 이야기 하시던 곳에 아직 그대로 계셨다. 왜 그곳에 그대로 계셨을까? 마르다는 보편적인 미래(未來)의 부활관(復活觀)으로 이야기하여 예수께서 오신 목적에 맞지 않은 대답을 했었다. "선생님께서 오셨으니 저희 오라비를 살리실 수 있습니다." 라는 환영의 말을 했어야 옳을 것이다.

31절 "마리아와 함께 집에 있어 위로하던 유대인들은 그의 급히 일어나 나가는 것을 보고 곡하러 무덤에 가는 줄로 생각하고 따라가더니"

마리아가 언니 마르다의 말을 듣고 급히 일어나 나올 때에 마리아를 위로하던 유대인들도 그녀가 무덤에 가는 줄로 생각하고 따라 나왔다.

이리하여 마리아와 유대인들이 예수 그리스도가 계신 곳에 나오게 되었다.

32절 "마리아가 예수 계신 곳에 와서 보이고 그 발 앞에 엎드리어 가로되 '주께서 여기 계셨더면 내 오라비가 죽지 아니하겠나이다' 하더라."

마리아는 예수께 나오자 인사를 드리고, 주님의 발 앞에 엎드리어 울면서 원망(怨望)의 말을 하게 된다. '선생님이 여기 계시지 않아 내 오라비가 죽었다'고. 마치 자신의 오라비가 죽은 원인이 예수께 있다는 말과 같다. 마리아가 예수님이 오심으로 자신의 오라비가 살아나게 되었다는 확신을 갖고 있었다면 의당 "선생님이 오셨으니 이제 제 오라비는 살아나게 되었습니다." 라고 말했어야 할 일이다.

33절 "예수께서 그의 우는 것과 또 함께 온 유대인들의 우는 것을 보시고 심령에 통분히 여기시고 민망히 여기사"

예수께서는 저들의 오라비 나사로를 살리려 왔는데 도리어 원망의 말을 듣게 되고, 또한 마리아와 유대인들의 우는 것을 보시고 심령에 통분한 마음과 민망한 마음도 가지신다.

내가 그동안 헤아릴 수 없이 많은 시간을 저들과 말씀으로 능력으로 함께 하였건만 그렇게 나를 모르는가 - 하는 마음과, 유대인들의 관습적 의례적인 울음에 대해 통분한 마음이다.

여기서 통분의 뜻과 민망의 뜻을 최선근 선생의 원어해석에서 되새겨 보자.

'통분(痛憤)'은

(1) 성난 말이 콧김을 뿜는다.

(2) 큰 감정의 순간의 파동(波動) 곧, 정신적인 진동의 뜻.

(3) 육체적으로 억압되었을 때에 나오는 발음(예수 자신과 마음으로 하나 되는 사람이 아무도 없는 상태에서의 진노의 발음이라고 하겠다).

'민망히'는

(1) 정신적으로 교란되었다는 뜻

(2) 당황하고 낭패하였다는 뜻

34,5절 "가라사대 '그를 어디 두었느냐?' 와서 보옵소서' 하니 ◇예수께서 눈물을 흘리시더라."

"그를 어디 두었느냐?"는 책망성 질문이다. 자신의 뜻을 이해하지 못한 사람들에 대한 책망의 뜻을 담아 "그를 어디 두었느냐?"고 예수께서 물으신다. 그러자 "주여. 와서 보옵소서." 하며 마리아가 앞장을 선다.

예수께서는 나사로를 살리려 왔는데 환영은 받지 못하고, 오히려 원망(怨望)을 듣게 되었다. 때문에 순간적으로 통분과 민망이 교차 하면서 흘리게 된 눈물이다.

36,7절 "이에 유대인들이 말하되 '보라. 그를 어떻게 사랑 하였는가' 하며 ◇그중 어떤 이는 말하되 '소경의 눈을 뜨게 한 이 사람이 그 사람은 죽지 않게 할 수 없었더냐?' 하더라."

예수께서 자신을 알아보지 못한 마리아와 유대인들의 행동에 통분과 민망의 눈물을 흘리시자 유대인들은 보편적인 사랑의 감정에 젖어 울었다고 보았다.

예수께서 눈물을 흘리시자 유대인들 가운데 어떤 사람들은 "소경의 눈을 뜨게 한 이 사람도 그 사람을 죽지 못하게 할 수는 없었을까?" 라는 야유성 말을 하고 있다.

정말 그 많은 시간 동안 표적과 말씀으로 자신이 '생명의 근원'이라는 말씀을 헤아릴 수 없게 하였으나, 단 한 사람도 자신을 바르게 보지 못한 것에 대하여 예수께서는 통분할 수밖에 없었을 것이다.

2013년 9월 10일 발표

〈제51과〉

나사로의 부활을 통한 인류 부활의 예고(4)

본문 말씀 11: 38~46

"[38]이에 예수께서 다시 속으로 통분(痛憤)히 여기시며 무덤에 가시
니 무덤이 굴이라 돌로 막았거늘 [39]예수께서 가라사대 '돌을 옮겨 놓으
라' 하시니 그 죽은 자의 누이 마르다가 가로되 '주여, 죽은 지가 나흘
이 되었으매 벌써 냄새가 나나이다.' [40]예수께서 가라사대 내 말이 '네
가 믿으면 하나님의 영광을 보리라 하지 아니하였느냐!' 하신대 [41]돌을
옮겨 놓으니 예수께서 눈을 들어 우러러 보시고 가라사대 아버지여 내
말을 들으신 것을 감사하나이다. [42]항상 내 말을 들으시는 줄을 내가
알았나이다. 그러나 이 말씀하옵는 것은 둘러선 무리를 위함이니 곧 아
버지께서 나를 보내신 것을 저희로 믿게 하려 함이니이다. [43]이 말씀을
하시고 큰 소리로 '나사로야, 나오라!' 부르시니 [44]죽은 자가 수족을
베로 동인 채로 나오는데, 그 얼굴은 수건에 싸였더라. 예수께서 가라사
대 '풀어 놓아 다니게 하라' 하시니라. [45]마리아에게 와서 예수의 하신
일을 본 많은 유대인이 저를 믿었으나 [46]그 중에 어떤 자는 바리새인들
에게 가서 예수의 하신 일을 고하니라."

아버지께서 나를 보내신 것을 저희로 믿게 하려 함

나사로를 살리려 오신 예수 그리스도 앞에서 마리아는 "주께서 여기 계셨으면 내 오라비가 죽지 아니하였겠나이다."(32절)라고 원망 섞인 말을 한다. 즉, 선생님이 계시지 않아서 오라비가 죽었다고 원망을 하므로 예수님은 통분(痛憤)해 하신다.

참고로 우리말사전에서 통분의 의미를 살펴보자.

-. 원통하고 분함

-. 끓어오르는 것을 금치 못하다

예수께서는 통분하신 마음으로 나사로의 무덤 앞에 가니 무덤이 굴이어서 돌로 막혀있는 것을 보시고 "돌을 옮겨 놓으라"고 하신다. 그러자 죽은 자의 누이 마르다가 말한다. "주여, 죽은 지 나흘이 되었으며, 벌써 냄새가 납니다." 하면서 예수님을 만류한다. 마리아는 예수님을 원망하여 통분케 하였고, 마르다는 예수의 생각을 헤아리지 못하여 믿음이 없는 말을 하고 있다. '벌써 죽은 지가 나흘'이라는 말은 죽은 나사로가 살아날 가망이 없다는 말이다. 마리아와 마르다 두 자매가 돌아가면서 예수 그리스도를 실망케 하고 있다.

예수께서 마르다를 향하여 "내 말이 '네가 믿으면 하나님의 영광을 보리라' 하지 아니하였느냐!" 질책(叱責)의 말씀을 하신다. 이렇게 마리아와 마르다는 예수님을 믿지 못함을 보여주고 있는데도, 많은 사람들이 마리아와 마르다를 미화(美化)하는 것으로 공부해왔다. 심지어 예수께서 저들의 오라비 나사로의 죽음이 안타까워 울었다고까지 왜곡(歪曲)하고 있다.

그러나 예수 그리스도께서 나사로를 살리신 것은 마리아와 마르다를 개인적으로 위로하기 위함이 아니었다. 위 제목대로 "아버지께서 나를 보내신 것을 저희로 믿게 하려 함"이었다. 하나님께서 예수를 이 땅에 보내신 것은 마리아와 마르다를 포함한, 우리 인류 모두가 믿게 하시려고 나사로를 살리는 기적을 행하셨다는 말씀이다. 정말 그 은혜를 깊이 생각하면 감격과 감사가 복받쳐 오름을 금할 길이 없다.

본문 공부

38절 "이에 예수께서 다시 속으로 통분(痛憤)히 여기시며 무덤에 가시니 무덤이 굴이라 돌로 막았거늘"

예수께서 왜 다시 통분히 여기시며 무덤에 가셨을까? 마리아는 32절에서 **"주께서 여기 계셨으면 내 오라비가 죽지 않았을 것입니다"** 라는 말로 예수 그리스도를 통분케 하였는데, 37절에서 유대인들의 **"소경의 눈을 뜨게 한 이 사람이 그 사람은 죽지 않게 할 수 없었더냐?"** 하는 빈정대는 소리를 듣고 다시 통분해 하며 무덤에 가셨다는 말이다. 무덤의 입구는 돌로 막혀 있었다.

39절 "예수께서 가라사대 '돌을 옮겨 놓으라' 하시니 그 죽은 자의 누이 마르다가 가로되 '주여, 죽은 지가 나흘이 되었으매 벌써 냄새가 나나이다'"

'돌을 옮겨 놓으라'는 예수님의 말씀에 죽은 자의 누이 마르다가 '주여, 죽은 지가 나흘이 되었으매 벌써 냄새가 나나이다.'라는 만류의 말을 한다. 두 자매는 예수 그리스도의 심정(心情)은 전혀 헤아리지 않고, 동문서답으로 일관(一貫)하고 있다. 정말 우리 인간들의 믿음 없는 전형(全形)의 모습을 저들에게서 본다. 죽은 지가 나흘이 되었고, 시신에서는 벌써 냄새가 나는데, 그 무슨 복잡한 일을 하시려고 돌을 옮겨 놓으라 하십니까? 하는 불만 섞인 말이다.

40절 "예수께서 가라사대 '내 말이 네가 믿으면 하나님의 영광을 보리라 하지 아니하였느냐!' 하신대"

예수께서 목소리를 크게 높여 책망의 말씀을 하신다. '네가 믿으면 하나님의 영광을 보리라고 내가 말하지 아니하였느냐!' 예수께서는 이미 마르다에게 하셨던 **'네 오라비가 다시 살리라'**(23

절)는 말씀을 상기하며 나무라신 말씀이다. 예수 그리스도의 말씀을 한 귀로 듣고 한 귀로 흘려버리는 마르다와 마리아를 책망하시는 말씀이다.

41절 "돌을 옮겨 놓으니 예수께서 눈을 들어 우러러 보시고 가라사대 '아버지여 내 말을 들으신 것을 감사하나이다.' "

'눈을 들어 우러러 보시고' 예수께서는 우리 인간들과는 다른 모습으로 기도하신다. 고개를 번쩍 들고 눈을 크게 뜨신 채 하늘을 우러러 기도하신다. 인류 역사에서 이런 모습으로 하늘을 향해 기도하신 분은 예수님 밖에 없다. 인간은 다 죄인이기에 하나님 앞에서는 고개를 숙일 수밖에 없는데, 오직 하나님의 아들 예수 그리스도만 눈을 들어 하나님을 보시며 기도 하셨다.

화가 레오날드 다빈치는 예수 그리스도가 겟세마네 동산에서 하늘을 향하여 기도하는 모습을 그렸다. 그림에서 다빈치는 예수님을 하나님의 아들로 잘 표현하고 있다고 후대의 미술 평론가들은 말하고 있지만, 나사로를 살리시는 기도에서도 예수께서는 얼굴을 번쩍 들고 하늘을 우러러 기도하셨다. '아버지여 내 말을 들으신 것을 감사 하나이다.' 라고.

42절 "항상 내 말을 들으시는 줄을 내가 알았나이다. 그러나 이 말씀 하옵는 것은 둘러선 무리를 위함이니 곧, 아버지께서 나를 보내신 것을 저희로 믿게 하려 함이니이다."

예수께서는 하나님이 자신의 말씀 즉, 기도를 항상 들어주시는 데에 감사를 드리고 있다. 그리고 '이 말씀을 드리는 것은 둘러선 무리가 듣게 하기 위함' 이라고 하신다. 이는 아버지께서 예수 자신을 보내신 것을 저희로 믿게 하려 함이라는 말씀이다. 다시 이야기하여 예수 그리스도가 나사로를 살리신 것은 둘러선 무리가, 또는 마르다와 마리아 자매가, 더 나아가서 우리들처럼 성서를 공부하는 사람들이 믿게 하시려고 나사로를 살리시겠다는 말씀이다.

43,4절 "이 말씀을 하시고 큰 소리로 '나사로야 나오라!' 부르시니 ◇죽은 자가 수족을 베로 동인 채로 나오는데, 그 얼굴은 수건에 싸였더라. 예수께서 가라사대 '풀어 놓아 다니게 하라' 하시니라."

자신이 하나님께로부터 오신 하나님의 아들임을 세상 사람들이 알게 하시려고 나사로를 살린다고 하신 후, 곧 바로 큰 소리로 외치신다. '나사로야 나오라!'

예수 그리스도의 부르심에 나사로는 살아나서 수족을 베로 동인 채로 걸어 나왔다. 이렇게 나사로는 다시 살았지만, 이때부터 바리새인 같은 유대인들이 예수를 세상에 그냥 두면 자기들의 위치가 흔들리게 될 것을 염려하여 예수를 죽음으로 몰고 간다. 이로부터 멀지 않아 예수님은 십자가상에서 온 인류에게 자신의 생명을 주시기 위해 자신의 살과 피를 갈기갈기 찢어 나누어주고 죽게 된다. 그러나 그의 뼈는 단 하나도 상하지 않는다. 이는 곧, 접붙임에는 원목은 필요하지 않고 가지만 필요로 한다는 이치와 부합한다. 그래서 예수 그리스도의 살과 피를 믿음으로 받은 사람들은 예수의 생명으로 살아 하늘 백성이 되는 것이다.

45,6절 "마리아에게 와서 예수의 하신 일을 본 많은 유대인이

저를 믿었으나, ◇그 중에 어떤 자는 바리새인들에게 가서 예수의 하신 일을 고하니라."

마르다와 마리아를 위로하러 왔던 대부분의 유대인들은 나사로가 살아나는 기적을 보고 예수가 하나님의 아들이라는 것을 믿었다.

그러나 모인 사람들 중 몇 사람은 바리새인들에게 가서 예수가 보인 기적 - 나사로를 살리신 일들을 고해바친다. 결국, 이날의 이적은 예수를 죽음으로 몰고 가는 단초가 된다.

2013년 10월 10일 발표

〈제52과〉

나사로의 부활을 통한 인류 부활의 예고(5)

본문 말씀 11: 47-57

"47이에 대제사장들과 바리새인들이 공회를 모으고 가로되, 이 사람
이 많은 표적을 행하니 우리가 어떻게 하겠느냐? 48만일 저를 이대로
두면 모든 사람이 저를 믿을 것이요, 그리고 로마인들이 와서 우리 땅
과 민족을 빼앗아 가리라 하니 49그 중에 한 사람, 그해 대제사장인 가
야바가 저희에게 말하되 너희가 아무 것도 알지 못하는도다. 50한 사람
이 백성을 위하여 죽어서 온 민족이 망하지 않게 되는 것이 너희에게
유익한 줄을 생각지 아니하는도다 하였으니 51이 말은 스스로 함이 아
니요, 그 해에 대제사장이므로 예수께서 그 민족을 위하시고, 52또 그
민족만 위할 뿐 아니라 흩어진 하나님의 자녀를 모아 하나가 되게 하기
위하여 죽으실 것을 미리 말함이러라. 53이날부터 저희가 예수를 죽이
려고 모의(謀議)하니라. 54그러므로 예수께서 다시 유대인 가운데 드러
나게 다니지 아니하시고, 여기를 떠나 빈 들 가까운 곳인 에브라임이라
는 동네에 가서 제자들과 함께 거기 유하시니라. 55유대인의 유월절이
가까우매 많은 사람이 자기를 성결케 하기 위하여 유월절 전에 시골서
예루살렘으로 올라갔더니 56저희가 예수를 찾으며 성전에 서서 서로 말
하되 '너희 생각에는 어떠하뇨? 저가 명절에 오지 아니하겠느냐? 하니,
57이는 대제사장들과 바리새인들이 누구든지 예수 있는 곳을 알거든 고
하여 잡게 하라 명령하였음이러라."

한 사람이 백성을 위하여 죽으면 온 민족이 산다

지난 51과 공부에서 우리는 예수께서 죽은 지 나흘이 된 나사로를 살리신 이적을 보았다. 그러나 이 '나사로 한 사람을 살리신 이적'은 예수 자신이 죽음으로 들어가는 직접적 계기로 작용하는 것 또한 성서를 통해 볼 수 있다.

나사로가 살아나는 것을 본 사람들 중 대다수는 예수가 하나님의 아들임을 믿었고(45절), 몇 사람은 바리새인들에게 가서 나

사로의 살아난 일을 고해바친다(47절). 48절에서는 '만일 저 예수를 이대로 두면 모든 사람이 저를 믿게 될 것이요, 그렇게 두면 로마인들이 와서 우리 땅과 민족을 송두리째 빼앗아 갈 것'이라고 하는 등 의견이 분분히 일어난다. 그러자 그해 대제사장인 가야바가 저들에게 말한다. '너희가 아무 것도 알지 못한다. 한 사람이 백성을 위하여 죽어서 온 민족이 망하지 않게 되는 것을' (49,50절) 이라고.

여기서 우리 성서 공부하는 사람들이 깊이 생각 할 부분이 있다. 곧 예수가 나사로를 살리던 시대(時代)에는 유대민족이 로마인들의 식민통치를 받고 있었다. 식민통치(植民統治)란 우리의 왜정시대처럼 다른 나라의 통치를 받는다는 말이다. 당시의 유대인들도 로마의 통치를 받고 있었다. 여호와의 선민으로써 여호와의 통치가 아닌, 이방 민족인 로마의 통치 아래 있었던 것이다.

이때에 나사로는 영(靈)으로는 사탄에게 사로잡혀 사탄의 권력인 들포도나무로 전락하여 있었고, 아담의 후손들인 유대민족은 자신들의 의향대로 살아갈 수 없는 로마의 식민이요, 육신으로는 병이 들어 죽음의 지배 아래 들어가 있었다. 이런 상태에서 이미 병들어 죽은 나사로는 예수의 **"나사로야 나오너라!"**는 한마디 말씀에 생명을 받아 살아났으니 참으로 기적의 일이 아닐 수 없다.

한국 무교회(無敎會) 원로이신 유희세 선생은 '예수의 부활을 힘입어 다시 사는 말씀'을 구약연구 상권 77쪽에서 이렇게 말씀하셨다.

예수는 제자들에게 숨을 불어넣어 주셨다. 그리고 말씀하셨다.

"성령을 받아라."(요20:22) "천지창조의 날에 흙을 빚어 만드신 사람의 코에 생명의 숨을 불어넣으심으로써 하나님은 산 사람을 창조하신 것처럼, 부활하신 예수는 제자들에게 숨을 불어넣어 주심으로써 또 하나의 창조, 새 창조를 하신 것이다. 사도 바울의 말대로 그런고로 누구든지 그리스도 안에 있으면 새로운 피조물이다. 낡은 것은 지나가 버렸다."

여기서 유희세 선생은 예수 그리스도가 제자에게 숨을 불어넣으신 것을 새 창조로 보았다. 다른 사람들처럼 대속(代贖)으로 보지 않고 창조로 보았다는데 큰 의미가 있다. 사실, 접붙임이든 숨을 불어넣었든 그리스도의 생명이 우리 안에 들어와야 그 생명으로 부활이 있게 된다.

예수 그리스도는 분명 나사로 한 사람을 살리심으로 자신이 죽음의 문으로 들어가게 되는 계기가 되었다. 그렇다. 예수는 넓게 보면 온 인류에게 자신의 생명을 주기 위해 죽지만, 나사로 한 사람을 살게 함으로써 죽음의 문으로 들어가게 된다. 더불어 나 한 사람 - 곧, 오늘의 성서공부에 참여하여 이 글을 읽는 여러분 한 사람, 한 사람에게도 하늘의 생명을 주기 위해 죽은 죽음이다.

예수의 십자가의 죽음은 "한 사람이 백성을 위하여 죽으면 온 민족이 망하지 않는다"는 대제사장 '가야바'의 말처럼 하나님의 생명을 받는 새 생명의 개조의 사건이요, 아담의 자손이 사탄의 지배에서 벗어나는 일이요, 식민 지배국인 로마인들의 공격에서 벗어나는 일이다.

그런데 유대인의 역사로 보면 예수님 당시에 메시아 - 곧 그리스도를 대망하였던 것은 가장 급한 로마의 식민지 생활에서 벗어나기 위한 것이었지만, 하나님의 뜻은 아담부터 죄인이 된 인류(人類)를 다시 창조하기 위해 십자가상에서 인류라는 들포도나무를 참포도나무로 접붙임 하시기 위함이었다. 이는 바울의 말대로 **'누구든지 그리스도 안에 있으면 새로운 피조물이요, 낡은 것은 지나가고 새것이 되는'** 것이다.

본문 공부

47,8절 "이에 대제사장들과 바리새인들이 공회를 모으고 가로되, 이 사람이 많은 표적을 행하니 우리가 어떻게 하겠느냐? ◇만일 저를 이대로 두면 모든 사람이 저를 믿을 것이요 그리고 로마인들이 와서 우리 땅과 민족을 빼앗아 가리라 하니"

예수 그리스도의 능력의 힘에 밀린 대제사장들과 바리새인들이 한데 모여 '이 사람이 많은 표적을 행하는데, 과연 우리가 어떻게 해야 하겠느냐?'며 토론을 벌인다.

토론의 결과로 두개의 문제가 대두되었다. 하나는 **'예수를 이대로 둔다면 대부분의 사람들이 저를 믿고 따를 것'**이라는 것과 그렇게 되면 자신들의 지위가 위태해지리라 보았다. 또 하나는 **'로마인들이 와서 우리 땅과 민족을 빼앗아 갈것'**에 대한 염려 - 즉, 예수를 중심으로 한 새로운 종교집단을 용납하지 않을 것이라는 염려나. 그렇다. 로마인들은 유대민족을 자신들의 절대적 힘 아래 두려고 억압하러 들 것이라는 결론이었다.

49,50절 "그 중에 한 사람, 그해 대제사장인 가야바가 저희에게 말하되 너희가 아무 것도 알지 못한다. ◇한 사람이 백성을 위하여 죽어서 온 민족이 망하지 않게 되는 것이 너희에게 유익한 줄

을 생각지 아니하는도다 하였으니"

토론을 지켜보던 그해의 대제사장 '가야바'가 나선다. '너희가 아무 것도 알지 못한다'고 하면서 문제 해결의 방법론으로 뜻밖의 말을 한다.

가야바의 말은 '권모술수'에 능한 그가 예수 그리스도 한 사람의 희생을 염두에 두고 하는 말이지만, 결과론적으로는 하나님이 인류에게 죄로 물든 아담의 생명이 아닌, 하늘에 속한 당신 아들 예수의 생명을 죄 많은 인류에게 주시려고 이미 예언되었던 말이다. 앞의 시작하는 말에서 본대로 나사로를 살리는 것으로 예수는 죽음의 문으로 들어가 십자가상에서 인류의 대표인 강도와 함께 못 박혀 죽으면서 피를 흘리게 되고, 농부이신 하나님은 그 피를 강도 곧, 인류에게 주어 새 생명으로 다시 살게 하는 접붙임의 일을 하시게 된다.

51,2절 "이 말은 스스로 함이 아니요, 그해에 대제사장이므로 예수께서 그 민족을 위하시고, ◇또 그 민족만 위할 뿐 아니라 흩어진 하나님의 자녀를 모아 하나가 되게 하기 위하여 죽으실 것을 미리 말함이러라."

권모술수에 능한 대제사장이지만, 하나님은 이 사람을 통해 예언을 하고 계신다. 곧 예수님 말씀처럼 **"길가의 돌들로도 아브라함의 자손을 만들 수 있다"**고 하심과 같은 맥락이다.

또한 예수께서는 유대인뿐만이 아니라 흩어진 하나님의 자녀 즉, 온 인류를 모아서 하나가 되게 하기 위하여 죽는다는 예언이라는 말이다.

53,4절 "이 날부터 저희가 예수를 죽이려고 모의(謀議)하니라. ◇그러므로 예수께서 다시 유대인 가운데 드러나게 다니지 아니하시고, 여기를 떠나 빈 들 가까운 곳인 에브라임이라는 동네에 가서 제자들과 함께 거기 유하시니라."

47절에서는 예수의 행동에 어떻게 대처할 것인가 하는 의논만 하였지만, 여기서는 제사장들과 바리새인들이 예수를 어떻게 하면 죽일 수 있을까 하고 궁리하기 시작하였다.

예수님은 대제사장들과 바리새인들이 궁리하는 줄을 아시고, 몸을 드러나게 함부로 다니지 아니하시고, 대제사장과 바리새인을 피해 빈 들이 가까운 에브라임이라는 동네에서 머무르셨다.

55,6절 "유대인의 유월절이 가까우매 많은 사람이 자기를 성결케 하기위하여 유월절 전에 시골서 예루살렘으로 올라갔더니 ◇저희가 예수를 찾으며 성전에 서서 서로 말하되, 너희 생각에는 어떠하뇨? 저가 명절에 오지 아니하겠느냐? 하니."

얼마 후, '유월절이 가까워오자 많은 유대인들이 성전에서 자기를 성결케 하려고 각지에서 예루살렘으로 올라갔다.

유대지방 곳곳에서 올라온 사람들이 서로 예수를 찾으며 서로 의견들을 묻고 말한다. 너희 생각에는 어떠한가? 내일이 유월절인데 예수가 올까, 안 올까? 온다면 오늘쯤 오지 않을까? 등 이런저런 대화들이다.

57절 "이는 대제사장들과 바리새인들이 '누구든지 예수 있는 곳을 알거든 고하여 잡게 하라!' 명령하였음이러라."

사람들이 '과연 예수가 나타날 것인가?'에 궁금해 하게 된 것은 대제사장들과 바리새인들이 '누구든지 예수를 보면 신고하여 잡게 하라'고 이미 명령을 해두었기에 관심의 대상이다.

2013년 11월 10일 발표

〈제53과〉
유월절과 십자가상에서의 예수 그리스도의 죽음과 葬事

본문 말씀 12:1~11

"1유월절 엿새 전에 예수께서 베다니에 이르시니 이곳은 예수께서
죽은 자 가운데서 살리신 나사로의 있는 곳이라. 2거기서 예수를 위하
여 잔치할 새, 마르다는 일을 보고 나사로는 예수와 함께 앉은 자 중에
있더라. 3마리아는 지극히 비싼 향유 곧, 순전한 나드 한 근을 가져다가
예수의 발에 붓고 자기 머리털로 그의 발을 씻으니 향유 냄새가 집에
가득하더라. 4제자 중 하나로서 예수를 잡아줄 가룟 유다가 말하되 5이
향유를 어찌하여 삼백 데나리온에 팔아 가난한 자들에게 주지 아니하였
느냐 하니 6이렇게 말함은 가난한 자들을 생각함이 아니요, 저는 도적
이라 돈 궤를 맡고 거기 넣는 것을 훔쳐감이러라. 7예수께서 가라사대
저를 가만두어 나의 장사할 날을 위하여 이를 두게 하라. 8가난한 자들
은 항상 너희와 함께 있거니와 나는 항상 있지 아니하리라 하시니라. 9
유대인의 큰 무리가 예수께서 여기 계신 줄을 알고 오니 이는 예수만
위함이 아니요, 죽은 자 가운데서 살리신 나사로도 보려 함이러라. 10대
제사장들이 나사로까지 죽이려고 모의하니 11나사로 까닭에 많은 유대
인이 가서 예수를 믿음이러라."

유월절과 예수 그리스도의 십자가상에서의 죽음과 장사(葬事)

예수께서는 11장에서 '나사로' 한 사람을 살리심으로 유대인들에게 시기(猜忌)와 미움을 받아 죽음의 문으로 들어가는 계기가 만들어지는데, 12장에 와서 요한은 머리말로 '유월절' 엿새 전에 예수께서 베다니에 이르셨으며, 이곳은 예수께서 죽은 자 가운데서 살리신 나사로의 있는 곳이라는 것과, 거기서 예수를 위하여 잔치를 벌이며 있었던 일들을 기사로 전하고 있다.

내용인 즉, 마리아가 아주 고가(高價)의 향유를 예수 그리스도의 발에 붓고 자신의 머리털로 수건을 삼아 씻겼다는 이야기이다. 이걸 본 가룟 유다가 "이 향유를 어찌하여 삼백 데나리온에 팔아 가난한 자들에게 주지 아니하였느냐?"고 마리아에게 말한다. 유다가 이렇게 말함은 가난한 사람의 구제를 핑계로 스승과 동료들에게 좋게 보이려는 얄팍한 속셈이란 것을 아는 요한은 "가난한 사람을 핑계로 자신의 이익을 도모하는 도둑"이라는 설명을 하고 있다.

그런데 '유월절'과 '예수 그리스도의 십자가상 죽음'과 '장사'는 어떤 연관성이 있을까? 유월절에 잡는 양은 양을 잡는 집 사람들의 목숨과 바꾸는 일이었다. 곧 양의 피를 사람이 사는 방 문설주에 칠하면 죽음의 천사가 '이 집은 이미 피를 본 집'이라며 그냥 지나갔으므로(유월) 유대인들은 무사할 수가 있었다. 애굽에서 핍박받던 당시, 사람의 방! 문설주에 피가 칠해지지 않은 집의 장자는 죽임을 당해야만 하였다(출12:6~11).

여기서 우리는 깊이깊이 생각하고 또 생각해야 할 일이 있다. 그것은 그 날 밤에 양을 잡아 피는 문설주에 칠하고, **"내 살을 먹고 내 피를 마시는 자는 내 안에 거(居)하고 나도 그 안에 거하나니"**(6:56) 라고 하신 예수님 말씀처럼 집안사람들이 그 고기를 다 먹었다는 데에 큰 의미가 있다.

사도 요한은 유월절의 양과 같이 장차 십자가상에서 인류에게 하늘의 생명인 예수의 살과 피를 나누어 줄 것임을 예언적으로 기록하고 있다. 그러나 개신교(改新教) 500년 역사에서는 문설주의 피만 보았으므로 대속이라는 신앙관을 최고로 생각해 왔다. 하지만 아니다. 문설주의 피의 증거보다 더욱 중요한 일은 양의 고기를 먹는 데에 있다. 앞의 말씀(6:56)처럼 **"예수 그리스도의 살과 피를 먹어야"** 우리에게 하늘의 생명! 예수 그리스도의 생명이 있는 것이다.

저자 사도 요한은 한 사람 나사로가 살아남으로써 예수가 죽음의 문으로 들어가게 되는데, 이제는 '유월절'이라는 이스라엘 민족의 죽음과 연관시켜 말하기 위해 12장 첫 머리에 유월절 기사를 쓴 것으로 보인다. 여기서 이스라엘은 인류 전체를 가리킨다.

인류를 새롭게 바꾸려면 새 생명을 주시는 하나님의 아들은 첫째, 흠이 없어야 하고 둘째, 살과 피로 많은 사람에게 새 생명을 주는 분이어야 한다. 이것을 온 천하(天下)에 전하기 위해 요한은 고귀(高貴)한 향유의 이야기를 기록하고 있다. **'향이 집 안에 가득하였다'**는 말은 예수 그리스도의 십자가상의 죽음과 장사(葬事)!! 즉, '십자가상의 죽음의 효력이 인류에 가득히 임한다'는 것을 예언적으로 보여주는 말이다.

본문 공부

1절 "유월절 엿새 전에 예수께서 베다니에 이르시니 이곳은 예수께서 죽은 자 가운데서 살리신 나사로의 있는 곳이라."

'유월절'은 유대민족의 명절이다. 유대민족이 애굽에서의 종살이에서 벗어나기 전, 그곳 땅에는 하나님의 징벌이 있었다. 그곳에 사는 모든 사람과 짐승 중 처음 난 것들은 사람이든 짐승이든 모두 죽는 재앙이었다. 이 재앙을 피하는 길은 재앙이 있는 날 밤에 온 식구들이 모여 흠이 없는 양을 잡아먹고, 그 증거로 양의 피를 사람이 자는 방 문설주에 칠하였다. 그러면 그날 밤에 재앙의 천사가 지나가면서 피 칠이 있는 집은 아무 일 없이 그냥 지나갔고, 그렇게 하여 이스라엘 민족은 재앙을 피할 수가 있었다. 이날 양을 잡아먹고 재앙을 피한 날을 잊지 않기 위하여 유대민족이 대대적인 명절로 쇠는 날이 유월절(출12:6~11)이다.

예수께서 베다니에 도착한 날은 명절 즉, 유월절 엿새 전이라고 했다. 예수님을 어린양으로 칭하는 점을 생각하면 예수의 죽음의 날!! 농부이신 하나님이 십자가상에서 예수 자신의 몸을 갈기갈기 찢어서 인류에게 나누어 주는 날이 엿새 앞으로 다가왔다는 말이 되겠다. 유월절 엿새 전에 나사로의 집에서 벌어진 일이다.

2,3절 "거기서 예수를 위하여 잔치할 새 마르다는 일을 보고 나사로는 예수와 함께 앉은 자 중에 있더라. ◇마리아는 지극히 비싼 향유 곧, 순전한 나드 한 근을 가져다가 예수의 발에 붓고 자기 머리털로 그의 발을 씻으니 향유 냄새가 집에 가득하더라."

잔치를 벌이는 집 안의 분위기를 설명하고 있다. 마르다는 일 - 즉, 음식 준비를 하고 있고, 나사로는 예수와 함께 앉은 자 중에 있었다. 물론 위의 사람들 외에도 많은 사람이 있었을 것이다.

마리아는 지극히 값 높은 향유!! 순전한 나드 한 근을 가져다가 예수의 발에 부었다. 그리고는 자신의 머리털을 수건 삼아 그분의 발을 씻기고 있었다. 이런 마리아의 행동은 지극히 겸손한 자세로, 인류의 생명의 근원인 예수 그리스도께 최대한의 경애를 표했다고 해야 하겠다.

여기에서 "향유 냄새가 집에 가득하더라"는 말은 인류에게 생명을 주시기 위한 죽음을 앞에 둔 예수께 향유를 부음으로써 향기 가득한 예수의 죽음의 효력이 인류에게 가득했다는 말이다.

4,5절 "제자 중 하나로서 예수를 잡아줄 가룟 유다가 말하되 ◇ 이 향유를 어찌하여 삼백 데나리온에 팔아 가난한 자들에게 주지 아니하였느냐 하니"

마리아가 예수님의 발을 향유로 씻는 것을 본 유다가 마리아를 질책한다. 어찌하여 '삼백 데나리온'이나 값이 나가는 향유를 팔아서 가난한 자들에게 나누어 주지 않고 허비하느냐는 질책이다. 참고한다면 1'데나리온'은 당시 장정 한 사람의 하루 품삯이라고 했으니, 한 사람에게 1데나리온씩 준다고 해도 300명을 구제 할 수 있는 큰돈이다.

6절 "이렇게 말함은 가난한 자들을 생각함이 아니요, 저는 도적이라 돈 궤를 맡고 거기 넣는 것을 훔쳐 감이러라."

재무(財務)를 맡고 있던 가룟 유다는 참으로 권모술수에 능한 자라고 하겠다. 마리아가 예수에 대한 경애심(敬愛心)를 표하는 일에 끼어들어 자신의 구제 활동을 선전하며 또한 예수께 좋게 보이려고 술수의 말을 하고 있지만, 예리한 눈을 가진 요한은 '저는 도적'이라고 설명하고 있다.

7절 "예수께서 가라사대 저를 가만두어 나의 장사할 날을 위하여 이를 두게 하라."

마리아를 향한 유다의 질책하는 말에 예수께서는 유다를 책망하지 않으시고 **"마리아를 가만두어라. 나의 장사할 날을 위하여 향유를 붓게 하라"**고 하신다. 유다의 마음을 다 아신 예수의 말씀에 고개가 저절로 숙여진다.

여기서 예수는 "나의 장사 할 날을 위하여 이를 두게 하라"고 하셨다. 이는 무슨 말씀인가? '그날'이 중요하다는 말씀인데, 세상 사람들에게 자신의 생명을 나누어 주시는 '그날'이 가까워지고 있다는 말씀이다. 예수께서는 **"온 천하 어디든 복음이 전파되는 곳에는 이 여자의 행한 일도 말하여 저를 기념하리라"**(마 26:13)고 하셨다. 왜? 나에게, 우리 인류에게 당신의 생명을 주시는 날을 세세토록 잊지 않게 하시겠다는 말씀이다. 바꾸어 말하면 복음의 근원이 여기에 있음을 대대손손 다 알게 하리라는 말씀이다.

8절 "가난한 자들은 항상 너희와 함께 있거니와 나는 항상 있지 아니하리라 하시니라."

예수께서 앞절에 이어서 유다를 향하여 말씀하신다.

"가난한 사람들은 항상 너희와 함께 있지만, 나는 그렇지 않다." 이 말을 바꾸면 "가난한 사람은 너희들이 도와 줄 기회가 많이 있을 것이다. 그러나 나는 너희에게 내 생명을 나누어주어야 하므로 너희와 함께 보낼 수 있는 시간이 많지 않다"는 말이 되겠다.

9절 "유대인의 큰 무리가 예수께서 여기 계신 줄을 알고 오니 이는 예수만 위함이 아니요, 죽은 자 가운데서 살리신 나사로도 보려 함이러라."

나사로 집에서의 일 - 즉, 마리아가 향유로 예수님의 발을 씻긴 일이 끝날 무렵에 유대인의 큰 무리가 몰려왔다. 이들은 예수만 보기 위함이 아니라 죽었다가 다시 살아난 나사로도 보기 위해서였다.

예나 지금이나 소문은 빠르고, 호기심은 넘치는 법이니 죽은 지 나흘만에 살아났다는 나사로를 보고저 하는 사람들도 많았을 것이다.

10,11절 "대제사장들이 나사로까지 죽이려고 모의하니 ◇나사로 까닭에 많은 유대인이 가서 예수를 믿음이러라."

유대교 대제사장들에게 신분이 흔들릴지도 모를 위험이 다가왔다. 나사로가 살아난 기적 때문에 유대인들까지도 저토록 큰 무리가 몰려가니 예수의 존재감이 어떤가를 알게 되면서 자신들의 설 자리가 없어질 수도 있다는 판단이었다. 그래서 예수뿐만 아니라 아예 나사로까지 죽이기로 모의를 한다.

대제사장들이 나사로까지 죽이기로 한 이유는, 다시 살아난 나사로 때문에 많은 유대인들까지도 예수를 구세주 - 즉, 생명의 근원으로 믿기 때문이었다.

2013년 12월 10일 발표

〈제54과〉
이스라엘, 인류의 왕이신 예수 그리스도

본문 말씀 12:12~19

"12그 이튿날에는 명절에 온 큰 무리가 예수께서 예루살렘으로 오신
다 함을 듣고 13종려나무 가지를 가지고 맞으러 나가 외치되 '호산나!
찬송하리로다. 주의 이름으로 오시는 이 곧, 이스라엘의 왕이시여!' 하
더라. 14예수는 한 어린 나귀를 만나서 타시니 15이는 기록된바 '시온
딸아 두려워 말라. 보라, 너의 왕이 나귀새끼를 타고 오신다' 함과 같더
라. 16제자들은 처음에 이 일을 깨닫지 못하였다가 예수께서 영광을 얻
으신 후에야 이것이 예수께 대하여 기록된 것임과, 사람들이 예수께 이
같이 한 것인 줄 생각났더라. 17나사로를 무덤에서 불러내어 죽은 자
가운데서 살리실 때에 함께 있던 무리가 증거한지라. 18이에 무리가 예
수를 맞음은 이 표적 행하심을 들었음이러라. 19바리새인들이 서로 말
하되 '볼지어다. 너희 하는 일이 쓸데없다. 보라, 온 세상이 저를 좇는
도다' 하니라."

이스라엘과 인류의 왕이신 예수 그리스도

이스라엘 사람이나 세상 어느 누구라도 예수 그리스도를 알게 되면 '그 분은 왕'이라고 고백하게 된다. 예수 그리스도를 왕으로 영접하지 못하는 것은 그를 알지 못하기 때문이다. 그래서 우리 인류의 구원도 "영생은 곧 유일하신 참 하나님과 그의 보내신 자(者) 예수 그리스도를 아는 것"(17:3)이라는 말씀처럼 예수 그리스도를 아는 데에서 시작된다.

예수 그리스도를 맨 처음 알아본 사람은 '나사렛에서 무슨 선한 것이 날 수 있느냐?'고 하였던 나다나엘이었다. 그는 "랍비(선생)여! 당신은 하나님의 아들이시오, 당신은 이스라엘의 임

금이로소이다.” 라고 외친다(1:49). 나다나엘!! 그도 예수를 만나 알게 되면서 ‘당신은 임금이로소이다’라고 고백한 것이다.

이스라엘 사람들은 11장에서 ‘죽은 지 나흘’이 된 나사로를 살린 기적을 보고 들으면서 “예수 그리스도는 하나님께로부터 오신 창조자(創造者)요, 인류의 생명의 근원”임을 알게 되었으며, 예루살렘 근교(近郊)의 주민들이 예수 그리스도의 예루살렘 입성(入城)을 환영하여 종려나무 가지를 흔들면서 “호산나! 찬송하리로다. 주의 이름으로 오시는 이 곧 이스라엘의 왕이시여!” 하며 외쳐댄다(호산나는 ‘구하옵나니 이제 구원하소서’란 뜻임).

그리스도교(教) 진리는 알고 믿는 진리이다. 요한복음 기자 요한은 “베다니는 예루살렘에서 가깝기가 한 오리쯤 되매 많은 유대인이 마르다와 마리아에게 그 오라비의 일로 위문하러 왔더니”라고 기록하였는데, 역시 위에서 본 대로 죽은 나사로를 살리신 이적을 보고 들은 예루살렘 근교에 사는 많은 이스라엘 사람들이 예수를 구세주로 믿었음을 기록하고 있다. 요한의 위대함을 본다.

故 송두용 선생은 일찍이 ‘오직 믿음만’이라고 믿음만을 강조하였다. 그러나 나는 여기에 큰 문제가 있다고 감히 생각한다. ‘믿음’은 무엇을 믿는다는 근거(根據)가 있어야 할 것이다. 그럼에도 ‘오직 믿음만’을 내세운다면 참 진리인 그리스도의 진리가 ‘사이비’로 흐를 수 있다고 보기 때문이다. 예루살렘 근교에 살던 사람들이 나사로의 죽음과 무덤에 장사지낸 지 나흘이나 된 나사로를 살린 이적을 보고 믿었다는 기사대로 성서공부와 성령님의 가르침을 받아 알게 된 그리스도의 진리를 믿는 믿음이야말로 참된 믿음이 아닐까 생각되기 때문이다.

본문 공부

12,3절 "그 이튿날에는 명절에 온 큰 무리가 예수께서 예루살렘으로 오신다 함을 듣고 ◇종려나무 가지를 가지고 맞으러 나가 외치되 '호산나! 찬송하리로다. 주의 이름으로 오시는 이 곧, 이스라엘의 왕이시여!' 하더라."

'그 이튿날'은 곧, 마리아가 예수의 발에 향유를 부은 날의 다음날이다. 이스라엘 사람들이 명절인 '유월절'을 맞아 큰 무리가 예루살렘 성전(聖殿) 부근에 모였는데, 그때에 사람들이 예수 그리스도께서 예루살렘에 오신다는 말을 듣고 기다렸다는 말이다. 요즘으로 말하면 환영인파라고 할 수 있겠다.

종려나무는 승리를 상징한다고 한다. 예루살렘으로 입성하시는 예수 그리스도를 환영하는 사람들은 '하나님께서 사탄의 지배 아래에 있는 인류를 구원, 새 생명으로 태어나게 하여 승리하신다는 뜻'으로 종려나무를 흔들며 맞았다는 말이다.

큰 무리가 종려나무 가지를 흔들며 나가서 "호산나! 찬송하리로다. 주의 이름으로 오시는 분 곧, 이스라엘의 왕이시여!" 하고 외치며 이스라엘, 곧 인류의 왕으로 영접하는 모습이다.

14,5절 "예수는 한 어린 나귀를 만나서 타시니 ◇이는 기록된바 '시온 딸아 두려워 말라. 보라, 너의 왕이 나귀새끼를 타고 오신다' 함과 같더라."

어린 나귀를 타신 예수님을 상상해 보시라. 이때의 예수 그리스도의 모습은 나귀를 탄 천진한 어린 왕자(王子)이다.

어린 나귀를 탄 왕(王)!!은 스가랴 선지자가 예언하였던 말씀으로, 이 예언이 이루어지는 모습이다(슥9:9).

또한 나귀를 탄 채 예루살렘에의 입성은 앞으로 십자가상에서 죽음으로 온 인류에게 자신의 생명을 나누어 주고, 생명의 왕! 인류의 만왕의 왕!으로 오심을 상징하는 모습이다. 이는 구약의 예언을 이루고(슥9:9), 또 십자가상의 죽음을 통해 이루어야 할 새 예언을 보여주고 있다.

16절 "제자들은 처음에 이 일을 깨닫지 못하였다가 예수께서 영광을 얻으신 후에야 이것이 예수께 대하여 기록된 것임과 사람들이 예수께 이같이 한 것인 줄 생각났더라."

제자들은 어린 나귀를 탄 스승을 뒤따르면서도 '어린 나귀를 탄 왕'으로 오심을 깨닫지 못하다가 예수께서 십자가상에서 죽고, 부활의 영광을 얻으신 후에야 이것이 예수에 대한 기록임을 깨달았다는 말이다.

'영광을 얻었다' 왜 예수의 십자가의 죽음을 두고 '영광을 얻었다' 고 하는가? 십자가상의 죽음은 고통 중의 고통이다. 그런데도 왜 영광이 되는가? 그것은 십자가상에서 흘리신 피가 죄인들에게 흘러들어 온 인류가 새 생명을 얻게 되었기 때문이다. 다시 말해 인류의 새로운 생명의 근원을 이룬 십자가의 사건이다. 그래서 예수 그리스도는 영광이요 만왕의 왕이시다.

세상일을 예로 들면 사손이 없었던 집안에서 옥동자를 낳으면 그 부모가 얼마나 기뻐하는가? 하물며 '극상품' 참포도나무로 창조된 아담이 들포도나무로 전락하여 들포도나무만 무성해진 인류라는 농장에 예수 그리스도의 피를 십자가상에서의 희생으로 흘러들게 하여 들포도나무들에 접목시킴으로써 온 인류를 한 순간에 하나님과 하나 되게 하신 하나님! 당신의 백성으로 회복하게 하신 하나님! 참포도나무 농장으로 바꾸셨으니 얼마나 큰 기쁨이요, 영광인가?!

17절 "나사로를 무덤에서 불러내어 죽은 자 가운데서 살리실 때에 함께 있던 무리가 증거한지라."

11장 44절 이하의 **"죽은 자가 수족을 베로 동인 채로 나오는데 그 얼굴은 수건에 싸였더라. 예수께서 가라사대 '풀어 놓아 다니게 하라' 하시니라. ◇마리아에게 와서 예수의 하신 일을 본 많은 유대인이 저를 믿었"**다는 기사처럼 나사로를 살리신 것을 본 예루살렘 근교(近郊) 사람들이 예수를 믿었고, 증거 하였다고 기록하고 있다.

18,9절 "이에 무리가 예수를 맞음은 이 표적 행하심을 들었음이러라. ◇바리새인들이 서로 말하되 '볼찌어다. 너희 하는 일이 쓸데없다. 보라, 온 세상이 저를 좇는도다' 하니라."

예루살렘 근교에 살던 사람들이 종려나무를 들고 예수를 맞은 것은 곧, 나사로를 살린 이적 행하심을 보고 들었던 사람들이 예수 그리스도를 이스라엘 왕으로 맞았다는 말이다.

바리새인들이 예수 그리스도를 죽이기로 모의하던 사람들을 향해 말한다. **"보아라, 너희 하는 일이 쓸데없이 되었다. 보아라, 온 세상이 저 예수를 좇지 않느냐."**

이 말은 사탄의 간교로 인류가 수천 년 동안 들포도나무로 전락되어 사탄의 지배아래 있게 되었지만, 이 일들이 다 쓸모없게 되었다. 이제 곧 십자가의 사건으로 인류는 새롭게 될 것이라는 예언의 말이기도 하다.

2014년 1월 10일 발표

〈제55과〉
한 알의 씨앗 – 참포도나무는 죽는다(상)

본문 말씀 12:20~26

"명절에 예배하러 올라온 사람 중에 헬라인 몇이 있는데 저희가 갈릴리 벳새다 사람 빌립에게 가서 청하여 가로되 선생이여, 우리가 예수를 뵈옵고자 하나이다 하니 빌립이 안드레에게 가서 말하고, 안드레와 빌립이 예수께 가서 여짜온대 예수께서 대답하여 가라사대 인자의 영광을 얻을 때가 왔도다. 내가 진실로, 진실로 너희에게 이르노니 한 알의 밀이 땅에 떨어져 죽지 아니하면 한 알 그대로 있고, 죽으면 많은 열매를 맺느니라. 자기 생명을 사랑하는 자는 잃어버릴 것이요, 이 세상에서 자기 생명을 미워하는 자는 영생하도록 보존하리라. 사람이 나를 섬기려면 나를 따르라. 나 있는 곳에 나를 섬기는 자도 거기 있으리니 사람이 나를 섬기면 내 아버지께서 저를 귀히 여기시리라."

한 알의 씨앗 – 참포도나무는 죽는다

예수께서는 안드레와 빌립의 '헬라인이 선생님을 뵙고자 한다'는 말에는 대답을 피한 채 '때가 왔다'고 하신다. 이 '때'란 곧 '죽을 때'이다. 24절에서 예수는 "내가 진실로, 진실로 너희에게 이르노니 한 알의 밀이 땅에 떨어져 죽지 아니하면 한 알 그대로 있고, 죽으면 많은 열매를 맺는다"고 하셨다. 여기서 밀알은 교회에서 말하는 보편적 '밀알'이 아니다. 한 알의 희생으로 많은 열매를 맺는 그 밀알은 오직 비유에 불과할 뿐이다.

인류 역사에서 단 하나뿐인 하나님의 생명으로 오신 예수 그리스도 자신의 생명을 '한 알의 밀'로, 또는 참포도나무로 말씀하신 것이다.

하늘나라에서 이 세상에 오신 하나님의 유일한 분신인 그리스도 자신을 '한 알의 밀'로 예를 들고 계신다. 그러나 이번 공부에서는 설명을 쉽게 하기 위하여 '한 알의 밀'을 '참포도나무'로 바꾸어 살피고자 한다. 예수께서도 '나는 참포도나무요, 너희는 가지'라고 15장에서 비유를 들고 계시므로 여기에서도 포도나무로 바꾸어 공부하여도 무리는 아니라고 본다.

"한 알의 밀이 땅에 떨어져 죽지 아니하면 한 알 그대로 있고, 죽으면 많은 열매를 맺느니라."는 말씀에서 '한 알의 밀' 또는 '참포도나무'는 예수 자신의 죽음을 예고하는 말이다. 곧, 십자가상에서의 죽음을 가리킨다. 십자가상에서 참포도나무가 죽을 때에 포도나무 가지를 갈기갈기 찢어 피를 다 흘리며 죽는다. 왜? 접붙임의 가지를 얻기 위함이다. 들포도나무인 인류에게 접붙임 하기 위해서다.

그런데 십자가상에서의 죽음은 예수 혼자만의 죽음이 아니다. 놀랍게도 예수 그리스도는 25절에서 "자기 생명을 사랑하는 자는 잃어버릴 것이요, 이 세상에서 자기 생명을 미워하는 자는 영생하도록 보존하리라."고 하며 세상사람 - 즉, 들포도나무의 죄악에 빠진 몸을 버리기 위하여 십자가상에서 죽음에 동참하기를 원하신다. '죄악에 물든 자기 생명을 사랑하는 자는 생명을 잃어버릴 것이지만, 자기 생명을 미워하는 자 즉, 자기 생명을 버리는 자는 생명이 영원히 보존되리라'고 말씀하신다. 예수 그리스도는 십자가상에서 우리 인류를 대표한 좌 · 우의 두 강도와 함께 돌아가신다. 우리 믿는 사람들 모두는 그 때에 예수님을 따라 죽었다는 것을 믿어야 한다.

예수 그리스도의 십자가상의 동참 요구는 26절에서도 계속된다. "사람이 나를 섬기려면 나를 따르라. 나 있는 곳에 나를 섬기는 자도 거기 있으리니 사람이 나를 섬기면 내 아버지께서 저를 귀히 여기시리라"고 하시며 죽음에의 동참 - 즉, 십자가상에서의 '만남'을 요구하신다.

예수 그리스도의 십자가상의 죽음은 하나님의 독생자로서, 단 한 알의 참포도나무 씨앗으로서 죄악에 물든 인류! 즉, 들포도나무인 좌 · 우의 강도와 만나기 위한 사건이다.

예수 그리스도의 죽음으로 들포도나무인 인류는 참포도나무의 생명을 접목! 영접하게 되었던 것이다.

이 모든 일들은 농부이신 하나님께서 하신 일이다. 그러나 예수 그리스도와 좌 · 우의 두 강도가 함께 십자가상의 죽음에 참여하였으나 한 강도는 믿음으로 구원에 이르고, 한 강도는 하나님의 은혜를 믿지 못하여 낙원에 이르지 못함을 본다(눅23:39-43).

우리 그리스도인은 믿음으로 아멘!! 하며 은혜를 받는 믿음이다. 위의 은혜를 예고하신 말씀이 55과 공부의 말씀이다.

본문 공부

20,1절 "예배하러 올라온 사람 중에 헬라인 몇이 있는데 ◇저희가 갈릴리 벳새다 사람 빌립에게 가서 청하여 가로되 선생이여, 우리가 예수를 뵈옵고자 하나이다 하니"

명절인 유월절을 맞아 예루살렘에서 예배하기 위해 온 사람들 중에 유대인뿐 아니라 헬라인도 몇 사람 있었다는 말이다.

헬라인들이 제자 중 한 사람인 갈릴리 벳새다 사람 빌립에게 가서 '예수를 뵙고 싶다'고 한다. 예수께서 행한 이적의 소문이 헬라인들에게까지 전해졌다는 증거가 되겠다.

22,3절 "빌립이 안드레에게 가서 말하고 안드레와 빌립이 예수께 가서 여짜온대 ◇예수께서 대답하여 가라사대 인자의 영광을 얻을 때가 왔도다."

빌립이 혼자서 결정하지 못하고 안드레와 함께 예수께 가서 '선생님, 헬라인들이 선생님을 뵙고자 합니다.' 하며 예수께 알린다.

예수께서는 '헬라인들이 뵙고자 한다'는 제자들의 전언에 대답 대신 **"인자의 영광을 얻을 때"**가 왔다고 하신다. 곧 자신이 죽을 때가 왔다는 뜻으로, 그것이 '인자의 영광을 얻을 때'라고 하신 것이다. 예수께서는 헬라인이 자신의 소문을 듣고 찾아왔다는 말에 하늘 복음이 원만히 세상에 전파되었음을 아시고, 이제 죽어야 할 때가 왔다고 하신 말씀이다. 그런데 인류 최악의 형벌인 십자가상에서의 죽음을 앞두고 자신이 '영광을 얻을 때'라고 하신다. 여기서 우리 그리스도인이 깊이깊이 생각할 일이 있다.

요한복음 공부를 시작할 때 제1과에서 거론했던 부분을 다시 한번 살펴보기로 하자.

천국! 에덴에서 추방
아담은 하나님의 낯을 피해야 살 수 있었고,
하나님은 아담을 추방하여야 그를 살릴 수 있었다.

에덴! 하늘나라와, 세상 즉 땅의 경계

세상! 죄로 물들은 사람들이 사는 땅
도망과 추방이라는 두 면을 다 가지고 에덴의 바깥 땅, 곧 세상으로 나온 아담과 하와는 죄로 물들어 하나님과 단절된 이분화(二分化) 사회에서 살게 되었다.

이 **이분화 상태**를 예언자 이사야는 **"極上品(극상품) 포도나무를 심었도다. 좋은 포도 맺기를 바랐더니, 들포도를 맺혔도다"** (이사야 5:2) 라고 탄식하였다.

또 증언자 바울 사도는 로마서 3:23절에서 "모든 사람이 죄를 범하였으매 하나님의 영광에 이르지 못하더니…"라고 **이분화 상태**로는 하나님 앞에 이르지 못하는 이유를 말하고 있다.

그런데 **예수 그리스도**가 이 **이분화 상태**에 있는 **우리**와 하나 되기 위하여 왔다고 하신다. **"너희와 하나 되기 위하여 왔다."** (요6:56)

4,5절 "그 안에 생명이 있었으니 이 생명은 사람들의 빛이라. ◇ 빛이 어두움에 비취되 어두움이 깨닫지 못하더라."

여기, 4,5절 말씀 안에는 4,5천년이라는 기나긴 시간적 공간이 들어있다. 그 시간적 공간 사이에는 많은 일들이 일어났음을 우리는 성경을 통하여 알 수 있다.

이렇게 천국인 에덴에서 나온 죄인들이 땅에서 살고는 있지만, 모두가 들포도나무로 진락하여 창조주 하나님과 이분화(二分化)된 삶을 살았다. 곧, 들포도나무로 살았던 것이다. 그런데 예수 그리스도가 죽게 되면 이 들포도나무를 참포도나무로 바꿀 수 있게 된다는 말이다.

그런데 왜 예수 그리스도께 영광인가? 이제까지 자신의 창조물인 인간이 들포도나무로 전락하여 있었기에 창조자와 만날 수 없었으나 예수 그리스도 자신의 생명을 던져 창조자와 인류가 만날 수 있게 되는 말씀이다. 곧, 십자가상에서 농부인 하나님의 접붙임의 때가 되어 자신의 창조물이 정상으로 회복(回復)되어 하늘 백성이 많아지게 되고, 예수 그리스도 자신에게는 영광을 올릴 백성이 생긴 말씀이다. 바꾸어 말하면 하늘 백성에게서 영광을 받는다는 말씀이다. 이 은혜를 알게 되는 인류는 누구나 그 분, 예수 그리스도께 영원히 세세토록 영광과 찬미를 돌릴 것이다.

24절 "내가 진실로, 진실로 너희에게 이르노니 한 알의 밀이 땅에 떨어져 죽지 아니하면 한 알 그대로 있고, 죽으면 많은 열매를 맺느니라."

'한 알의 밀'은 요즘의 교회에서 말하는 통상적인 밀알이 아니다. 인류 역사에서 죄 없이 세상에 성령의 잉태로 오신 자신 하나뿐인, 하나님 독생자의 생명이 바로 '한 알의 밀'이다. 즉, 참포도나무가 죽어 그 가지를 좌 · 우의 두 강도에게 생명을 주시기 위함이며, 온 인류에게도 주신다는 말씀이다.

한 알의 밀이 죽지 않으면 한 알 그대로 있지만, 한 알!! 하나님의 독생자인 예수 그리스도라는 씨앗이 죽으면 많은 사람들! 인류 전체 곧, 십자가 사건 전의 사람이나 후의 사람에게나 다 주신다는 말씀이다.

25절 "자기 생명을 사랑하는 자는 잃어버릴 것이요, 이 세상에서 자기 생명을 미워하는 자는 영생하도록 보존하리라."

예수 그리스도의 십자가상의 죽음은 예수 혼자만의 죽음이 아니다. 예수께서는 자신의 죽음에 우리 모두의 동참을 요구하신다. 너희 옛 들포도나무의 생명을 사랑하면 잃어버릴 것이요, 미워하여 십자가상의 죽음에 믿음으로 동참하여 같이 죽으면 생명의 참포도나무로 영원히 보존하리라고 하신다.

26절 "사람이 나를 섬기려면 나를 따르라. 나 있는 곳에 나를 섬기는 자도 거기 있으리니 사람이 나를 섬기면 내 아버지께서 저를 귀히 여기시리라."

믿음으로 죽음에 동참하는 것이 나를 따르는 것이라고 재차 강조하신다. 믿음으로 예수와 함께 십자가상에서 죽는 사람은 예수의 생명을 받아 하나의 혈통이 되므로 예수의 아버지 - 곧, 우리들의 아버지께서 우리를 귀히 여기신다는 말씀이다.

2014년 2월 10일 발표

〈제56과〉

한 알의 씨앗-참포도나무는 죽는다(하)

본문 말씀 12:27~36

"27지금 내 마음이 민망하니 무슨 말을 하리요. 아버지여 나를 구원
하여 이때를 면하게 하여 주옵소서. 그러나 내가 이를 위하여 이때에
왔나이다. 28아버지여, 아버지의 이름을 영광스럽게 하옵소서 하시니 이
에 하늘에서 소리가 나서 가로되 '내가 이미 영광스럽게 하였고, 또 다
시 영광스럽게 하리라.' 하신대 29곁에 서서 들은 무리는 우뢰가 울었
다고도 하며, 또 어떤 이들은 천사가 저에게 말하였다고도 하니 30예수
께서 대답하여 가라사대 이 소리가 난 것은 나를 위한 것이 아니요, 너
희를 위한 것이니라. 31이제 이 세상의 심판이 이르렀으니 이 세상 임
금이 쫓겨나리라. 32내가 땅에서 들리면 모든 사람을 내게로 이끌겠노
라 하시니 33이렇게 말씀하심은 자기가 어떠한 죽음으로 죽을 것을 보
이심이러라. 34이에 무리가 대답하되, 우리는 율법에서 그리스도가 영
원히 계신다 함을 들었거늘 너는 어찌하여 인자가 들려야 하리라 하느
냐? 이 인자는 누구냐? 35예수께서 가라사대 아직 잠시 동안 빛이 너
희 중에 있으니 빛이 있을 동안에 다녀 어두움에 붙잡히지 않게 하라.
어두움에 다니는 자는 그 가는 바를 알지 못하느니라. 36너희에게 아직
빛이 있을 동안에 빛을 믿으라. 그리하면 빛의 아들이 되리라."

하나님을 영광스럽게 하신 예수 그리스도

지난 과 공부에서 "헬라인이 와서 선생님을 뵙고저 한다"는 안드레와 빌립의 말을 들은 예수께서는 대답 대신 "인자의 영광을 얻을 때가 왔다"고 하신다. 예수께서는 헬라인들이 멀리서 찾아옴을 보면서 그동안 하늘나라 복음 전도가 어지간히 전달되었음을 느끼시고, 이제 죽을 때! 즉, 영광을 얻을 때가 왔다고 하신 것이다.

이때 예수께서는 하나님의 뜻을 생각하시며 죽을 때가 되었다

는 이분(二分)된 마음을 내 보이신다.

첫번째 마음은 '인자의 영광을 얻을 때가 되었다'(23절)는 것은 곧, 하나님의 뜻에 의한 십자가상에서의 힘들게 죽는 일이요,

두번째 마음은 십자가상에서의 죽음을 생각하니, 지금 내 마음이 민망한데(27절) 무슨 대답을 헬라인에게 하겠느냐? 헬라인은! 십자가상의 죽음은 생각하지 않고, 예수 자신의 능력만을 생각하는 자(者)들인데 저들에게 무슨 말을 하겠느냐고 고뇌(苦惱)하는 마음이다.

예수님은 고뇌(苦惱)하며 하나님께 간절한 기도를 올린다.

"아버지여! 나를 구원하여 이때를 면하게 하여 주옵소서." 하면서 "그러나 내가 이를 위하여 이때에 왔나이다." 라고 기도를 올린다. 이는 '십자가 위에서의 고통스러운 죽음을 피할 수 있다면 좋겠지만, 그러나 저는 아버지의 영광을 이루기 위하여 왔으니 아버지의 뜻대로 하십사' 하는 기도가 되겠다.

예수님의 기도는 이어진다. "아버지여! 아버지의 이름을 영광스럽게 하옵소서." 기도가 끝나자 하늘에서 응답이 들려온다. "내가 이미 영광스럽게 하였고, 또 다시 영광스럽게 하리라." 이 응답에는 "영광스럽게"란 말이 두번 나온다.

첫 번째 영광은 "내가 이를 위하여 - 즉, 죽기 위하여 왔나이다." 하는 아들의 기도를 듣는 아버지의 기쁨의 영광이요,

두 번째 영광은 "또 다시 영광스럽게 하리라" 즉, 앞으로 있을 아들 예수 그리스도의 십자가상에서의 죽음을 두고 "그 때에 영광스럽게 하리라"는 예고의 말씀이다.

예수님의 기도 후 하늘에서 들린 소리 즉, 하나님의 말씀을 두고 곁에 있는 군중은 우뢰가 우는 것으로 듣거나 천사의 소리로

듣기도 하였다. 예수께서는 "이 소리가 난 것은 나(예수 자신)를 위함이 아니요, 너희를 위한 것"이라고 하신다. 왜 곁에 있는 무리를 위함인가? 이 소리가 하늘에서 난 것을 너희가 눈으로 보고, 귀로 들음으로써 내가 하나님의 아들이란 것을 알고, 나를 믿게 하기 위한 증거를 보였다는 말씀이다.

여기서 짚고 넘어갈 부분이 있다. 그것은 예수 그리스도께서 '가나의 혼인 잔치'에서 물로 포도주를 만드신 표적, 예루살렘 성전을 뒤집어 엎으신 일, 왕의 신하의 아들을 고치신 일, 떡 다섯 개와 생선 두 마리로 군중 오천 명을 먹이신 표적, 오늘 하늘에서 우뢰의 소리가 있었던 일 등 그 수를 헤아릴 수 없이 많은 표적은 모두 예수 그리스도가 하나님의 아들 메시아로서 인류! 나와 여러분에게 하늘 아버지의 피의 생명을 주실 구원자란 것을 인류가 알게 하려는 데에 있다.

본문 공부

27절 "지금 내 마음이 민망하니 무슨 말을 하리요. 아버지여 나를 구원하여 이때를 면하게 하여 주옵소서. 그러나 내가 이를 위하여 이때에 왔나이다."

지난번 공부에서 헬라인의 만남의 청에 대답은 하지 않으신 채 23절에서 **"인자가 영광을 얻을 때가 왔다"** 하시고, 24절에서는 **"한 알의 밀이 땅에 떨어져 죽으면 많은 열매를 맺는다"**고 하신다. 이처럼 자신의 죽음을 예고하는 말씀을 하시고 보니 죽음이 눈앞에 다가와 있음을 느끼게 되어 **"민망하다"**고 말씀하신다.

민망(憫惘)의 뜻은 우리말 사전에는 '답답하다', '딱하여 안타깝다' 등이며, 일본어 사전에는 '마음이 침착성을 잃다', '허둥대다', '두근거리다' 등이다.

헬라인의 뵙자는 말에 자신의 죽을 때가 왔다는 생각에 민망한 생각이 들어 저들에 대한 대답 대신 "내가 이를 위하여 이때에 왔다"고 결론의 말씀을 하신다.

28절 "아버지여, 아버지의 이름을 영광스럽게 하옵소서 하시니 이에 하늘에서 소리가 나서 가로되 '내가 이미 영광스럽게 하였고, 또 다시 영광스럽게 하리라' 하신대"

자신이 죽는 것이 하나님 아버지의 뜻을 이루는 것임을 아시는 예수께서 '아버지여 아버지의 이름을 영광스럽게 하옵소서' 하시니, 이에 답하여 하늘에서 소리가 난다. 아들 예수의 마음을 아신 아버지께서 '이미 네가 나를 영광스럽게 하였고, 또 장차 십자가에 죽음으로 영광스럽게 하리라'는 하나님의 음성이다.

여기서 '영광스럽게 하였다'는 말이 두 번 나오는데,

첫 번째는 '내가 이를 위하여 이때에 왔다'는 예수 그리스도의 마음을 보시고 영광스럽게 되었다는 말씀이요,

두 번째의 '또 다시 영광스럽게 하리라'는 앞으로 올 십자가상에서 죽음으로써 하나님의 뜻을 이루리라는 예고이다.

29,30절 "곁에 서서 들은 무리는 우뢰가 울었다고도 하며, 또 어떤 이들은 천사가 저에게 말하였다고도 하니 ◇예수께서 대답하여 가라사대 이 소리가 난 것은 나를 위한 것이 아니요, 너희를 위한 것이니라."

하늘에서 예수 그리스도께 하신 말씀을 곁에 서서 들은 무리의 일부는 우뢰가 울었다고도 하고, 또 다른 무리는 천사가 저에게

말하였다고도 한다. 즉, 예수님 곁에 있던 무리는 하늘의 소리를 분명하게 알아듣지 못했다는 말이다.

예수의 위대한 모습을 여기에서도 본다. '너희가 들은 소리는 내가 하나님 아버지께서 보내신 아들이란 것을 너희로 알게 하기 위한 것이요, 그래서 너희를 위한 소리'라고 하신다.

31절 "이제 이 세상의 심판이 이르렀으니 이 세상 임금이 쫓겨나리라."

예수 그리스도께서는 정말 위대한 말씀을 하신다. '이 세상의 심판의 때(時)가 이르렀다'다는 선언이시다. 거기에다 '이 세상 임금이 쫓겨나리라'고도 하신다. 즉, 세상을 지배하던 악의 靈들이 쫓겨날 때가 되었다는 말씀이다.

위의 말씀을 주해(註解)하려면 역시 비유(比喩)를 들어서 해야 한다. 곧, '인류와 들포도 농장'의 비유다. 예수께서도 포도농장을 비유로 들어서 말씀하신 적이 있다.

'이 세상 심판의 때'란 '들포도농장을 참포도농장으로 바꿀 때'라는 말씀이다. 즉, 포도농장 주인께서 사정없이 들포도나무의 밑동을 베어 버릴 때가 되었다는 말씀이다. 십자가상에서 예수 그리스도의 좌 · 우 강도의 다리를 절단하여 버리신 것처럼 '인류'라는 들포도농장의 모든 들포도나무 밑동을 베어버리고, 그곳에 단 하나뿐인 참포도나무인 예수 그리스도가 십자가상에서 흘린 피, 즉 진액으로 접붙임을 하실 때가 되었다는 말씀이다.

'이 세상 임금이 쫓겨나리라'는 말씀은 인류를 지배하였던 들포도나무의 세력! 곧, '이 세상 임금이 쫓겨나고' 이제는 예수 그리스도의 복음이 인류에 전해지는 때가 왔다는 말씀이다. 앞으로 십자가상에서 이루어질 예고의 말씀이다.

32,3절 "내가 땅에서 들리면 모든 사람을 내게로 이끌겠노라 하시니 ◇이렇게 말씀하심은 자기가 어떠한 죽음으로 죽을 것을 보이심이러라."

'내가 땅에서 들리면' 내가 십자가상에 달리면! 십자가상에서 피를 흘리면! 그 피가 예수 그리스도의 좌 · 우 강도의 다리 끊어진 곳에 흘러들면 모든 들포도나무가 참포도나무로 되므로 "모든 사람을 내게로 이끌겠노라"고 하신다.

'이렇게 말씀하신 것은 예수 그리스도가 십자가상에서 있을 일들의 예고의 말씀'이라고 요한복음 기자가 덧붙이고 있다.

34절 "이에 무리가 대답하되, 우리는 율법에서 그리스도가 영원히 계신다 함을 들었거늘 너는 어찌하여 인자가 들려야 하리라 하느냐? 이 인자는 누구냐?"

예수의 말씀을 들은 무리가 "우리는 율법에서 그리스도가 영원히 계신다 함을 들었는데 너는 어찌하여 인자가 들려야 한다고 하느냐?"고 물으며, 또 "과연 그 인자는 누구냐?"고 묻는다. 무리가 '인자가 들려야 하리라'는 예수 그리스도의 말씀을 어지간히 알아들었다고 하겠다. 그러나 인자! 곧 예수 그리스도가 하나님의 아들이란 것은 알지 못한 데에서 나온 물음이다.

그러나 인류 - 즉, 우리가 "예수 그리스도는 하나님의 아들이요, 단 하나뿐이신 참포도나무"임을 알아야 한다.

35,6절 "예수께서 가라사대 아직 잠시 동안 빛이 너희 중에 있

으니 빛이 있을 동안에 다녀 어두움에 붙잡히지 않게 하라. 어두움에 다니는 자는 그 가는 바를 알지 못하느니라. ◇너희에게 아직 빛이 있을 동안에 빛을 믿으라. 그리하면 빛의 아들이 되리라."

예수는 자신이 하나님의 아들이라는 것을 알지 못하는 무리에게 말한다. '빛은 너희 중에 잠시 동안 있을 것이다. 그러니 어두움에 붙잡히지 않게 하라' 즉, 예수 자신의 말을 믿고 신중히 생동하라는 말씀이다. 어두움에 다니는 자는 예수를 알지 못하고 어두운 길을 가기 때문에 그 가는 바를 알지 못하게 된다고 말씀하신다. 예수 그리스도가 가르치는 길은 십자가상에서 예수 그리스도와 함께 인류가, 우리가, 내가 죽는 길이다. 십자가상에서 예수님 좌 · 우편의 강도가 죽는 것 같이 우리의 죄된 몸이 죽고 없는 내 안에 예수의 생명을 영접하여 예수 그리스도가 사시게 하는 길이다.

36절의 빛은 하나님이다. 그러므로 너희는 빛이 있을 동안 빛을 믿으라고 하신다. 그리하면 너희는 빛의 아들! 곧 참포도나무로 살 것이라는 말씀이다.

2014년 3월 10일 발표

사진 : 신장용 작가

〈공부 5주년 특집〉

바람으로 계시는 創造主 하나님(3)

어머니의 젖과 하나님의 영(靈)

어린 아이가 어머니의 젖을 빨 때에 '젖만 빠는 것으로 생각하면 큰 잘못'이라고 말한 적이 있다. 젖만 빠는 것이 아니라 어머니의 사랑을 빨고 그 사랑의 영양분으로 인성이 형성되어 사람이 되어간다는 말이다. 마찬가지로, 사람은 누구나 공기라고 하는 사람의 눈에 보이지 않는 하나님의 영체(靈體)에 '코'라는 빨대를 꽂아 놓고 호흡하며 살고 있다. 일을 하는 낮이나, 잠을 자는 밤이나, 음식을 먹을 때나, 쉴 때나, 심지어는 남을 사랑하거나 미워할 때에도 언제나 하나님의 영이라는 은혜와 사랑으로 호흡하며 살아가는 것이다.

유아들과 어린이뿐만 아니라 젊은이 늙은이 등 누구나 사람이라면 태아에서부터 죽을 때까지 하나님의 영이요 은혜인 바람!! 공기로 호흡하면서 하나님을 경외하고, 일하며 배우고 사랑하며 살도록 창조되어 있다.

하나님의 영은 '히브리어'로 '루앗하' (Ruach)인데 본디 바람이라고 한다. 성서에서도 바람, 호흡, 생기 등으로 쓰고 있으니 하나님의 영은 곧 바람인 것이다. 그런데 이 영, 즉 바람은 어디에나 만물과 함께 있다. "임마누엘 할렐루야 아멘!"

하나님의 영이 바람, 호흡, 생기라고 하였으니 그렇다면 대기(大氣) 곧 기체(氣體)는 하나님의 영체(靈體)로 하늘의 모든 물질 즉, 천체(天體)의 표면(항성, 행성, 위성, 혜성, 성단 성간 등)을 둘러싸고 있는 기체(氣體)는 하나님의 영체라고 할 수 있다. 좁게는 지구상 어디에나, 곧 사람의 몸속과 식물의 줄기 속, 땅속과 물속의 고기들 뱃속까지도 빈 공간 없이 가득히 차있다. 그러므로 공기! 곧 바람을 하나님의 영체로 보는 것은 이상한 일이 아니다. 이 하나님의 영체에 사람들은 '코'라는 빨대를 연결하여 숨을 쉬고 있는 것이다.

우리의 선조들은 윗 어르신들께 인사를 올릴 때에 '기체(氣體) 평안하십니까?'라고 인사를 하였다. 이때의 기체는 기력과 체력 즉, '몸과 마음의 평안'을 묻는 인사다. 이처럼 육친(肉親)의 어른들께 '기체 평안'으로 인사를 하였는데, 하물며 천체(天體)를 하나로 둘러싸고 있는 기체(氣體)를 하나님의 영체로 보는 것은 당연하다.

하나님의 영체(靈體)로 보는 것의 타당성

어머니의 젖 속에는 아기가 성장하는 데에 필요한 많은 성분이 들어있다. 예를 들면 모유 속에는 각종 병균으로부터의 감염을 막아주는 면역성분 뿐만 아니라 성장에 필요한 각종 호르몬과 두뇌발달에도 필요한 필수 영양소 등 아이의 성장에 필요한 물질들이 들어 있다(졸저 '작은 목소리'에서). 이와 같이 하나님의 영체라는 바람! 즉, 공기 속에도 과학적으로 밝혀진 많은 성분이 있지만, 밝혀지지 않은 성분들도 있을 것이다. 간략히 정의한다면 공기 안에는 동식물은 말 할 것도 없고, 특히 사람이 호흡하며 살아가는데 좋은 많은 성분이 있다고 보는 것이다.

사람이나 동물은 빨대인 코를 통해 숨을 쉬고 있을 때에 살아 있다고 보지만, 그 전에 사람을 살아있게 하는 또 다른 성분이 있을 수 있다는 말이다. 그 성분이 바로 하나님의 영인 바람이다.

바람은 사람의 몸 안의 미세한 세포 속에도 존재한다. 많은 사람들은 혈관을 통해 피가 온 몸을 돌고 있다고 보지만, 대부분 그 안에 바람(공기)이 함께 있음을 생각지 않고 살아간다. 그러나 불이 바람과 함께 있을 때에 타오르는 것처럼 혈관을 흐르는 피도 바람과 함께 온 몸을 돌고 돌아 미세한 세포가 살아 있게 함으로 사람이 생명을 유지하게 된다.

혈관 속을 피와 함께 도는 바람! 곧 산소가 포함되어 있지 않으면 피는 돌 수 없고, 미세한 세포는 살아가지 못한다. 피가 돌면서 바람을 나르므로 세포 하나하나까지 그 바람으로 숨을 쉬며 살아간다. 더욱이 사람의 머리털 속 세포 하나하나까지도 숨을 쉬게 한다. 어디, 사람 몸 속 뿐이겠는가? 많은 동식물이 같은 원리로 호흡하며 살아간다. 가축과 들짐승, 날짐승, 물고기들과 수많은 객체의 식물들까지도 바람이 있음으로 살아간다.

마리아의 처녀 잉태와 관련하여

그리스도교 신앙인들이 마리아의 처녀 잉태를 말할 때에 인간의 논리로는 이해가 되지 않으므로 이것을 '논리의 초월'이라는 말로 대신 해 왔다. 이리하여 그리스도교에서는 초월논리라는 이론 아닌 이론이 통하게 되었다.

이렇게 된 것은 십자가의 인류 구원의 논리를 대속(代贖)으로 보았기 때문이다. 그러나 예수 그리스도의 십자가의 사건을 "접붙임의 만남"으로 보면 마리아의 처녀 잉태는 진리의 논리로 서는 것이다.

십자가의 사건을 접목으로 볼 때 접목은 '만남'이다. 이는 곧 예수 그리스도와 좌·우의 강도가 십자가상에서 함께 죽는 이 사건 자체가 만남이다. 인류의 구원이 만남으로 된다는 뜻이다.

예수 그리스도는 자신을 참포도나무라고 하셨다. 그렇다면 왜 예수가 자신을 참포도나무라고 하셨는가? 그것은 자연을 비유로 하신 말씀이다. 자연! 참포도나무와 들포도나무를 비유로 하여 자신의 십자가 사건을 설명하시기 위함이었다. 증언자 바울은 예수를 참감람나무로 예를 들고 있다. 그리고 접붙임의 능력이 농부인 하나님께 있다고 하였다(로마서11장).

접붙임을 받으면 우리 그리스도인은 참포도나무의 가지가 된다. 십자가상에서 예수 그리스도는 가지를 들포도나무인 인류 - 곧, 나와 여러분에게 주려고 피 흘려 죽으시고, 예수 좌·우의 두 강도는 인류의 대표로서 밑동이 절단 되어 죽어 없는 그곳에 접붙임을 받음으로 예수 그리스도의 가지! 곧 피가 흘러듦으로써 **"피 뿌림을 얻기 위하여 택하심을 입은 자들"**(벧전1:2)은 접붙임이 성립되어지는 것이다. 이것을 한마디로 이야기하면 만남이다.

인류의 구원은 예수 그리스도의 피 곧, 예수의 생명이 우리 안에 접붙임의 만남으로 들어와 계심이다. 다시 말하여 처음 인류 창조가 만남이요, 나중의 인류 구원도 만남이다.

마리아의 처녀 잉태 또한 만남이다. 마리아와 하나님의 성령이 강림하여 "만남"이 이루어졌다. 그런데 이 마리아와 성령의 만남이 논리에 맞지 않다 하여 억지춘향이란 말처럼 논리초월이란 말이 나왔다. 그러나 씨앗이 땅에 떨어져 '흙과 씨앗의 만남'으로 새싹이 돋아남을 생각하면 이상할 것이 없다. 씨앗의 '흙과의 만남'은 보편적인 현상이라 논리로 믿고, 마리아의 몸에 성령 강림에 의한 잉태는 보편적인 시각이 아니기 때문에 이상하게 보일 것이다. 그러나 이러한 일도 자주 있게 되면 보편적인 일로 생각할 것이다.

사람을 처음 창조할 때에 하나님이 흙으로 당신의 형상대로 모형을 만드시고, 그 모형에 하나님의 생기를 불어 넣어서 사람이 되었는데, 이는 곧 '흙과 생기의 만남'이다. 마찬가지로 마리아의 잉태도 '성령과의 만남'이다.

'만남'을 정리하면 아래와 같다.

◯ '흙과 생기의 만남'으로 아담 창조
◯ '마리아의 몸과 성령의 만남'으로 마리아의 예수 그리스도 잉태
◯ '씨앗과 땅이 만남'으로 새싹이 돋아남
◯ '예수의 피와 인류의 만남'으로 인류가 구원받음

위에서 말한 대로 사람이 만들어진 원재료는 흙이다 **'여호와 하나님이 흙으로 사람을 지은 후 생기를 그 코에 불어 넣어서 사람이란 생령이 되었다'**(창2:7)고 하였으니 마리아의 몸도 분명 흙으로 되어있다. 이 흙에 성령이 강림하신 것이나, 흙에 생기를 불어 넣으신 것이나, 씨앗이 흙에 떨어져 새싹이 돋아나는 것은 같은 논리이다.

이토록 성경 말씀은 하나님이 은혜를 보여주심으로써 모두 논리로 풀릴 수 있다. 그런데 '논리의 초월'이라는 논리 아닌 논리를 사용하는 것은 성서를 공부하면서도 하나님께 의뢰하지 않고,

몰입하지도 않는다는 증거이다.

사람의 존엄성

세상은 하나님이 지으신 창조물이다. 그래서 모든 창조물을 한마디로 우주만물이라고 한다. 그런데 그 많은 창조물 중에서도 사람은 최고의 걸작이다. 故 노평구 선생께서는 '사람의 정신세계가 우주보다도 넓다'고 하셨다. 선생의 말씀에 전적으로 동감한다.

세상에는 사람이 무수히 많다. 우리 앞에 살다 간 사람은 그 수를 헤아릴 수 없을 것이며, 현존하는 사람만으로도 70억 명이 넘는다고 한다. 그렇지만 나와 똑같은 사람은 없을 것으로 생각한다. 즉, 얼굴이나 신장 체중 등등 같은 신체에 똑같은 사고(思考)를 가진 사람은 없을 것이란 말이다.

설령 있다고 하드라도 신앙까지 같은 사람은 더욱 그럴 것이다. 하나님의 생명을 받는 신앙은 접붙임의 신앙이다. 이러한 의미에서 나는 노평구 선생 말씀대로 사람은 우주보다 넓은 두뇌를 갖고 있다고 자부해본다. 이렇게 본다면 나 같은 사람은 인류역사 전에도 없었고, 후에도 없을 것이다. 증언자 바울은 '모태에서보다 더 전에 하나님이 자신을 택하셨다'고 말하고 있다. 이토록 우주보다 넓은 두뇌를 가진 사람이라는 걸작을 하나님은 창조하신 것이다.

그런데 더욱 놀라운 것은 나 같은 죄인을 새롭게 하시려고 조물주이신 예수 그리스도가 십자가에서 죽으셨다. 우주 만물을 창조하신 그 존귀하신 분이 나 같은 죄인을 살리시려고 죽으셨으니 사람이란 존재가 얼마나 존엄한가? 이것이 하나님이 인류를 사랑하시는 증거다. 예수님도 '너희 목숨이 천하보다도 귀하다'고 하셨다. 왜 천하보다 더 귀할까? 그것은 天地를 창조하신 예수 그리스도가 죄로 물들어 하늘나라에 갈 수 없는 우리들 죄인을 하늘 백성으로 다시 살게 하시려고 십자가에 달려 죽으셨기 때문이다.

흙과 사람과 성서말씀은 유기체(有機體)

"하나님이 흙으로 사람을 지으시고 그 코에 생기를 불어 넣으시니 사람이 생령이 된지라."(창2:7) 하나님의 생기와 흙의 '만남'으로 아담이 생령이 된다. 또한 흙으로 빚어진 사람에게 하나님의 계시(啓示)가 임하시어 성서가 기록된다. 이 또한 사람과 하나님 계시와의 '만남'이다. 즉, 흙과 하나님의 생기가 만나 사람이 되고, 그 사람과 하나님의 계시가 만나 사람이 성서를 기록하게 되었다는 말이다.

그러므로 '흙과 사람과 성서말씀'은 유기체(有機體)이다. 그런데 놀라운 것은 사람의 근육이나 장기는 미세한 세포들로 이루어져 있고, 이것들이 신체를 이루고 있다는 것이다. 더욱 놀라운 것은 사람의 주재료인 흙도 미세한 미생물 덩어리라는 것이요, 더더욱 놀라운 것은 흙과 사람이 하나님이 불어넣어주신 생기로 오늘까지 아니, 앞으로도 영원히 숨을 쉬면서 산다는 것이다. **"하나님이 흙으로 사람을 지으시고, 그 코에 생기를 불어 넣으시니 사람이 생령이 된지라."** 즉 하나님이 흙에게 생기를 불어넣어주심으로 사람이 되게 하셨고, 그 생기로 호흡하며 살아가도록 하셨으므로 '흙과 사람과 성서말씀'은 유기체이다.

생기를 불어넣으신 원리로 만물이 생육하고 번성하며, 그 생기로 숨을 호흡하며 살아간다. 그리고 이 흙과 사람의 세포! 심지어는 흙의 미생물까지도 하나님이 불어넣어 주신 생기로 호흡하며 살아간다. 이 얼마나 전지전능의 창조주이신가? 마음으로부터 깊은 찬미와 영광을 세세토록 드릴 뿐이다.

갈등을 풀어 세계 火藥庫에서 세계 평화를 기여하는 韓半島로!

여기서는 신앙 외적인 주제로 이야기를 풀어간다.

우리나라는 단일 민족이면서도 남과 북으로 갈리어 많은 갈등이 있다. 세계의 어느 민족도 이렇게 갈등이 많은 나라가 없다. 남과 북의 갈등은 물론이요, 이념의 갈등과 지역 간의 갈등이 있으며, 사회 양극화가 심화되면서 빈부간의 갈등 또한 깊어지고 있다. 왜 이렇게 갈수록 갈등이 깊어지는가를 생각해볼 필요가 있다.

갈등하는 이유는 무엇이며, 책임을 따진다면 진보주의자들에게 있는가? 보수주의자들에게 있는가? 여기에 대한 답은 단정적으로 말할 수가 없다. 그렇다면 누구의 잘못인가? 그것은 우리가 나아가야 할 길을 찾지 못하기 때문이다.

올해(2014년) 초, KBS 1TV에서는 우리나라의 갈등을 주제로 논하는 '일요진단' 프로가 방송되었다. 이날 방송을 보면서 나의 머리에 스치는 생각이 있었는데, 그것이 갈등의 치유책이 아닐까 생각되어 이 글을 쓴다.

세계에서 내부(內部) 갈등이 심한 나라로는 1위가 터키, 2위는 한국, 그 다음은 일본이라고 하였다.

갈등이 가장 심한 터키의 서남쪽은 지중해에 둘러싸여 있고, 서북쪽은 불가리아와 흑해가 막고 있으며, 북동쪽은 조지아(그

루지아), 동쪽은 이란, 동남쪽은 시리아와 이라크가 있다. 터키는 친 서방정책과 실리 외교를 추구하고는 있지만, 이해관계가 얽힌 주변국(불가리아, 그리스, 이라크)들과의 국경문제로 첨예한 갈등을 겪는 것으로 보인다.

갈등 2위 지역인 우리 한반도 역시 삼면(三面)이 바다요, 남과 북의 갈등으로 남쪽에서는 대륙이 있는 북쪽으로 마음대로 갈 수가 없다. 갈등 3위의 나라 일본(日本) 또한 사면이 바다여서 마음대로 대륙 진출을 못 하는 곳이다. 이러한 점으로 보아 세계적 갈등국인 세 나라는 대륙으로의 진출이 막혀 있다는 공통점을 갖고 있다.

우리나라의 갈등을 풀 수는 없을까? 우리의 갈등을 생각하기 전에 역사를 우선 생각해 보자. 약 1,500년 전 삼국시대에는 한반도 남쪽 끝에서 북쪽으로 두만강을 건너 선양과 베이징은 말할 것도 없고, 하얼빈과 몽골을 거쳐 터키는 물론이요, 그리스까지 왕래하는 통로가 있었다. 해서 오늘과 같은 극심한 갈등은 없었다. 갈등이 있다면 힘의 갈등 - 곧, 주도권 다툼이었다.

고구려의 광개토왕은 영토를 넓혀 요동(遼東)과 만주까지 차지했던 왕이다. 그래서 터키와 그리스까지 가는 길을 확보함으로써 동서간의 교통이 활발하였다. 신라 또한 불교가 왕성하여 찬란한 불교문화의 꽃을 피운 것도 알고 보면 역시 대륙의 횡단의 길이 열려있어 많은 승려들이 당에 유학을 하였기 때문이다. 이처럼 우리 선조들은 세계 여러 나라들과 교역통로를 확보하고 있었기 때문에 조선 중기까지 찬란한 문화를 꽃피울 수가 있었다.

그렇다면 지금의 우리는 어떤가? 조선 말기부터 일제의 강점기는 접어두고라도 2차대전이 끝나고 일제가 물러가면서 남북으로 갈라진 후, 동족상잔의 뼈아픈 전쟁까지 치르고도 60여년이 지난 지금까지 우리 민족은 남과 북으로 갈라진 채 많은 갈등을 겪으면서 세계로 통하는 육로가 꽉 막혀 있다.

그렇다면 우리나라가 이웃 일본을 여러 면에서 능가할 수는 없는 것일까? 그러려면 역시 부산에서 북쪽 아시아의 끝 하얼빈까지 철의 실크로드를 연결하는 일이다. 지금까지 우리는 우물 속 개구리처럼 갇혀만 있었기에 갈등이 증폭만 되었는데, 열차를 타고 실크로드를 타라 대륙을 관통하여 독일이나 불란서까지 다니면서 여러 활동을 벌이게 된다면 지역간의 갈등이나 이념간의 갈등은 스르르 사라지게 될 것이다.

혹자는 비행기만 타면 세계 어느 나라든 갈 수 있는데 무슨 소리냐며 반론을 제기할 사람도 있을 것이다. 하지만, 비행기는 소수의 사람이 이용하는 제한적인 교통수단이다. 그러므로 북측의 참여 아래 대중이 땅 위를 달리는 철의 실크로드가 필요하다. 그렇게만 된다면 길고 긴 철의 실크로드를 달리면서 여러 나라 사람들의 사는 모습이며 산과 들과 강물을 바라보면서 우물 안 개구리의 시각에서 벗어날 수 있지 않겠는가. 극동아시아에서 서유럽까지 저 넓은 대륙을 달리게 된다면 지역의 갈등이나 이념의 갈등에 가치를 부여할 필요가 없는 것이다. 많은 사람들이 살아가는 것을 보고, 세계 여러 나라 사람과 만나게 되면 우리는 자연스레 우물 안 개구리 신세를 벗어날 것이다.

지금의 우리는 여론의 탈출구가 없고, 이념의 논리에 탈출구가 없고, 산업 발전의 전진기지가 없기 때문에 국영기업체 하나를 놓고도 지역끼리 서로 유치하려고 치열한 갈등을 빚는다. 그러나 철의 실크로드가 놓여진다면 중앙아시아 등지로 진출하여 미개발지들을 개발하면서 대륙을 달릴 수 있을 테고, 그렇게 되면 기업체 하나를 서로 데려가겠다고 지역끼리 다툼을 벌일 이유도 없어진다. 더 중요한 것은 남과 북의 갈등이 스르르 없어지게 될 것이다.

철의 실크로드를 따라 경제개발을 하면 자연스레 경제적으로 일본을 능가하는 부국이 될수 있고, 그러면 일본은 감히 독도가 자신들의 땅이라고 우길 수 없게 되는 것이다. 우리나라는 약 160년 전에 개화(開化)할 수 있는 절호의 기회가 있었지만 개화를 못 하였고, 이웃 일본은 약 130년 전에 개화를 하여 오늘날 우리보다 앞서가고 있다.

우리는 지금 우리가 해야 할 일을 못하고 있다. 이러면 안 된다. 160년 전에 개화의 시기를 놓쳤던 일을 반복해서는 안 된다. 그렇게 되면 일본이 재무장하여 또 다시 우리를 넘볼 수도 있다. 일본 수상 아베의 말이 '한국인은 어리석은 사람들'이라고 하였는데, 그 말의 속뜻은 '재침략을 준비하고 있으니 까불지 말라' '한국 너희가 걸핏하면 사과와 반성을 하라고 하는데 우리(일본)는 그럴 마음이 전혀 없다'는 말일지도 모른다.

이제 우리는 일본의 사과를 기대할 것이 아니라, 우리가 부산에서 하얼빈까지 철의 실크로드를 건설하고, 한반도를 세계 강대국으로 키워 미국과 중국, 일본, 러시아 등으로부터 「영세중립국」으로 공인을 받아야 한다. 세계 강대국들이 "불가침 조약"으로 공인을 하고 서로 불가침이 지켜질 때에 세계 평화는 영원해진다. 주변 4강의 불가침 약속을 받으려면 한반도는 먼저 비무장지역! 즉 세계 갈등의 완충지역 - 평화지대가 되어야 한다. 철의 실크로드가 놓아지면 남과 북의 갈등은 자연스레 해소된다. 반대로, 철의 실크로드를 놓지 못하면 남과 북의 갈등은 계속될 테고, 세계의 평화 또한 먼 일이다.

부산에서 북한을 거쳐 하얼빈까지 철의 실크로드가 놓이면 한반도는 세계의 화약고에서 세계 평화에 기여하는 나라가 될 것이며, 이것이 유일신 하나님을 믿는 신앙인이 본 한반도의 비전이다.

2014년 2월 5일치 매일경제신문의 기사가 있어 여기에 옮긴다.

2만km 한국 ~ 실크로드 자유관광특구 만든다

"대한민국 정부가 주축이 된 장장 2만km짜리 초대형 '실크로드 관광특구 프로젝트'가 추진된다. 이 프로젝트에 참여하는 31개국은 향후 자유무역협정과 비슷한 개념의 자유관광협정을 맺어 비자 없이 자유롭게 왕래할 수 있는 관광 거점으로 개발한다는 구상이다.

UNWTO가 추진하는 실크로드 프로젝트는 아시아와 유럽 대륙을 잇는 관광특구 프로젝트다. 아시아 관광의 핵심으로 급부상한 한국을 시작으로 중국 본토를 포함해 몽골, 인도, 카자흐스탄 등 중앙아시아를 거쳐 터키 아제르바이젠, 불가리아, 루마니아, 이탈리아, 스페인까지 모두 31개국이 거점이 된다."

2014년 4월 10일 발표

〈제57과〉
예수 그리스도의 공개 전도 총정리(상)

본문 말씀 12:36~43

"36예수께서 이 말씀을 하시고 저희를 떠나가서 숨으시니라. 37이렇
게 많은 표적을 저희 앞에서 행하셨으나 저를 믿지 아니하니 38이는 선
지자 이사야의 말씀을 이루려 하심이라. 가로되 '주여 우리에게 들은
바를 누가 믿었으며, 주의 팔이 뉘게 나타났나이까?' 하였더라. 39저희
가 능히 믿지 못한 것은 이 까닭이니 곧, 이사야가 다시 일렀으되 30
'저희 눈을 멀게 하시고 저희 마음을 완고하게 하셨으니 이는 저희로
하여금 눈으로 보고 마음으로 깨닫고 돌이켜 내게 고침을 받지 못하게
하려 함이니라' 하였음이더라. 31이사야가 이렇게 말한 것은 주의 영광
을 보고 주를 가리켜 말한 것이라. 32그러나 관원 중에도 저를 믿는 자
가 많되 바리새인들을 인하여 드러나게 말하지 못하니 이는 출회를 당
할까 두려워함이라. 33저희는 사람의 영광을 하나님의 영광보다 더 사
랑하였더라."

예수 그리스도의 공개전도 정리(上)

사도요한은 12장 37절부터 마지막절인 50절까지에서 예수 그리스도의 공개전도를 정리하여 말하고 있다.

사도요한이 예수 그리스도에 대하여 기록한 중요부분을 보면 아래와 같다.

첫째, "본래 하나님을 본 사람이 없으되 아버지 품속에 있는 독생하신 하나님이 나타내셨느니라"(1:18) 하고, "만물이 그(그리스도)로 말미암아 지은 바 되었으니 지은 것이 하나도 그(그리스도)가 없이는 된 것이 없느니라"(1:3)고 하였다. 이는 곧 예수 그리스도를 조물주(造物主) 하나님으로 나타내고 있는 대목이다.

둘째, 조물주 하나님이신 예수 그리스도가 인류에게 나누어 줄 생명의 떡으로서 오셨다고 6장에서 다음과 같이 기록하고 있다.

"53예수께서 이르시되 내가 진실로, 진실로 너희에게 이르노니 인자의 살을 먹지 아니하고 인자의 피를 마시지 아니하면 너희 속에 생명이 없느니라. 54내 살을 먹고 내 피를 마시는 자는 영생을 가졌고, 마지막 날에 내가 다시 살리리니 55내 살은 참된 양식이요, 내 피는 참된 음료로다. 56내 살을 먹고 내 피를 마시는 자는 내 안에 거하고 나도 그 안에 거하나니 57살아계신 아버지께서 나를 보내시매 내가 아버지로 인하여 사는 것 같이 나를 먹는 그 사람도 나로 인하여 살리라."

사도요한은 위의 말씀 외에도 많은 말씀을 기록하였지만, 하늘 복음의 큰 줄거리는 **'이 떡을 어떻게 인류가 먹는가'**에 초점을 맞추고 있다. 사도요한은 스승 예수의 십자가상에서의 피 흘림에 초점을 맞추기 위하여 이사야의 예언을 들어 말하고 있다.

인류 구원의 길은 오직 예수 그리스도의 피 흘림으로만 열린다.

사도요한은 12장 12,3절에서 유대인들이 종려나무 가지를 가지고 예수 그리스도를 맞으러 나가 **"호산나 찬송하리로다. 주의 이름으로 오시는 이 곧 이스라엘의 왕이시여!"** 하고 외쳤으며, 심지어 19절에서는 바리새인들이 저희끼리 말하기를 **"볼찌어다. 너희 하는 일이 쓸데없다. 보라, 온 세상이 저를 좇는도다"** 라고 하면서 예수 그리스도를 이스라엘 왕으로까지 영접하였다고 기록하고 있다.

그런데 오늘 공부에서 "이렇게 많은 표적을 저희 앞에서 행하셨으나 저를 믿지 아니하니 ◇이는 선지자 이사야의 말씀을 이루려 하심이라. 가로되 '주여 우리에게 들은 바를 누가 믿었으며, 주의 팔이 뉘게 나타났나이까?' 하였더라. ◇저희가 능히 믿지 못한 것은 이 까닭이니 곧, 이사야가 다시 일렀으되 ◇'저희 눈을 멀게 하시고 저희 마음을 완고하게 하셨으니 이는 저희로 하여금 눈으로 보고 마음으로 깨닫고 돌이켜 내게 고침을 받지 못하게 하려 함이니라' "(37절~40절)고 하였다.

사도요한은 앞에서는 유대인들이 예수를 이스라엘의 왕으로까지 영접하였다고 기록하고서 뒤에 와서는 '저희 눈을 멀게 하시고 저희 마음을 완고하게 하셨다고' 기록하고 있다. 왜 이런 이율배반(二律背反)적인 기록을 하고 있을까? 분별하여 공부하여야 할 것이다. 그러나 지금까지 성서를 공부한 사람들이 이율배반적인 이 부분을 바르게 파고든 사람은 누구도 없었다고 감히 선언한다.

사도요한은 왜 앞과 뒤를 백팔십도로 전환시켜 이율배반적인 기록을 하였을까? 그 까닭은 이미 이사야가 선언하고 있다. "하늘이여 들으라. 땅이여 귀를 기울이라. 여호와께서 말씀하시기를 내가 자식을 양육하였거늘 그들이 나를 거역하였도다. 소는 그 임자를 알고, 나귀는 주인의 구유를 알건마는 이스라엘은 알지 못하고 나의 백성은 깨닫지 못하는도다."(사1:1,2) 라고 하면서 하나님을 떠난 사람은 짐승인 소보다도 못하다고 기록하고 있다. "땅을 파서 돌을 제하고 극상품 포도나무를 심었었도다. 그 중에 망대를 세웠고, 그 안에 술틀을 팠었도다. 좋은 포도 맺기를 바랐더니 들포도를 맺혔도다"(사5:2) 라고 하는 이사야의 탄식이 나온다. 왜 이사야가 탄식하고 있는가? 인류가 스스로는 회복할 수 없는 들포도나무로 전락하였기 때문이다.

사도요한은 이것을 본 것이다. 예수 그리스도가 아무리 천국 복음을 전하고, 아무리 많은 사람들이 그 복음의 말씀을 들어 깨닫는다고 해도 인류의 구원의 길은 열리지 않는다는 것을 말하고 있다. 만약 예수 그리스도의 말씀을 깨달음만으로 인류 구원의 길이 열린다면 예수님이 십자가 위에서 죽지 않아도 되었을 것이다. 그러나 현실은 그렇지 못해서 오직 포도농장에서 들포도나무를 다 잘라내고 그곳에 하나님이 보내신 참포도나무로의 접붙임만이 인류 구원의 길임을 말하고 있다.

또한 예수님의 세례 요한에 대한 말씀에서도 인류가 얼마나 부족한 존재인가를 잘 보여주고 있다. **"내가 너희에게 말하노니 여자가 낳은 자 중에 요한보다 큰 이가 없도다. 그러나 하나님의 나라에서는 극히 작은 자라도 저 보다 크다"**(눅7:28)고 하셨다. 아무리 하나님의 예언자(豫言者)로 온 세례요한이지만, 십자가상에서 예수 그리스도의 생명을 받지 못한 사람이기 때문에 십자가상에서 예수 그리스도의 생명을 받은 사람과 비교가 될 수 없다는 것을 말해주고 있다. 다시 말하여 십자가상에서 예수와 같이 죽어 낙원에 간 강도는 예수의 피가 그 몸에 있으나, 세례요한은 예언자의 신분이지만 그리스도의 혈통이 아니라는 말이다. 이래서 세례요한은 말석에 세우고, 예수 그리스도를 생명의 근원으로 영접하여 신앙으로 산 사람은 세례자 위에 서게 되는 것이다.

사도요한은 십자가상에서 예수 그리스도와 좌·우의 강도가 십자가상에서 죽는 모습을 접붙임 그대로 잘 표현하여 접목에 필요한 원목인 예수 그리스도의 다리는 끊지 않고, 좌·우 강도의 다리만 끊는 십자가상의 접목의 모습을 잘 나타내고 있다.

사도요한은 십자가 사건에다 인류 구원에 초점을 맞추어 이야기하려고 이사야의 예언을 도입하여 말하고 있다. 오직 예수 그리스도의 피 흘려주심으로만 인류 구원의 길을 여신다. 증언자 바울의 말과 같이 **"우리가 그의 죽으심과 합하여 세례를 받음으로 그와 함께 장사되었나니 이는 아버지의 영광으로 말미암아 그리스도를 죽은 자 가운데서 살리심과 같이 우리도 또한 새 생명 가운데서 살게 하려 함"**이다. 여기서 '우리도 또한 새 생명 가운데서 살게' 하는 새 생명이란 '그리스도의 생명'을 말한다. 우리가 십자가상에서 죽을 때는 우리의 죄된 몸이 죽어 없어지고, 예수 그리스도께서 흘린 새 생명의 피를 접목 받아 부활 신앙으로 산다는 말이다.

본문 공부

36,37절 "예수께서 이 말씀을 하시고 저희를 떠나가서 숨으시니라. ◊이렇게 많은 표적을 저희 앞에서 행하셨으나 저를 믿지 아니하니"

예수께서 말씀을 마치고 저희를 떠나가서 숨으셨다. 이유는 아직 죽을 때가 되지 않았기 때문이다. 십자가에 매달릴 때까지는 수일간의 시간이 아직 남아있었다.

또한 예수께서는 공개전도 기간에 많은 표적을 행하여 자신이 하늘로부터 온 하나님의 아들! 곧 하나님의 생명이라는 것을 전하는 말씀을 하였다. 한마디로 세상 사람들은 들포도나무요, 자신은 참포도나무란 것을 전하기 위함이었다. 그러나 상당수의 사람들은 믿으려 하지 않았다.

38절 "이는 선지자 이사야의 말씀을 이루려 하심이라. 가로되 '주여 우리에게 들은 바를 누가 믿었으며 주의 팔이 뉘게 나타났나이까?' 하였더라."

쇠귀에 경 읽는다는 속담대로 듣기는 하여도 그 본뜻을 이해(理解)할 수 없다는 말이다. 그런데 이사야 선지자는 이 경우를 미리 본 것이다. '주여, 우리가 들은 바를 누가 믿었습니까?' '주의 팔은 누구에게 나타났습니까?' 하는 한탄이다. 즉, 아직 하나 될 수 있는 길이 열리지 않았다는 말씀이다.

39,40절 "저희가 능히 믿지 못한 것은 이 까닭이니 곧, 이사야가 다시 일렀으되 ◊'저희 눈을 멀게 하시고, 저희 마음을 완고하게 하셨으니 이는 저희로 하여금 눈으로 보고, 마음으로 깨닫고, 돌이켜 내게 고침을 받지 못하게 하려 함이니라' 하였음이더라."

사도요한은 '저희가 능히 믿지 못한 이유'를 이사야의 말로 증거하고 있다.

이사야의 말씀을 고쳐 말하면 '십자가상에서 예수 그리스도가 피를 흘려주시지 않으면 다른 길은 없다'는 말씀이다. 예수 그리스도의 말씀을 깨달아 구원의 길을 인류에게 허락하지 않았다는 말씀이다. 왜? 인류 구원의 길은 십자가상에서의 접붙임 뿐이기 때문이다.

41절 "이사야가 이렇게 말한 것은 주의 영광을 보고 주를 가리켜 말한 것이라."

이사야는 이상(理想)을 보았다. 인간이 생각 할 수 없는 최고의 이상이다. 그 이상은 예수 그리스도의 영광을 말하고 있다.

인류에게 생명을 주는 이상!

그 이상은 인류를 십자가상에서의 피 흘림으로 한순간에 개조(改造)하는 이상이다.

베드로는 십자가상에서 흘린 피가 인류에게 흘러듦을 보았다(벧1장).

바울은, 예수 그리스도의 피가 인류에게 접붙임 됨을 보았다(롬11장).

그래서 단테는 이 부분을 축약시켜 '신곡' 천국 편에서 사도요한과 베드로, 바울의 만남을 보여주고 있다.

42,3절 "그러나 관원 중에도 저를 믿는 자가 많되 바리새인들을 인하여 드러나게 말하지 못하니 이는 출회를 당할까 두려워함이라. ◇저희는 사람의 영광을 하나님의 영광보다 더 사랑하였더라."

사도요한은 말한다. '관원 중에도 예수를 믿는 자가 많다. 그러나 이를 바리새인이 알면 출회를 당할까 염려되어서 드러나게 말하지 못하고 있다.' 이 말은 곧 인간들의 믿는 일에 한계(限界)를 보여주는 말이다.

사도요한이 믿는다고 하는 사람들의 허상(虛像)을 보여주며 '저희는 사람의 영광을 하나님의 영광보다 더 사랑하였더라' 라고 결론을 맺고 있다.

예수의 생명이 없으면 하늘 백성의 자격이 주어지지 않기에 믿는다고 하더라도 절대로 하늘 백성이 될 수 없음을 말하고 있다.

2014년 5월 10일 발표

〈第58과〉
예수 그리스도의 공개 전도 총정리(하)

본문 말씀 12:44~50

"44예수께서 외쳐 가라사대 나를 믿는 자는 나를 믿는 것이 아니요
나를 보내신 이를 믿는 것이며, 45나를 보는 자는 나를 보내신 이를 보
는 것이니라. 46나는 빛으로 세상에 왔나니 무릇 나를 믿는 자로 어두
움에 거하지 않게 하려 함이로라. 47사람이 내 말을 듣고 지키지 아니
할지라도 내가 저를 심판하지 아니하노라. 내가 온 것은 세상을 심판하
려 함이 아니요, 세상을 구원하려 함이로라. 48나를 저버리고 내 말을
받지 아니하는 자를 심판할 이가 있으니 곧 나의 한 그 말이 마지막 날
에 저를 심판하리라. 49내가 내 자의로 말한 것이 아니요, 나를 보내신
아버지께서 나의 말할 것과 이를 것을 친히 명령하여 주셨으니 50나는
그의 명령이 영생인줄 아노라. 그러므로 나의 이르는 것은 내 아버지께
서 내게 말씀하신 그대로 이르노라 하시니라."

또 하나의 복음 줄거리

지난 57과에서 '예수 그리스도의 살과 피를 어떻게 인류에게 주느냐' 하는 말씀을 공부했다. 여기에 대하여 이번 공부에서는 조금 달리 살펴볼까 한다. 예수 그리스도의 공적인 복음전도는 자신이 물로 만든 포도주를 제자들과 나누어 마시면서 시작하였고, 공적활동을 마감하는 최후의 만찬에서도 포도주를 제자들에게 마시라고 주신다. 여기에서 포도주는 예수님의 피로 상징된다. 이처럼 복음전도 출정식과 최후 만찬에서 포도주를 마시는데, 이는 장차 흘릴 피의 상징으로, 이것이 실질적으로 십자가상에서 피를 흘려주시는 접붙임의 복음이다.

아래는 포도주와 관련하여 제9과에서 공부한 내용이다.

"우리 그리스도인은 깊이 생각 할 점이 있다. 그 점은 예수가 첫 번째 표적을 보인 곳이 혼인 잔칫집이라는 것이다. 혼인은 성인으로서의 인생의 출발점이다. 예수 그리스도께서 혼인이라는 인생의 새로운 출발점에서 기적을 보이신 데에는 깊은 뜻이 담겨 있다. 예수 그리스도가 세례요한의 증거를 받고, 그 증거의 답을 청년 나다나엘로 하게 하신 후 제자들이 보는 앞에서 인류를 구원하려는 공생애의 출발점에서 행하신 기적의 포도주는 예수 그리스도의 생명의 피를 의미한다는 것이다. 이 포도주는 예수 자신이 인류에게 주는 공생애 출발점에서 어머니와 제자들이 보는 앞에서 자신의 능력으로 물을 포도주로 만들므로 이는 자신에게서 나온 피의 의미가 있다는 것이다. 그리하여 인류 구원의 복음을 전하기 전에 출정식과 같은 혼인잔치에서 예수의 피를 먹고 새 생명의 영으로 거듭난 제자들이 하늘의 복음을 전하게 되었다는 것이다.

예수께서 물로 만든 '포도주'를 예수의 피로 이야기 한 것은, 너무 비약적인 논리라고 비판할 수도 있을 것이다. 그러나 예수 그리스도께서는 자신을 요한복음 6장 35절에서 "하늘에서 내려온 생명의 떡"이라 하시고, 더 나아가 53절에서는 자신의 "살과 피를 먹어야 생명이 있다"고 하신다. 또한 최후 만찬에서는 잔을 제자들에게 돌리시며 '이 잔은 나의 피'라고 하신다. 이 모든 말씀이 십자가상에서 이루어지고, 이것이 예수 그리스도와의 "접붙임의 만남"이다. 자신의 살과 피를 즉, 접붙임의 참포도나무가지를 인류! - 들포도나무에게 주시게 되는 십자가의 사건이다.

9절에서 물로 만든 포도주를 맛본 연회장(宴會長)은 '좋은 포

도주'라고 감탄을 한다. 좋은 포도주란 하늘에 속한 새생명의 피를 의미하는 말이다. '하나님의 품속에 있었던 생명'을 이야기하는 것이다. 이제까지 먹었던 포도주가 육을 취하게 하는 것이지만, 예수 그리스도가 만든 포도주는 영혼을 거듭나게 하는 생명의 피라고 하겠다.

더욱이 요한복음의 저자는 가나 혼인 잔치에 예수 그리스도를 중심으로 마리아와 제자들을 등장시키고 있다. 물론, 잔치집이니 사람들은 많았겠으나 다른 어떤 이름도 등장시키지 않는 것을 볼 수 있다. 연회장과 하인이 등장하지만, 이들은 조연으로 있는 것이다."

예수 그리스도의 십자가의 복음은 혼인잔치에서 물로 피를!! 포도주를 만들어 제자들과 복음 전도의 출정식 때에 나누어 마시고, 예수 그리스도의 피가 흐르는 사람들이 하늘 복음을 전하게 된다, 그리고 바로 예루살렘 성전 확청에 들어가 철거를 하고, 세상에 성전이 없는 그 위에 새로운 십자가상에서 흘린 피의 복음을 전하신다."

이리하여 우리가 먹었던 피가! 그리스도의 생명이! 우리 그리스도인의 마음에 있어, 우리 몸은 새로운 성전으로 우뚝 서게 되는 것이다.

본문 공부

44,5절 "예수께서 외쳐 가라사대 나를 믿는 자는 나를 믿는 것이 아니요 나를 보내신 이를 믿는 것이며, ◇나를 보는 자는 나를 보내신 이를 보는 것이니라."

예수께서는 '나를 믿는 것은 나를 믿는 것이 아니요, 자신을 보내신 하나님을 믿는 일'이라고 목이 터지도록 외치고 계신다. 이 말씀 속에는 예수 자신과 하나님이 인류를 포함한 우주 만물을 운행하신다는 의미가 들어있다. 곧, 하나님과 자신은 하나임을 나타내신 말씀이다.

45절은 앞 절보다 더욱 구체적으로 하나님과의 관계를 말씀하신다. **'지금 너희가 나를 보는 것은 곧 하나님을 보는 것'**이라는 말씀이다.

46절 "나는 빛으로 세상에 왔나니 무릇 나를 믿는 자로 어두움에 거하지 않게 하려 함이로라."

예수 그리스도를 나의 생명의 근원으로 영접하면 예수님 자신이 그리스도인의 생명이 되고, 더욱 새로운 예수의 눈이 우리들의 빛이 되어서 어두움에 거하지 않는다는 말씀이다. 여기서 '거하지 않게 하려 함'이라는 말은 늘 예수의 생명이 있기에 그 눈! 그리스도의 눈으로 만물을 보고, 사람을 보고, 진리를 본다는 말씀이다. 이 부분을 한마디로 정리하면 '믿는 자의 눈이 밝아져 예수 그리스도의 눈으로 산다'는 말씀이다.

47절 "사람이 내 말을 듣고 지키지 아니할찌라도 내가 저를 심판하지 아니하노라. 내가 온 것은 세상을 심판하려 함이 아니요, 세상을 구원하려 함이로라."

여기서 우리 예수 그리스도를 믿는 사람이 깊이 생각 할 점이 있다. 이제까지 요한복음을 공부한 사람들은 예수께서 병자가 불쌍하여 치유하신 것으로 배워왔다. 그러나 아니다!! 우리는 지금까지 요한 사도가 쓴 요한복음을 공부하면서 예수께서 많은 표적을 행하셨음을 보았다. 38년이나 누워있는 사람을 일어나 걸어가도록 하신 것은 자신의 표적을 보임으로써 인류에게 자신은 하나님의 아들이라는 것을 세상에 나타내려고 치유하셨으며, 이 외에도 다른 표적들도 자신을 하나님의 아들이라는 것을 보여주고 믿으라는 의미에서 행한 기적(奇蹟)들이었다.

다시 말하여 예수 그리스도 자신은 인류에게 하나님 아들로서 하나님의 생명체(生命體)를 십자가상에서 나누어 줄 피 - 즉, 참 포도나무 진액으로 왔다는 말씀이다. 그래서 예수 자신은 세상을 심판하지 않고 구원하러 오셨다고 하신다. 이 말씀은 자신의 생명으로 세상을 변화시키려는 갱신(更新)의 유전자(遺傳子)인 하나님의 아들로 왔다"는 말씀이다. 이 유전자를 접붙임 받아 예수 그리스도와 하나가 되는 것이 십자가의 진리(眞理)이다. 예수 그리스도와 하나 될 때에 우리는 하늘 백성이 된다.

유전자 : **인류에게는 아담으로부터 받은 유전인자(遺傳因子)가 있고, 예수 그리스도에게는 성령에 의해 잉태하였으므로 하나님으로부터 받은 유전인(遺傳因子)자가 있다.**

48절 "나를 저버리고 내 말을 받지 아니하는 자를 심판할 이가 있으니 곧 나의 한 그 말이 마지막 날에 저를 심판하리라."

예수 자신은 세상을 심판하지 않지만, "나의 한 그 말이 마지막 날에 심판하리라"고 했다. 이는 무슨 말인가? 앞의 44,5절에서 예수께서는 '나를 믿는 자는 나를 믿는 것이 아니라 나를 보내신 이! 곧 하나님을 믿는 일'이라고 하셨다. 또한 '나를 보는 자는 나를 보는 것이 아니라 나를 보내신 이를 보는 것'이라 하셨다.

그렇다면 '나의 한 말'이란 곧 하나님이 하신 말씀인데, 하나님의 인류 갱신(更新) 사업을 믿지 아니하는 사람을 하나님이 심판하신다는 말씀이다. 바꾸어 말하면 **'하나님 자신이 예수란 아들로 이 세상에 와서 십자가상에서 흘린 피를 나누어주는 인류의 갱신(更新) 사업을 믿지 않는 사람은 분명 심판의 대상'**이라는 말씀이다.

49절 "내가 내 자의로 말한 것이 아니요, 나를 보내신 아버지께서 나의 말할 것과 이를 것을 친히 명령하여 주셨으니"

위의 말씀들은 예수 자신이 자신의 뜻대로 말한 것이 아니요, 아버지께서 말할 것을 친히 명령하여 주셨다는 말씀이다.

즉, 위의 말씀들은 모두 '하나님 아버지께서 가르쳐주신 말씀'이라는 것이다.

50절 "나는 그의 명령이 영생인줄 아노라. 그러므로 나의 이르는 것은 내 아버지께서 내게 말씀하신 그대로 이르노라 하시니라."

정말 놀라운 말씀을 하신다. 곧 예수 자신이 하신 말씀들은 모두 '하나님이 말씀하신 명령으로, 이 명령은 인류(人類)에게 영생(永生)인줄 알고 있다. 그래서 나는 내 아버지께서 내개 말씀하신 그대로 너희에게 전한다'는 말씀이다.

위의 말씀을 한마디로 정리하면 인류의 갱신(更新)사업은 하나님이 농부(農夫)로서 하신다는 말씀이다. 이 농부는 **"나는 참포도나무요, 내 아버지는 농부"**(15:1)라는 말씀의 농부이시다. 곧, 우주 만물 운행은 농부이신 하나님이 하신다는 말씀이기도 하다.

2014년 6월 10일 발표

〈제59과〉

제자들의 발을 씻기신 예수 그리스도

본문 말씀 13:1~11

"[1]유월절 전에 예수께서 자기가 세상을 떠나 아버지께로 돌아가실
때가 이른 줄 아시고 세상에 있는 자기 사람들을 사랑하시되 끝까지 사
랑하시니라. [2]마귀가 벌써 시몬의 아들 가룟 유다의 마음에 예수를 팔
려는 생각을 넣었더니 [3]저녁 먹는 중 예수는 아버지께서 모든 것을 자
기 손에 맡기신 것과, 또 자기가 하나님께로부터 오셨다가 하나님께로
돌아가실 것을 아시고 [4]저녁 잡수시던 자리에서 일어나 겉옷을 벗고 수
건을 가져다가 허리에 두르시고 [5]이에 대야에 물을 담아 제자들의 발을
씻기시고, 그 두르신 수건으로 씻기기를 시작하여 [6]시몬 베드로에게 이
르시니 가로되 '주여, 주께서 내 발을 씻기시나이까?' [7]예수께서 대답
하여 가라사대 '나의 하는 것을 네가 이제는 알지 못하나 이 후에는 알
리라.' [8]베드로가 가로되 '내 발을 절대로 씻기지 못하시리이다.' 예수
께서 대답하시되 '내가 너를 씻기지 아니하면 네가 나와 상관이 없느
니라.' [9]시몬 베드로가 가로되 '주여 내 발뿐 아니라 손과 머리도 씻겨
주옵소서.' [10]예수께서 가라사대 '이미 목욕한 자는 발 밖에 씻을 필요
가 없느니라. 온 몸이 깨끗하나 다는 아니니라.' 하시니 [11]이는 자기를
팔 자가 누구인지 아심이라. 그러므로 다는 깨끗지 아니하다 하시니라."

제자들의 발을 씻기신 예수 그리스도

사도 요한이 스승인 예수 그리스도에 관하여 기록한 것을 보면 1장에서는 창조주 하나님 아들의 모습으로 세상에 오셨으며, 예수 그리스도가 이 땅에 오시기 전에는 세상을 창조하신 분으로, 2장에서는 예수 자신의 몸에서 나온 능력! 곧 첫 번째 표적으로 물로 포도주를 만들어 제자들과 나누어 마셨으며, 이 부분을 우리는 제9과에서 아래와 같이 공부한 바 있다.

"여기서 우리 그리스도인은 깊이 생각 할 점이 있다. 그 점은 예수가 첫 번째 표적을 보인 곳이 혼인 잔칫집이라는 것이다. 혼인은 성인으로서의 인생의 출발점이다. 예수 그리스도께서 혼인이라는 인생의 새로운 출발점에서 기적을 보이신 데에는 깊은 뜻이 담겨 있다. 예수 그리스도가 세례요한의 증거를 받고, 그 증거의 답을 청년 나다나엘로 하게 하신 후 제자들이 보는 앞에서 인류를 구원하려는 공생애의 출발점(出發點)에서 행하신 기적의 포도주는 예수 그리스도의 생명의 피를 의미한다는 것이다. 이 포도주는 예수 자신이 인류에게 주는 공생애 출발점에서 어머니와 제자들이 보는 앞에서 자신의 능력으로 물을 포도주로 만듦으로 이는 자신에게서 나온 피의 의미가 있다는 것이다. 그리하여 인류 구원의 복음을 전하기 전에 출정식과 같은 혼인잔치에서 예수의 피를 먹고 새 생명의 영으로 거듭난 제자들이 하늘의 복음을 전하게 되었다는 것이다."

예수 그리스도가 인류 구원의 출정식과 같은 자리에서 자신의 능력으로 만든 포도주! 즉, 피의 의미의 포도주를 나누어 마시고, 그 피의 생명으로 거듭난 제자들과 첫 번째 하신 일은 예루살렘에 있는 성전(聖殿) 확청(廓淸)이다. 옛날 사람들이 건축한 성전을 철거하고, 자신이 십자가상에서 피를 흘려 그 피를 받을 사람들의 마음 속! 곧 영혼 안에 새로운 성전을 건설하시기 위해서 옛 사람이 지은 성전, 장사꾼들의 집으로 변한 성전을 먼저 확청하신 것이다.

그리고 자신이 십자가상에서 피를 흘려 새 성전을 건설할 것을 말씀하신 것이 공생애 전도로, 2장에서 12장까지다. 예수가 공생애 전도에서 제일 큰 의미를 두신 것은 자신이 하나님의 아들로서, 그 아들의 피로 세상 사람들을 하늘 백성으로 개조(改造)하시려고 오셨다는 부분이다. 개조의 재료로는 자신의 몸을 떡으로 비유하여 내세우신다. 그리고 13장부터 16장까지는 제자들을 상대로 하신 당부의 말씀들이다. 그리고 17장이 하나님 아버지와 예수 그리스도의 대화이다.

본문 공부

1절 "유월절 전에 예수께서 자기가 세상을 떠나 아버지께로 돌아가실 때가 이른 줄 아시고 세상에 있는 자기 사람들을 사랑하시되 끝까지 사랑하시니라."

2장 19절에서 **"말씀을 실행하실 때가 되었음을 아셨다"**고 하신 그 실행의 일은 '십자가상에서 피를 흘려 죽는 일'이다. **"너희가 이 성전을 헐라. 내가 사흘 동안에 일으키리라."** 이 말씀을 되새긴다면 "너희가 나! 하나님의 아들을 십자가에 달아 죽여라! 그리하면 십자가상에서 흘릴 피를 인류! 곧 너희 들포도나무에게 주어, 그 피의 생명으로 새 성전(聖殿)을 건설하리라"고 읽을 수 있으며, 이제 '그 때'가 이른 줄 아시고 세상에 있는 자기 사람들 - 물로 포도주를 만들어 먹였던 사람들을 끝까지 사랑하셨다는 말씀이다.

2절 "마귀가 벌써 시몬의 아들 가룟 유다의 마음에 예수를 팔려는 생각을 넣었더니"

예수께서 죽을 때가 이른 줄 알게 되면서, 동시에 '마귀'가 시몬의 아들 가룟 유다의 마음에 예수 그리스도를 죽이려는 인간들에게 스승 예수를 팔아넘기려는 생각을 갖게 했다는 말이다.

3절 "저녁 먹는 중 예수는 아버지께서 모든 것을 자기 손에 맡기신 것과, 또 자기가 하나님께로부터 오셨다가 하나님께로 돌아가실 것을 아시고"

예수께서 제자들과 저녁을 먹는 중에, 당신이 하나님께로부터 와서 이제 십자가에 매달려 피를 흘려 죽게 됨으로써 그 피를 인류에게 부활의 씨앗으로 주고, 예수 자신도 부활하여 하나님 아버지께 돌아가실 것을 생각하신다.

4,5절 "저녁 잡수시던 자리에서 일어나 겉옷을 벗고 수건을 가져다가 허리에 두르시고 ◇이에 대야에 물을 담아 제자들의 발을 씻기시고, 그 두르신 수건으로 씻기기를 시작하여"

예수께서는 제자들과 저녁을 잡수시던 자리에서 일어나 겉옷을 벗으시고, 수건을 허리에 두르셨다. 제자들은 스승 예수님의 갑작스런 행동이 궁금해서 시선을 스승께 모았을 것이다.

예수께서는 곧 있을 제자들과의 이별을 생각하며 대야에 물을 담아서 제자들의 발을 씻기시고, 허리에 두르셨던 수건으로 닦기 시작하셨다.

6,7절 "시몬 베드로에게 이르시니 가로되 '주여, 주께서 내 발을 씻기시나이까?' ◇예수께서 대답하여 가라사대 '나의 하는 것을 네가 이제는 알지 못하나 이 후에는 알리라.'"

제자들의 발을 씻기는 순서가 시몬 베드로에 이르자 베드로가 말한다. "주(主) 하나님의 아들! 만왕의 왕께서 내 발을 씻기시렵니까?"

그러자 예수께서는 제자들이 못 들어보던 생소한 말씀을 하신다. '나의 하는 것' 즉 '나 예수가 가야 하는 죽음의 뜻'을 베드로에게 말씀하고 계신다. 풀어 읽는다면 '내가 죽음으로 가는 뜻을 지금은 네가 알지 못해도, 내가 십자가상에서 피를 흘려 죽은 뒤에는 그 뜻을 알 것'이라고 하겠다.

8절 "베드로가 가로되 '내 발을 절대로 씻기지 못하시리이다.' 예수께서 대답하시되 '내가 너를 씻기지 아니하면 네가 나와 상관이 없느니라.'"

베드로가 스승의 새로운 의미의 말을 알아듣질 못하고 '내 발을 절대로 씻기지 못합니다.' 하면서 고집을 피운다. 그러자 예수께서는 '내가 너를 씻기지 아니하면 너와 나는 아무런 상관이 없다' 고 하신다.

'네가 나와 상관이 없다' 는 무슨 말인가? 나 예수는 하나님의 아들로, 인류를 새롭게 하기 위하여 저! 높고 높은 하늘 보좌(寶座)를 뒤로하고 왔다가 이제 죽음의 길을 가고자 하는데, 내 뜻을 거부하면 너는 나와 아무런 상관이 없게 된다는 말씀이다. 곧 '하나님의 뜻과 하나님의 생각을 알라'는 말씀이다.

9절 "시몬 베드로가 가로되 '주여, 내 발뿐 아니라 손과 머리도 씻겨 주옵소서.'"

앞절의 '내가 너를 씻기지 아니하면, 너와 내가 상관이 없다' 는 스승의 말씀에 베드로는 발뿐 아니라 손과 머리도 씻겨 주시라고 한다.

베드로는 예수 그리스도의 깊은 뜻은 알 수 없었으나, 스승인 예수 그리스도와의 상관관계가 끊어진다는 말에 손과 머리까지도 씻겨 주시라고 한 것이다.

10절 "예수께서 가라사대 '이미 목욕한 자는 발 밖에 씻을 필요가 없느니라. 온 몸이 깨끗하나 다는 아니니라' 하시니"

예수께서는 여기서도 '이미 목욕한 자(者)'라는 새로운 말씀을 하신다. 이는 무슨 말씀인가? 요한복음 2장의 혼인잔치에서 예수 그리스도의 능력으로 만든 '물 포도주'를 먹었던 사람들이다. '이미 목욕한 자(者)! - 곧 예수 그리스도의 피의 의미인 포도주를 먹었던 사람들은 그 피로 거듭난 생명들과 예루살렘 성전(聖殿)에서 확청을 하였던 사람들로, 이들은 이미 목욕한 사람들이요, 그 사람들은 온몸이 깨끗하기에 발만 씻으면 된다고 말씀하고 계신다.

예수 그리스도가 만든 포도주를 먹었던 사람들은 '온 몸이 깨끗하다.' 즉, 그 사람 안에 예수 그리스도의 생명의 씨앗이 있어 새 생명으로 거듭났기 때문이다. 그러나 이 사람들도 '다는 아니라'고 하신다. 이는 예수 자신을 팔 가룟유다를 두고 하는 말씀이다. 그런데 가룟유다도 그 때에 물로 만든 포도주를 먹었는데 왜 예수께 속하지 못하는가? 반문하는 분들도 있을 것이다. 그렇다. 아무리 예수의 생명의 포도주를 먹었더라도 믿음 곧 예수 그리스도를 자신의 생명으로 받아들이는 믿음이 없다면 그는 역시 죽은 자이기 때문이다.

2014년 7월 10일 발표

〈第60과〉
하나님의 아들인 내가 본을 보였다

본문 말씀 13:12~20

"12저희 발을 씻기신 후에 옷을 입으시고 다시 앉아 저희에게 이르
시되 내가 너희에게 행한 것을 너희가 아느냐? 13너희가 나를 선생이
라, 또는 주라 하니 너희 말이 옳도다. 내가 그러하다. 14내가 주와 또
는 선생이 되어 너희 발을 씻겼으니 너희도 서로 발을 씻기는 것이 옳
으니라. 15내가 너희에게 행한 것 같이 너희도 행하게 하려하여 본을
보였노라. 16내가 진실로, 진실로 너희에게 이르노니 종이 상전보다 크
지 못하고, 보냄을 받은 자가 보낸 자보다 크지 못하니 17너희가 이것
을 알고 행하면 복이 있으리라. 18내가 너희를 다 가리켜 말하는 것이
아니라 내가 나의 택한 자들이 누구인지 앎이라. 그러나 '내 떡을 먹
는 자가 내게 발꿈치를 들었다' 한 성경을 응하게 하려는 것이니라. 19
지금부터 일이 이루기 전에 미리 너희에게 이름은 일이 이룰 때에 내
가 그인 줄 너희로 믿게 하려 함이로다. 20내가 진실로, 진실로 너희에
게 이르노니 나의 보낸 자를 영접하는 자는 나를 영접하는 것이요, 나
를 영접하는 자는 나를 보내신 이를 영접하는 것이니라."

인류에게 본을 보이신 예수 그리스도

예수 그리스도께서는 3년이란 공생애(公生涯) 동안의 공개전도(公開傳道) - 하늘나라의 진리 전도를 12장까지로 마치시고, 13장에서는 제자들의 발을 씻기신 후의 그에 대한 설명이며, 이 부분이 오늘의 공부다.

삼년의 공생애 동안 예수께서는 하늘 복음을 전하셨고, 우리 인류는 그분의 말씀을 들었다. 곧, 하늘에 속한 예수 그리스도가 땅의 사람들에게 하늘복음을 전하시고, 이제 십자가상의 죽음 앞에서 제자들 - 나아가 인류에게 발을 씻겨주는 사랑의 본을 보

이시며 최후의 교훈을 하신다.

제자들은 예루살렘 성전 확청 전에 「가나 혼인잔치」에서 예수 그리스도가 영의 능력으로 만든 포도주를 마신 바 있다. 포도주는 피를 상징한다. 피는 생명이므로 제자들의 몸속에는 이미 예수 그리스도의 유전자가 자리하고 있는 것이다. 이러한 제자들에게 예수께서는 발을 씻기신다. 이 과정에서 처음에는 스승의 발 씻기기를 거절하던 베드로가 나중에는 **"주여, 내 발 뿐만이 아니라 손과 머리도 씻겨 주옵소서."** 하고 조르기에 이른다. 하지만 예수께서는 **"이미 목욕한 자는 발 밖에 씻을 필요가 없다"**고 하신다. 또한 "혼인잔치 집에서 물로 만든 포도주를 먹고 거듭난 너희는 나의 피의 생명으로 사는 것"이라 하신다.

제자들의 발을 씻기기를 끝내신 예수께서는 그 의미를 예를 들어 말씀하신다. "하나님의 아들인 내가 너희에게 발을 씻겼다. 그러니 너희도 서로서로 발을 씻기며 사랑하고, 진리를 배우며, 그 진리를 전하면서 살라"고 하는 당부(當付)의 말씀이다. 이 말씀을 되새기며 돌아보는 것이 오늘의 공부다.

본문 공부

12절 "저희 발을 씻기신 후에 옷을 입으시고 다시 앉아 저희에게 이르시되 내가 너희에게 행한 것을 너희가 아느냐?"

지난 과에서 공부의 마지막 장면인 '저희' 즉, 제자들의 발을 씻기신 후에 겉옷을 입으시고, 제자들에게 물으신다.

'내가 너희에게 행한 뜻을 너희가 아느냐?' 고. 오늘 내가 너희들의 발을 씻긴 뜻을 너희가 알겠느냐는 물음이다.

13,4절 "너희가 나를 선생이라 또는 주라 하니 너희 말이 옳도다. 내가 그러하다. ◇내가 주와 또는 선생이 되어 너희 발을 씻겼으니 너희도 서로 발을 씻기는 것이 옳으니라."

너희가 나를 일컬어 선생! 또는 주(主)라 하는데, 너희 말이 옳다. 정말 너희 말 그대로다.

나는 너희의 주인(主)이요, 선생이다. 더 올라간다면 나는 너희를 창조한 창조주다. 또한 앞으로 너희 인류에게 나의 생명을 나누어 주어 그 생명으로 너희를 새롭게 바꿀 하늘의 생명의 근원(根源)인 내가 '너희 발을 씻겼으니 너희도 서로서로 발을 씻기는 것이 옳다'는 말씀이다.

15절 "내가 너희에게 행한 것 같이 너희도 행하게 하려하여 본을 보였노라."

예수께서 제자들의 발을 씻기실 때(時)만 하여도 하나님과 인류는 주종(主從)관계였다. 즉, 높은 자리에 앉은 사람에게 아랫사람이 존경을 표하는 주종관계였다. 그러나 예수 그리스도가 제자들의 발을 씻김과 동시에 세상적 관계를 새롭게 정립(正立)하게 되었다. 이 관계는 곧 사랑의 관계이다.

사랑의 관계를 정립하면,

○ 부모와 자식간의 관계

○ 부부간의 관계

○ 예수 그리스도와 우리 인류와의 관계

예수 그리스도께서 새로 정립한 관계는 서로 서로 사랑으로 발을 씻기는 관계다.

어버이가 자녀의 발을 씻기는 것처럼 내가 너희의 발을 씻겼으니 너희도 서로서로 사람들의 발을 씻기라는 사랑의 관계를 정립하여 주셨다.

16,7절 "내가 진실로, 진실로 너희에게 이르노니 종이 상전보다 크지 못하고, 보냄을 받은 자가 보낸 자보다 크지 못하니 ◇너희가 이것을 알고 행하면 복이 있으리라."

예수께서는 여기에서도 '진실로, 진실로'라고 말씀을 시작하신다. 귀중한 기르침을 주시겠다는 말씀이다.

종(從)이 상전보다 크지 못함은 당연하다. 보냄을 받은 자(者) 또한 보낸 자(者)보다 크지 못함도 당연하다. 이 말씀은 근본(根本)적인 것으로 만고불변의 이치이다.

세상에는 근본적인 일들이 있다 즉, 만고불변의 근본적 일들을 알고 서로가 사랑의 관계로 만들어 가면 복이 있을 것이라는 말씀이다.

누구에게나 서로의 발을 씻겨주면 복이 있으리라는 사랑의 관계를 말씀하고 계신다.

18절 "내가 너희를 다 가리켜 말하는 것이 아니라 내가 나의 택한 자들이 누구인지 앎이라. 그러나 '내 떡을 먹는 자가 내게 발꿈치를 들었다' 한 성경을 응하게 하려는 것이니라."

내가 너희에게 서로의 발을 씻기라고 하였지만, 너희 전부에게 해당되는 말은 아니다. 너희 중에서 '내 떡을 먹는 자가 내게 발꿈치를 들었다'고 한 성경을 응하게 할 자에게는 해당되지 않는다는 말씀이다.

'내 떡을 먹는 자가 내게 발꿈치를 들었다'는 무슨 말인가?

◯ 예수 그리스도의 말씀을 들었던 자(者)
◯ 가나의 혼인집에서 예수께서 물로 만든 포도주를 먹는 일에 동참하였던 자(者)로 구분할 수 있다.

곧 예수 그리스도의 생명의 말씀을 듣고, 피의 의미인 포도주를 먹었던 자가 발꿈치를 들어 배반한다는 이야기이다. 이는 곧 가룟 시몬의 아들 유다를 가리키는 말씀이다.

19절 "지금부터 일이 이루기 전에 미리 너희에게 이름은 일이 이룰 때에 내가 그인 줄 너희로 믿게 하려 함이로다."

앞으로 일어날 일을 미리 너희에게 말하는 것은 그 일이 이루어졌을 때에 내가 그인 줄 너희로 믿게 하려는 것이다.

'내가 그인 줄 너희로 믿게 하려 함'에서 '그'는 누구인가?

여기서 우리가 알아야 할 점이 두 가지 있다.

첫째, '예수 그리스도'는 인류를 새롭게 바꾸기 위해 오신 하늘의 생명체(生命體)라는 점, 곧 '참 포도나무'라는 점이다.

둘째, 예수 그리스도 자신은 하늘에서 오신 분이어서 머지않아 유다가 배반할 것을 알고 있다는 점이다.

20절 "내가 진실로, 진실로 너희에게 이르노니 나의 보낸 자를 영접하는 자는 나를 영접하는 것이요, 나를 영접하는 자는 나를 보내신 이를 영접하는 것이니라."

앞으로 십자가상에서 있을 예고의 말씀을 하신다. 정말! 귀중한 말씀을 하시려고 "내가 진실로, 진실로 너희에게 이르노니" 반복어를 사용하신다.

'나의 보낸 자를 영접하는 자는 나를 영접하는 것'에서 '나의 보낸 자(者)'는 누구를 말하는가? 예수 그리스도를 보내신 하나님을 말한다. 즉, '나를 보낸 하나님을 영접하는 자는 나를 영접하는 것이란 말씀이다.

또 '나(예수 그리스도)를 영접하는 者는 나를 보내신 하나님을 영접하는 것'임도 강조하신다. 다시 말하여 나를 보내신 아버지와 나는 하나임을 강조하신다.

2014년 8월 10일 발표

〈제61과〉
제자의 배반으로 민망하신 예수 그리스도

본문 말씀 13:21~30

"21예수께서 이 말씀을 하시고 심령이 민망하여 증거하여 가라사대
'내가 진실로, 진실로 너희에게 이르노니 너희 중 하나가 나를 팔리라'
하시니 22제자들이 서로 보며 뉘게 대하여 말씀하시는지 의심하더라.
23예수의 제자 중 하나, 곧 그의 사랑하시는 자가 예수의 품에 의지하
여 누웠는지라 24시몬 베드로가 머릿짓을 하여 말하되 '말씀하신 자가
누구인지 말하라' 한대 25그가 예수의 가슴에 그대로 의지하여 말하되
'주여 누구오니이까?' 26예수께서 대답하시되 '내가 한 조각을 찍어다
가 주는 자가 그니라' 하시고, 곧 한 조각을 찍으셨다가 가룟 시몬의
아들 유다를 주시니 27조각을 받은 후 곧 사단이 그 속에 들어간지라.
이에 예수께서 유다에게 이르시되 '네 하는 일을 속히 하라' 하시니 28
이 말씀을 무슨 뜻으로 하셨는지 그 앉은 자 중에 아는 이가 없고, 29
어떤 이들은 유다가 돈 궤를 맡았으므로 명절에 우리의 쓸 물건을 사라
하시는지, 혹 가난한 자들에게 무엇을 주라 하시는 줄로 생각하더라. 30
유다가 그 조각을 받고 곧 나가니 밤이러라."

제자의 배반으로 민망하신 예수 그리스도

지난 과 공부에서 예수께서는 제자들의 발을 씻기신 후에 "내가 先生으로서, 우주 만물 창조자(創造者)의 아들로서 너희의 발을 씻겼다"고 교훈하시며, 너희도 나를 본받아 서로서로 아래 사람들에게 발을 씻기며 살라고 하셨다.

예수께서는 이렇게 교훈의 말씀을 하셨으나 제자 중 하나가 자신을 팔려고 한다는 데에 생각이 미치자 예수께서는 심령(心靈)이 민망(憫惘)하여져 증거의 말씀을 하신다. "너희 중 하나가 나를 팔리라"고.

그러면 민망(憫惘)이란 무슨 말인가?

'**민망하여**'란 글귀는 우리나라 성서에서는 11장 33절의 민망과 13장 21절의 민망이 같은 뜻으로 되어 있다. 그러나 日本語 성서에서는 약간 다르다. 11장 33절의 민망은 50과에서 공부한 '정신적으로 교란되었다' '당황하고 낭패하였다'의 뜻과 같고, 13장 21절의 민망(騒がせ)은 '시끄럽게 하다' '떠들썩하게 하다' '두근거리게 하다'라는 의미다.

제자들의 마음도 뭇 인간의 마음과 다름이 없어서 스승으로부터 발 씻기는 사랑을 받는 중에도, 교훈의 말씀을 듣는 중에도 '유다'는 딴 생각을 하고 있었다. 이러한 '유다'를 생각하시니 예수님의 마음이 민망하였다는 말씀이다. 예수님이 유다의 마음을 읽는 순간에 정신이 소란, 떠들썩하게 되고, 두근거리게 되었다는 말이다.

예수께서 한 순간에 정신적 교란 속에서 용솟음 같이 뜻밖의 말씀을 하신다. "내가 진실로, 진실로 너희에게 이르노니 너희 중 하나가 나를 팔리라"는 폭탄 같은 말씀이다.

그런데 제자들은 서로 보며 뉘게 대하여 하시는 말씀인지 귀를 의심한다. "예수의 제자 중 하나 곧, 그의 사랑하시는 자가 예수의 품에 의지하여 누웠는지라. 시몬 베드로가 머릿짓을 하여 말하되 '말씀하신 자가 누구인지 말하라' 한 대 그가 예수의 가슴에 그대로 의지하여 말하되 '주여 누구오니이까?'"(22절)

여기서 우리가 놀라운 일은 예수 그리스도의 폭탄선언! 즉, '너희 중 하나가 나를 팔 것'이라는 청천 벽력같은 말씀을 들은 제자들이건만 누구 하나도 분해하지 않았다는 것이다. 왜 그랬을까? 그것은 정말 글자 그대로 순진무구하여 아무것도 알지 못하는 어린 아이들 같은 마음 때문이었다고 해야 할까. (요한 사도는 이 기사 내용을 제자들이 알지 못하는 것으로 적고 있다.)

폐일언하고, 오직 예수께서만 자신의 죽음이 다가옴을 알고 계셨다. 하여, 예수께서는 마지막 사랑의 표현으로 제자들의 발을 씻기시고, '너희도 나의 본을 받아 서로 발을 씻기라'는 유훈(遺訓)의 말씀을 하신 후 민망해 하신다. 이때 예수께서는 몸과 마음이 얼마나 고독(孤獨)하셨을까 생각해 본다.

본문 공부

21절 "예수께서 이 말씀을 하시고 심령이 민망하여 증거하여 가라사대 '내가 진실로, 진실로 너희에게 이르노니 너희 중 하나가 나를 팔리라' 하시니"

예수께서 제자들의 발을 씻기시고, 교훈의 말씀을 하시는 중에도 유다는 스승인 자신을 팔려는 생각을 하고 있음을 아시고 민망해 하신다. 유다 또한 겉으로는 고개를 끄덕이면서도 속으로는 선생을 팔려는 생각을 하고 있었던 것이다. 인간이란 이렇게 겉과 속이 다르다.

유다의 마음을 아시는 예수께서는 "너희 중 하나가 나를 팔리라"고 폭로성 말씀을 하신다.

22,3절 "제자들이 서로 보며 뉘게 대하여 말씀하시는지 의심하더라. ◇예수의 제자 중 하나, 곧 그의 사랑하시는 자가 예수의 품에 의지하여 누웠는지라"

스승으로부터 "너희 중 하나가 나를 팔리라"는 뜻밖의 말씀을 들은 제자들은 서로 얼굴을 둘러보며 누구에 대하여 말씀하시는

지 무언의 질문을 서로에게 보내며 의심하였다.

'제자 중 하나!' 성경을 공부하는 사람들은 이 하나의 제자가 누구일까? 에 주목하여 공부하여왔다. 많은 사람들은 사도요한으로 추정을 하며, 필자 또한 요한이라는 데에 공감한다. 사도요한이 스승 예수 그리스도의 품에 의지하여 누워있는 모습이 천진난만한 어린 아이처럼 그려진다.

24,5절 "시몬 베드로가 머릿짓을 하여 말하되 '말씀하신 자가 누구인지 말하라' 한 대 ◇그가 예수의 가슴에 그대로 의지하여 말하되 '주여 누구오니이까?'"

'너희 중 하나가 나를 팔리라'는 말씀에도 아랑곳없이 예수의 품에 의지한 채 누워있는 요한에게 시몬 베드로가 머릿짓을 하면서 '너는 그가 누구인지 아는가? 알면 말을 하라'고 다그친다.

질문을 받은 요한은 누워있는 그대로의 모습으로 '주여 누구오니이까?' 하고 예수를 바라보며 묻는다.

26절 "예수께서 대답하시되 '내가 한 조각을 찍어다가 주는 자가 그니라' 하시고, 곧 한 조각을 찍으셨다가 가룟 시몬의 아들 유다를 주시니"

'主여 누구옵니까?' 요한의 질문을 받은 예수께서 '내가 한 조각을 찍어다가 주는 자가 그니라' 하시고, 한 조각을 찍어서 가룟 시몬의 아들 유다에게 주신다.

그런데 여기서 '한 조각'은 과연 무엇일까에 관심이 간다. 그 한 조각은 떡이 아니었을까 하는 생각이다.

27절 "조각을 받은 후 곧 사단이 그 속에 들어간지라. 이에 예수께서 유다에게 이르시되 '네 하는 일을 속히 하라' 하시니"

조각을 받은 후 곧 사단이 그 속에 들어갔다는 말은 무슨 뜻인가?

21절에서 보았지만, 스승인 예수께서 자신의 발을 씻기시고, 교훈의 말씀을 하시는 중에도 유다는 줄곧 스승인 자기를 팔려는 생각을 하고 있음을 아시고 예수께서는 민망하셨다. 유다가 겉으로는 고개를 끄덕이며, 속으로는 선생을 팔려는 생각을 하고 있었다는 말이다. 인간이 이렇게 겉 다르고, 속 다르다는 것을 유다가 보여주고 있다.

유다의 이중적(二重的) 마음을 아신 예수께서는 "너희 중 하나가 나를 팔리라"는 폭로성 말씀을 하신다. 그러나 사단이 이미 마음속에 들어간 유다는 자신의 마음을 정확히 읽으시는 스승 앞에서 더 이상 그곳에 있을 수 없었다. 하여, 유다가 밖으로 나가려 하는데 유다를 향하여 예수께서 말씀하신다. "네가 하려는 일을 속히 하라."

인간이라는 존재는 이렇게 유다처럼 이중의 생각으로 산다. 겉과 속이 다른 동물이 인간이요, 들포도나무이다.

그렇다면 이런 들포도나무가 믿음으로 참포도나무가 될 수 있는가? 아니다. 천년을 믿어도 절대로 될 수 없다. 오직 농부이신 하나님께서 들포도나무의 밑동을 잘라내고, 하늘에서 가져오신 참포도나무로의 접붙임뿐이다.

그러면 믿음은 필요하지 않은가? 아니다. 하나님께서 농부로서 접붙임 하신 후, 예수 그리스도가 우리 마음에 와 계심을 믿고 그 분을 주인으로, 생명의 근원으로 믿으며 사는 것이 믿음이다.

즉, 다 이루어 놓으신 일들을 믿는 믿음이다. 그래서 그리스도 예수의 복음을 "은혜의 복음"이라고 한다. 은혜! 우리가 값없이 그리스도의 생명을 받는 것이 은혜이다.

28,9절 "이 말씀을 무슨 뜻으로 하셨는지 그 앉은 자 중에 아는 이가 없고, ◇어떤 이들은 유다가 돈 궤를 맡았으므로 명절에 우리의 쓸 물건을 사라 하시는지, 혹 가난한 자들에게 무엇을 주라 하시는 줄로 생각 하더라."

천진난만(天眞爛漫)한 제자들이다. 이들 중 누구도 스승인 예수께서 시몬의 아들 유다에게 하는 말씀의 뜻을 제대로 알아듣는 제자가 없었다는 말이다.

제자들 가운데서 유다는 돈궤 즉, 경리를 맡고 있었다. 그래서 다가오는 명절에 쓸 물건을 사라는 말이거나, 아니면 가난한 자들에게 무엇을 주라고 하시는 줄 알았다고 요한은 적고 있다.

30절 "유다가 그 조각을 받고 곧 나가니 밤이러라."

밤! 밤은 검은자들의 세상이다. 유다가 예수께로부터 떡조각을 받고 나가니 밤이었다고 한다.

'낮은 천사가 지배하고, 밤은 사탄이 지배한다'는 말처럼 밤은 사탄의 세상이다. 유다의 활동이 눈앞에 와 있다는 말이다.

2014년 9월 10일 발표

〈제62과〉

예수 그리스도께서 새로운 계명(誡命)을 주시다

본문 말씀 13:31~35

"[31]저가 나간 후에 예수께서 가라사대 지금 인자가 영광을 얻었고,
하나님도 인자를 인하여 영광을 얻으셨도다. [32]만일 하나님이 저로 인
하여 영광을 얻으셨으면 하나님도 자기로 인하여 저에게 영광을 주시리
니 곧 주시리라. [33]소자들아, 내가 아직 잠시 너희와 함께 있겠노라. 너
희가 나를 찾을터이나 그러나 일찍 내가 유대인들에게 '너희는 나의 가
는 곳에 올 수 없다'고 말한 것과 같이 지금 너희에게도 이르노라. [34]
새 계명을 너희에게 주노니 서로 사랑하라. 내가 너희를 사랑한 것 같
이 너희도 서로 사랑하라. [35]너희가 서로 사랑하면 이로써 모든 사람이
너희가 내 제자인 줄 알리라."

예수 그리스도께서 새로운 계명(誡命)을 주시다

예수 그리스도께서 인류에게 주신 새로운 계명 '사랑'은 전에는 존재하지 않던 덕목이다. 즉 창세(創世) 이래로 세상에 없었던 덕목이라 '새 계명의 사랑'이라고 하셨다.

성서 공부하는 대부분의 사람들이 '새 계명' 하면 예수께서 "제자들의 발을 씻기신 것"을 떠올리면서 "너희도 서로 발을 씻겨라"는 것으로 생각해왔다.

그러나 예수께서 새로운 계명(誡命)으로 주신 사랑은

◯ 너희가 나의 마음! 곧 하나님의 마음을 가져라.

◯ 그런 뒤에 나의 생명을 받으라는 가르침이다.

이 말씀은 곧, '내가 너희를 사랑하여 나의 지체를 생명으로 주었고, 너희는 그 생명으로 영원히 살라'는 뜻이다. 지금까지는 아

담의 죄악된 몸이었다면 이제는 다가오는 십자가상에서 같이 죽어 너희 죄된 몸을 멸하고, 새 생명을 받아서 **'예수 그리스도의 피 뿌림을 얻기 위하여 택하심을 입은 자(者)들에게'**(벧전1:2절) 예수 그리스도의 생명으로, 예수 그리스도의 눈으로 사물을 보고 사랑하라는 말씀이다. 그렇다면 나의, 우리의 마음에 예수 그리스도의 생명이 없다면 과연 우리가 서로 사랑할 수 있겠는가? 없다. 절대로 사랑할 수 없다.

"내가 너희를 사랑한 것 같이 너희도 서로 사랑하라!!"는 말씀은 예언적인 말씀이다. 앞으로 십자가상에서 이루어질 일들을 염두에 두고 예언적으로 하신 말씀이다.

우리들의 죄악 된 눈이 예수 그리스도의 눈으로 거듭나서 그 눈으로 사물을 보면 모든 사물이 사랑스럽게 보인다는 말씀이다. 사물이 아름답게 보이니 자연히 사랑으로 접하게 된다는 말씀이다. 이것이 새롭게 보여주시고 말씀하신 사랑이라는 계명이다. 곧, 그리스도의 몸으로 사는 사랑이다.

예수 그리스도께서 말씀하신 '새로운 계명의 사랑'이란

○ 공기와 같은 사랑이요,

○ 빛과 같은 사랑이며,

○ 소금과 같은 사랑이다.

사람이 숨을 쉬며 살아가는 일상생활에서 모든 것에 공기와 빛, 소금과 같이 삶에 스며들어 삶을 아름답고 신명나게 하는 것이 사랑이다.

예수 그리스도께서는 "새 계명을 너희에게 주노니 서로 사랑하라. 내가 너희를 사랑한 것 같이 너희도 서로 사랑하라."고 하신다.

예수께서 우리에게 새로 명하신 사랑은 모든 일에 해당된다.

밥을 퍼본 사람이 밥 푸는 사람의 마음을 안다고 한다. 어쩌다 밥을 푸게 되면 밥이 많이 퍼짐을 본다. 밥을 먹는 사람을 위하여 그릇에 밥을 많이 담기 때문이다. 일하는 사람은 밥을 배불리 먹어야 뱃속이 든든해서 일에 전념하게 되기 때문이다.

청소하는 사람이 청소를 힘들여서 깨끗이 하는 것은, 다른 사람들이 깨끗함을 보면서 몸과 마음에 상쾌함을 느끼게 하기 위해서이다.

또한 의사가 병자를 위하여 최선으로 진찰을 하고, 병을 찾아내어 거기에 알맞는 치료를 정성으로 하는 것도 사랑의 발로이다.

예수께서 새로이 명하신 사랑이란 공기와 빛과 소금들처럼 우리들의 일상에 스며들어 있고, 모두가 사랑과 연관(聯關)되어 있다. 어떠한 일이든지 사랑과 연관되지 않은 것들은 없다. 이렇게 사랑의 발로로 모든 일을 보고 행하며 살라고 하신다. **'너희가 서로 사랑하면 이로써 모든 사람이 너희가 내 제자(弟子)!요, 신자!요, 믿는 자(者)인 줄 알리라'** 하신다. 사랑으로 살면서 증거를 보이라는 말씀이다. 우리는 아멘으로 겸손이 새 계명을 실행하는 제자, 신자가 되어야 할 일이다.

본문 공부

31절 "저가 나간 후에 예수께서 가라사대 지금 인자가 영광을 얻었고, 하나님도 인자를 인하여 영광을 얻으셨도다."

지난 공부의 마지막 부분에서 유다는 예수 그리스도를 팔려는 생각을 마음에 정하고, 예수 그리스도의 얼굴을 뒤로 하고 밖으로 나아갔다. 이 일을 두고 예수께서 영광을 얻었다고 하신다. 아니 예수 자신뿐만이 아니라 하나님도 영광을 얻으셨다고 하신다.

왜 유다의 배반이 예수 그리스도와 하나님께 영광인가?

예수 그리스도께서 이 땅에 하나님의 아들! 참포도나무로 오신 것은 그 참포도나무를 죄로 물든 인류 들포도나무에게 주어 새롭게 바꾸기 위해서다. 아담의 범죄 이후 인류는 사탄의 지배 아래 있었다. 이것을 그리스도 예수의 생명을 인류에게 주어 하나님의 백성! 하늘의 백성으로 새롭게 바꾸시려고 오셨고, 이제 그 일이 유다의 배반으로 시작된 것이다. 이 일이 예수 그리스도께는 영광의 길이요, 하나님도 아들 예수 그리스도께서 죽으심으로 영광이다. 왜? 인류의 갱신으로 많은 하늘 백성! 하나님의 백성이 나타나기 때문이다.

수제자이며 증언자인 베드로는 **"너희가 전에는 백성이 아니더니 이제는 하나님의 백성이요, 전에는 긍휼을 얻지 못하였더니 이제는 긍휼을 얻은 자니라"** (벧전2:10)고 하였다.

32절 "만일 하나님이 저로 인하여 영광을 얻으셨으면 하나님도 자기로 인하여 영광을 주시리니 곧 주시리라."

여기에는 번역(飜譯)에 문제가 있다. '저로'가 구분이 어렵다. '하나님이 저로 인하여 영광을' 이 부분이 일본어 성서에는 '神が人の子によって栄光を' 하나님이 인자! 곧 자신으로 인하여 영광을 얻는다는 뜻이다. 다시 말하면 하나님이 자신으로 인하여 영광을 얻고, '하나님도 자기로 인하여 영광을 주시리니 곧 주시리라.' 여기서 '주시리라'는 말씀은 하나님도 예수 그리스도 자기로 인하여 영광을 얻었으니 하나님이 예수 그리스도께 영광을 곧 주시리라는 말씀이다.

33절 "소자들아 내가 아직 잠시 너희와 함께 있겠노라. 너희가 나를 찾을터이나 그러나 일찍 내가 유대인들에게 '너희는 나의 가는 곳에 올 수 없다'고 말한 것과 같이 지금 너희에게도 이르노라."

'소자들아'는 스승이 제자를 친근하게 부르는 말이다. 여기에서도 일본어 성서에는 이 부분을 '子たとよ 아들들이여'로 번역하고 있다.

제자들을 '아들들아' 로 부르신 것은 곧, 하나님과 인류를 부자(父子)관계로 말씀하신 것이다.

처음 세상 창조 때에도 '흙에 생기를 불어넣어' 사람을 창조하셨고, 십자가상에서의 갱신(更新)도 '피를 흘려주셔'서 죄인 인간이 하늘 백성이 되므로 부자(父子) 관계라는 말씀이다. 예수께서 대 환난의 시간들을 앞에 두고 '소자들아!' 즉 '아들들아!' 부르시며 안심시키신 것으로, 제자들을 깊이 배려(配慮)하고 계신다.

제자들을 친근하게 부르신 예수께서는 '내가 영광을 얻기까지는 잠시 너희와 함께 할 시간이 있다'고 하신 후 다음 말씀을 덧붙이신다.

그러나 잠시 후면 너희는 나를 찾을 것이다. 나의 가는 길 - 그곳은 내가 일찍이 유대인들에게 '너희는 나의 가는 곳에 올 수 없다'고 말한 대로 너희도 나의 가는 길을 따라 올 수 없다. 그러나 나중에는 너희도 그 길을 알아 동참 할 것이다.

예수께서 가시는 길, 죽음을 향하여 십자가로 가시는 길을 당시의 제자들이 어찌 짐작인들 했겠는가.

34절 "새 계명을 너희에게 주노니 서로 사랑하라. 내가 너희를 사랑한 것 같이 너희도 서로 사랑하라."

'새 계명을 너희에게 주노니' 내가 영광의 죽음의 길을 가기 전에 너희에게 새로운 계명을 준다.

'서로 사랑하라' 이제까지 유대교회의 요구는 율법을 지키는 생활이었다. 또한 아담의 죄 된 몸으로 사는 삶이였다. 그러나 예수께서는 새로운 계명으로 '서로 사랑하라'고 하신다. 내가 너희를 사랑한 것 같이 너희도 서로 사랑하라는 말씀이다.

즉, 예수께서 '제자들의 발을 씻기신' 그런 사랑을 너희들도 서로 하라는 말씀이다.

예수께서 계명으로 남기신 사랑은 이런 사랑이다.

◯ 공기처럼 어디에나 있는 평등한 사랑!

◯ 햇볕처럼 어디에나 영양을 주는 사랑!

◯ 소금처럼 음식에 맛을 내는 사랑!

우리 믿는 사람들은 내딛는 걸음걸음마다 사랑을 만드는 발걸음이 되어야 할 것이다.

35절 "너희가 서로 사랑하면 이로써 모든 사람이 너희가 내 제자인 줄 알리라."

사랑을 행함으로 증거를 보이라는 말씀이다. 그 증거를 세상 사람들이 보게 하라고 하신다.

세상사람! 만인이 '저 사람은 예수 그리스도를 믿는 사람이야!'라고 말할 수 있게 하라는 말씀이다. 저 사람은 '과연 예수 그리스도의 제자요, 아들'이라고 인정받을 수 있는 사랑을 행하는 사람이 되라고 하신다.

2014년 10월 10일 발표

〈제63과〉
베드로가 예수, 당신을 부인할 것을 예언하시다

본문 말씀 13:36~38

> “36시몬 베드로가 가로되 주여 어디로 가시나이까? 예수께서 대답하
> 시되 나의 가는 곳에 네가 지금은 따라 올 수 없으나 후에는 따라 오리
> 라. 37베드로가 가로되 주여, 내가 지금은 어찌하여 따를 수 없나이까?
> 주를 위하여 내 목숨을 버리겠나이다. 38예수께서 대답하시되 네가 나
> 를 위하여 네 목숨을 버리겠느냐? 내가 진실로, 진실로 네게 이르노니
> 닭 울기 전에 네가 세 번 나를 부인하리라.”

베드로는 어떤 사람인가?(1)

베드로가 예수께 “주여 어디로 가시나이까?” 라고 묻고, 예수께서는 ‘나의 가는 곳에 네가 지금은 따라 올수 없으나 후에는 따라 오게 된다’고 대답하신다. 그러자 베드로가 ‘주여, 지금은 어찌하여 따를 수 없습니까?’라고 공격적인 질문을 한다. 그리고는 이어서 ‘주를 위하여 내 목숨이라도 버리겠습니다.’ 하며 호언장담도 한다.

그러면 베드로는 어떤 사람인가? 우리가 알아 볼 필요가 있다. 베드로는 예수 그리스도의 제자가 되는 과정에서부터 다른 제자들과는 몇 가지 특별한 점들이 있다.

베드로는 세례 요한의 제자 ‘안드레’와 친 형제간이다. 안드레가 예수를 만난 후 시몬을 찾아가서 “우리가 메시야를 만났다”고 말한다. 베드로가 안드레를 따라 예수께로 나가자 예수께서 보시고 대뜸 “네가 요한의 아들 시몬이니 장차 ‘게바’라 하리라”

고 말씀하신다. 게바를 번역하면 베드로다. 이렇게 제자로 택함을 받는 과정이 특이하고, 또한 예수 그리스도께 칭찬도 많이 받았던 베드로다(1:41-42).

특히 마태복음에서는 베드로가 수제자로서 세상 사람들보다 일찍 스승 예수를 알아보게 된다. "**내가 누구냐?**"는 예수의 물음에 "**주는 그리스도시요, 살아계신 하나님의 아들이시나이다.**" 하고 대답한다. 스승 예수를 정확히 본 것이다. 이에 대하여 예수께서는 "**시몬아, 네가 복이 있도다. 이를 네게 알게 한 이는 혈육이 아니요, 하늘에 계신 내 아버지시니라.**" "**또 내가 네게 이르노니 너는 베드로라. 내가 이 반석 위에 내 교회를 세우리니 음부의 권세가 이기지 못하리라.**" "**내가 천국 열쇠를 네게 주리니 네가 땅에서 무엇이든지 매면 하늘에서도 매일 것이요, 네가 땅에서 무엇이든지 풀면 하늘에서도 풀리리라**"고 하시면서 제자들에게 자기가 그리스도라는 것을 '**아무에게도 이르지 말라**'고 경계의 말씀을 하신다.

위의 '**네가 땅에서 무엇이든지 매면 하늘에서도 매일 것이요**' 이 말은 베드로 네가 땅에서 진리를 매면 하늘에서도 진리가 묶일 것이다. 즉, 네가 땅에서 '진리를 말하지 않으면' 하늘에서도 진리가 묶인다고 풀이할 수 있겠다.

"**네가 땅에서 무엇이든지 풀면 하늘에서도 풀리리라.**" 너! 베드로가 땅에서 진리를 풀어 말하면 그 진리로 천국도 너희 것으로 풀리리라는 말씀이다. 이번 공부에서의 놀라운 일은 위와 같이 천국 열쇠를 받은 베드로가 스승으로부터 '닭 울기 전에 네가 세 번 나를 부인하리라'는 예고의 말씀을 들었다는 데에 있다.

그런데 예수 그리스도께서 십자가상에서 돌아가신 후 약 2000

년, 개신교 약 500년이 지난 지금, 이 세상 돌아가는 것을 보면 예수 그리스도의 십자가상에서의 죽음이 헛된 죽음이 된 것처럼 죄악이 세상을 잡고 있음을 보는 것이다. 특히 세월호 사건을 통해 보면, 이 세상 - 곧, 이 나라 전체가 죄악으로 물들어 있음을 실감한다.

왜 이렇게 그리스도교 2000년, 개신교 500년이란 세월이 흘렀어도 세상은 이 모양! 이 꼴인가? 그것은 예수 그리스도가 베드로에게 준 진리의 천국 열쇠가 발견(發見)되지 않고 있기 때문이다.

색안경(sunglass)을 끼고 세상을 보면, 세상은 안경 유리의 색깔로만 보인다. 마찬가지로 예수 그리스도의 십자가의 진리를 대속(代贖)이라고 하는 색깔 안에 信仰觀을 묶어두고 예수의 죽음도 지금까지 거기에 맞추어 주해(註解)하여 왔다. 특히 그 색으로 보는 것만이 정통(正統) 신앙이라고 하면서 거기에서 벗어나는 새로운 眞理를 말하면 이단(異端)으로 내몰아쳐 왔다.

正統 信仰!! 정통이라는 틀을 만들어 거기에서 벗어나면 이단이라는 말이다. 이 말은 그리스도敎에서 제일 못된 말이다. 소위 정통신앙은 교단(敎團)에서 자신들을 위해 만든 틀로써, 거기에서 벗어나지 못하도록 올가미를 씌운다. 그런데도 성경 공부하는 사람들 중에는 종종 정통을 이야기하는 사람도 있다. 이것이 韓國 그리스도敎의 현실(現實)이요, 世界 그리스도敎의 실상(實狀)이다.

베드로는 예수 그리스도께서 주신 '열쇠가 이것'이라고 베드로 전·후서에서 말하고 있다. 그런데 인류가 대속의 신앙관에 눈이 멀어 아직도 그 천국열쇠를 보지 못하고 있는 것이다.

베드로가 제시한 진리! 천국 열쇠의 진리를 찾아, 예수 그리스도가 말씀하셨던 '베드로라는 반석위에 내 교회를 세우겠다'는 진리를 찾아 새로운 그리스도教를 세워야 할 때(時)이다. (예수 그리스도께서 말씀하신 천국 열쇠의 진리의 공부는 18장 15절 이하에서 하겠음)

본문 공부

36절 "시몬 베드로가 가로되 주여 어디로 가시나이까? 예수께서 대답하시되 나의 가는 곳에 네가 지금은 따라 올 수 없으나 후에는 따라 오리라."

지난번 공부에서 예수께서는 제자들에게 자신이 '영광을 얻을 때가 되었다'고 하시며 '소자들아 내가 잠시 너희와 함께 있겠노라'고 하셨다. 그리고는 이런 가르침을 제자들에게 주셨다.

'**새 계명을 너희에게 주노니 서로 사랑하라. 내가 너희를 사랑한 것 같이 너희도 서로 사랑하라**'는 말씀이었다. 그러자 베드로가 주님께서 이제 멀리 자신들을 떠나실 것을 알아차리고 '주여! 어디로 가시나이까?' 하고 묻는다. 그러자 예수께서 대답하신다.

"나의 가는 곳에 네가 지금은 따라 올 수 없으나 후에는 따라 오리라."

나 예수가 가는 길은 죽음의 길이어서 지금은 네가 나와 같이 갈 수 없지만, 나중에는 너도 죽음의 길을 걷게 될 것이라는 말씀이다.

37절 "베드로가 가로되 주여 내가 지금은 어찌하여 따를 수 없나이까? 주를 위하여 내 목숨을 버리겠나이다."

예수께서는 자신이 가는 길이 죽음의 길이라 지금은 같이 할 수 없다는 것을 돌려서 말씀하셨는데, 베드로는 길을 가는 것으로 알고, '주여! 내가 지금은 어찌하여 따를 수 없나이까?'라며 따지듯 질문을 한다. 그러면서 '주를! 위하여 내 목숨을 버리겠나이다'라고 호언장담을 한다.

여기서 우리는 결과론적으로 보아 인간의 믿음이라는 것이나, 마음의 다짐 같은 자신의 호언장담들이 얼마나 헛되고 부질없는가를 보게 된다. 이것을 아시는 예수께서는 아래와 같이 말씀하신다.

38절 "예수께서 대답하시되 네가 나를 위하여 네 목숨을 버리겠느냐? 내가 진실로, 진실로 네게 이르노니 닭 울기 전에 네가 세 번 나를 부인하리라."

스승을 따르겠다고 호언장담을 하는 베드로에게 "네가 나를 위하여 네 목숨을 버리겠느냐?"고 물으신다. 너는 이렇게 호언장담을 하지만, 그렇게는 못할 것이라는 말씀이다.

"내가 진실로, 진실로 네게 이르노니 닭 울기 전에 네가 세 번 나를 부인하리라" 너는 나를 위해 목숨을 버리겠다고 하지만, 너는 오히려 '닭 울기 전에 세 번 나를 부인할 것'이라고 예언의 말씀을 하신다. 베드로! 인간의 약한 마음을 아시는 주, 창조주 하나님 예수 그리스도만이 하실 수 있는 말씀이다. 어느 누가 베드로의 마음을 잘 알아 이렇게 말할 수 있겠는가?

베드로는 이러한 약한 행동과 뼈를 깎는 아픔을 통해 자기 자신에 대한 비애감을 철저히 느끼면서 훗날 베드로 전·후서를 기록한다.

2014년 11월 10일 발표

〈제64과〉
그리스도는 인류의 길이요, 진리요, 생명

본문 말씀 14:1~6

"1너희는 마음에 근심하지 말라. 하나님을 믿으니 또 나를 믿으라. 2
내 아버지 집에 거할 곳이 많도다. 그렇지 않으면 너희에게 일렀으리라.
내가 너희를 위하여 처소를 예비하러 가노니 3가서 너희를 위하여 처소
를 예비하면 내가 다시 와서 너희를 내게로 영접하여 나 있는 곳에 너
희도 있게 하리라. 4내가 가는 곳에 그 길을 너희가 알리라. 5도마가 가
로되 '주여! 어디로 가시는지 우리가 알지 못하거늘 그 길을 어찌 알겠
삽나이까. 6예수께서 가라사대 '내가 곧(너희의) 길이요, 진리요, 생명
이니 나로 말미암지 않고는 아버지께로 올 者가 없느니라." (괄호 안은
필자 삽입)

예수 그리스도는 우리 인류의 길이요, 진리요, 생명이시다

지난번 공부에서 베드로가 예수 그리스도께 '어디로 가시나이까?' 길을 묻는다. 그러나 예수께서는 베드로와 제자들에게 당신이 가시는 길을 가르쳐 주는 대신, 나의 가는 곳에 '네가 지금은 따라 올 수 없으나 후에는 따라오리라'고 말씀하신다.

이에 베드로가 '주여 내가 지금은 어찌하여 따를 수 없나이까? 주를 위하여 내 목숨을 버리겠나이다'라고 '호언장담'을 한다.

그러자 예수께서는 베드로에게 '네가 나를 위하여 네 목숨을 버리겠느냐?'고 물으시면서 **'닭이 울기 전에 네가 세 번 나를 부인하리라'**고 덧붙이신다. 그러자 제자들은 근심걱정에 쌓인다. 제자들이 당황해 하는 모습을 보신 예수께서 제자들에게 위로의 말씀을 하신다. '너희는 마음에 근심하지 말라' 고.

"너희는 마음에 근심하지 말라. 하나님을 믿으니 또 나를 믿으라. 내 아버지 집에 거할 곳이 많도다." 이어서 말씀하신다. "내가 너희를 위하여 처소를 예비하러 간다"고.

'처소를 예비하러 간다' 그러면 어떠한 처소인가?

우리가 갈 곳인 천국! 하나님 아버지의 나라를 건설하러 간다는 말씀이다. 너희 즉, 우리가 하나님께 가는 길도 만들러 가신다는 말씀이다.

3절 '너희를 위하여 처소를 예비하면, 내가 다시 와서 너희를 내게로 영접하여 나 있는 곳에 너희도 있게 하리라.'

4절 '내가 가는 곳에 그 길을 너희가 알리라.' 하시므로 제자들 중에 도마가 '주여 어디로 가시는지 우리가 알지 못하거늘 그 길을 어찌 알겠삽나이까?' 하는 도마의 물음에 예수께서는 '내가 곧 길이요, 진리요, 생명이니 나로 말미암지 않고는 아버지께로 올 자(者)가 없느니라'고 하신다.

그런데 예수께서 말씀하신 **'내가 곧 (너희의) 길이요, 진리요, 생명이니'**를 '논리'로 주해하여 성서를 공부한 사람이 없었다. 왜 그리스도敎 2000년 역사에서 이제까지 없었을까? 그것은 성서를 '대속(代贖)의 신앙관(信仰觀)'으로만 읽었기 때문이다.

그렇다면 어떻게 성서를 읽어야 논리정연(論理整然)하게 주해(註解)할 수 있을까? 그것은 예수 그리스도와 우리가 십자가상에서 같이 죽는다는 전제로 주해를 하여야 한다. 지금까지 그리스도敎에서는 예수 그리스도만 죽는 것으로 주해를 해 왔다. 즉, 남의 죄를 대신 진다는 대속이라는 논리 아닌 논리를 펴온 것이다. 그러나 역사적 사실인 예수 그리스도와 강도 – 곧, 참! 포도나무와 죄의 사람인 들포도나무가 같이 죽는 주해를 하여야 논리가 성립할 수 있다. 그래야 예수께서 베드로에게 약속한 천국 열쇠가 보이는 성서가 되는데, 잘못된 주해를 진리인 양 믿어왔기 때문에 그리스도教 2000년의 세월이 흐른 지금까지도 베드로에게 약속한 천국 열쇠를 보지도 못한 채 오늘에 이르고 있다.

일본의 독립전도자인 우찌무라(內村鑑三) 선생 또한 이 부분을 논리로 주해할 수 없다고 선언하고 있다. 그리고 그리스도教 진리는 세상 논리를 초월(超越)한다는 논리 아닌 논리를 내세운다. 즉, 진리를 발견하지 못한 데서 내세운 '초월'이라는 궁색한 논리가 나타났다. 그러나 아니다. 진리를 보지 못한데서 오는 말쟁이들의 억지 논리인 것이다.

본문 공부

1절 "너희는 마음에 근심하지 말라 하나님을 믿으니 또 나를 믿으라."

지난달 공부에서 베드로는 목숨을 버리고라도 스승 예수 그리스도를 따르겠다고 다짐을 한다. 이에, 예수께서는 네가 나를 위하여 목숨을 버리겠다고 하지만, 너는 닭이 울기 전에 세 번 나를 부인할 것이라고 예언의 말씀을 하신다. 이같은 스승의 말을 들은 제자들이 근심 걱정에 싸여 있는데, 오늘의 공부에서 예수님은 '너희는 마음에 근심하지 말라' 고 하시며 '하나님을 믿으니 또 나를 믿으라' 고 위로의 말씀을 하신다. 너희가 하나님을 믿고, 또 나를 믿지 않느냐. 그러니 걱정하지 말라는 말씀이다.

2절 "내 아버지 집에 거할 곳이 많도다. 그렇지 않으면 너희에게 일렀으리라. 내가 너희를 위하여 처소를 예비하러 가노니"

내 아버지 집에는 너희가 거할 곳이 많다. 만일 그렇지 않다면 내가 너희에게 일렀을 것이다.

내가 너희를 위하여 '처소'를 예비하러 가노니 여기서 '처소'는 소재지(所在地) 또는 거처(居處)를 말하는데, 처소를 잠시 살펴보자.

첫째, 너희! 곧 인류가 하나님께 가는 길(道)을 말한다.

아담의 범죄 이후에 아담의 자손인 인류는 하나님께 나아가는 길이 막혀 있었다. 바울이 지적한 **"모든 사람이 죄를 범하였으매 하나님의 영광에 이르지 못하더니"**(롬3:23) 라는 말씀처럼 하나님의 나라에 갈 수 없는 것을 십자가상에서 피를 흘려서 그 피를 들포도나무에게 주어, 참포도나무와 들포도나무가 하나 될 수 있는 길을 만들려고 간다는 말씀이다. 십자가 사건 후에 베드로는 **"너희가 전에는 백성이 아니더니 이제는 하나님의 백성이요, 전에는 긍휼을 얻지 못하였더니 이제는 긍휼을 얻은 자니라"**(벧전2:10)고 한 대로 십자가 사건 전과, 후의 인류를 분명히 구분되게 설명하고 있다.

둘째, 너희 - 곧 우리 인류가 거할 곳(居處) 즉, 하나님 계시는 천국이다.

'처소'를 예비하러 가노니 다시 말하여 우리 인류가 천국에 가는 길과 거처를 민들려고 가신다는 말씀이다.

3,4절 "가서 너희를 위하여 처소를 예비하면 내가 다시 와서 너희를 내게로 영접하여 나 있는 곳에 너희도 있게 하리라. ◇내가 가는 곳에 그 길을 너희가 알리라."

너희가 갈 길을 만들고 거처 준비가 끝나면 내가 다시 와서 너희를 내게로 영접하여 나 있는 곳! 곧 하나님 나라인 천국(天國)에 너희 - 우리도 있게 하겠다는 말씀이다. 여기서 길은 예수 그리스도가 인류와 같이 십자가상에서 죽는 일이다. 곧 예수 그리스도의 피를 믿음으로 받는 일이다. 그래서 예수 그리스도의 피가 베드로에게 이야기한 천국 열쇠이다. (천국 열쇠에 대한 공부는 다음에 따로 하겠음)

예수 그리스도께서 제자들에게 3절의 길과 거처를 만들러 가는 길을 말씀하신 후, 이제 '내가 가는 곳! 그 길을 너희가 알리라' 하신다.

5절 "도마가 가로되 주여, 어디로 가시는지 우리가 알지 못하거늘 그 길을 어찌 알겠삽나이까."

예수께서 '내가 가는 그 길을 너희가 알리라' 하시므로 도마가 반발성 대답을 한다. '주여, 주께서 어디로 가시는지 우리가 모르는데, 그 길을 어찌 알겠습니까?' 단순하고 급격한 도마의 성격이 보이는 대목이다.

도마의 반발성 대답에 대한 예수 그리스도의 답변이 오늘 공부할 부분이다.

6절 "예수께서 가라사대 내가 곧 (너희)의 길이요, 진리요, 생명이니 나로 말미암지 않고는 아버지께로 올 者가 없느니라." (괄호 안은 필자 삽입)

'내가 곧 길이요, 진리요, 생명'이라는 말씀은 앞으로 십자가상에서 이루어 질 일들을 예고하시는 말씀이다.

주여! 어디로 가시는지 우리가 어떻게 알겠습니까? 도마의 항의성 답변에 예수께서는 '내가 곧 너희의 길이요, 진리요, 생명!' 이라고 대답하신다.

위의 말씀을 논리로 들여다보면서 공부를 해야 참 진리를 볼 수 있다. 그런데 말쟁이들은 성서공부는 멀리하면서 '하늘의 진리는 세상 진리와 달라서 논리로는 풀 수 없다'고 하는 '초월(超越)'이라는 해괴한 억지 논리를 내세우고 있다.

'내가 곧 길이요, 진리요, 생명' 이라는 말씀을 '논리'에 맞게 주해하려면 역시 십자가상에서 예수 그리스도와 인류를 대표하는 강도가 함께 죽는 주해를 하여야 한다. 역사적인 사실로도 십자가상에서 예수 혼자만 죽은 것이 아니다. 예수 그리스도 좌·우에 두 강도가 함께 죽었음을 역사는 기록하고 있다.

구약의 최고 예언자 이사야는 인류를 '들포도나무'로 표현하였다(사5:2).

신약의 주인공 예수 그리스도는 자신을 '참포도나무'로 표현하셨다(요15:1).

또한 너희 인류는 가지 곧 참포도나무의 가지라 하시고, 하나님 아버지는 우주 만물을 경영하는 농부라고 하셨다. 우리 인류가 접붙임을 받아야 참포도나무의 가지가 될 수 있음을 증언자 바울은 이렇게 증언하고 있다. **"이는 저희를 접붙이실 능력이 하나님께 있음이라"**(롬11:23)

위의 표현은 우리가 쉽게 이해할 수 있는 말씀들이다.

다시 말하여 2000년 전에 있었던 십자가상의 죽음은 참포도나무인 하나님의 아들과 들포도나무인 죄인 강도가 함께 죽은 죽음이다(롬6:8).

들포도나무가 죽은 것은 밑동을 절단하여 자신의 죄악된 몸을 멸하기 위함이요(롬 6:6), 참포도나무가 죽은 것은 자신의 가지! 예수 그리스도의 참 생명을 들포도나무 밑동이 절단된 곳! 곧 '강도의 다리가 꺾여진'(요19:32) 곳에 접붙임 하시려고 죽은 죽음이다(벧1:2).

다시 말하여 십자가의 사건은 대속의 사건이 아닌 '접붙임의 만남'의 사건이다. 이렇게 접붙임의 만남으로 예수 그리스도께서 흘린 피를 받을 때에 비로소 베드로에게 약속한 '천국 열쇠'가 보인다.

여기서 잠깐 태초로 돌아가 보자.

우리가 요한복음 공부를 처음 시작할 때에 살펴보았듯이 하나님의 인류 창조는 만남으로 이루어졌다.

첫 번째 창조(創造)는 **"여호와 하나님이 흙으로 사람을 지으시고, 생기를 그 코에 불어 넣으시니 사람이 생령이 된지라."** 라는 말씀대로 흙과 생기(生氣)의 만남으로 이루어졌다.

두 번째 창조는 죄의 굴레를 벗는 갱신(更新)을 말하는데, 참포도나무와 들포도나무의 만남으로 이루어졌다. 들포도나무는 자신이 갖고 있던 몸을 베어버리고, 참포도나무를 영접하는 접붙임의 만남이다. 이 만남은 우주만물의 생육번성의 원리이기도 하다.

십자가상에서 예수 그리스도가 흘린 피를 받기 위하여 들포도나무는 강도의 모습으로 죽고! 참포도나무의 진액인 예수 그리스도의 피를 접붙임 받아! 그 피의 생명으로 부활하니 이것이 곧 부활 신앙이요, 예수 그리스도의 가지로 살아가는 사람이 곧 그리스도인이다. 이리하여 예수 그리스도는 우리의 길이요, 진리요, 생명이다.

- 십자가상에서

예수 그리스도가 흘린 피를 우리가 받았으니 그리스도는 우리의 생명이다.

- 십자가상에서

예수 그리스도가 흘린 피를 우리가 받았으니, 그리스도는 우리가 하나님의 아들이 되는 진리이다.

- 십자가상에서

예수 그리스도가 흘린 피를 우리가 받았으니, 우리 안에 그리스도의 피가 흘러 하늘백성으로 천국 가는 길이 열렸으며, 그리스도는 우리의 길이다.

"나로 말미암지 않고는 아버지께로 올 者가 없느니라"에서 "나로 말미암지 않고"라는 부분이 우리나라 성서와 일본어 성서가 어휘상 조금 다르다.

일본의 성서는 "私を通らなけれ" "나를 통하지 않고는" 이다. 그러나 두 나라 성경 모두 이 세상 어느 누구도 예수 그리스도가 십자가상에서 흘린 피의 은혜를 힘입지 않고는 하나님 아버지를 볼 수도 없고, 하늘나라에 갈 수도 없다.

2014년 12월 10일 발표

〈제65과〉

내가 아버지 안에 있고, 아버지께서 내 안에 계심을 믿으라

본문 말씀 14:7~14

"7너희가 나를 알았다면 내 아버지도 알았으리로다. 이제부터는 너희
가 그를 알았고, 또 보았느니라. 8빌립이 가로되 주여, 아버지를 우리에
게 보여 주옵소서. 그리하면 족하겠나이다. 9예수께서 가라사대 빌립아,
내가 이렇게 오래 너희와 함께 있으되 네가 나를 알지 못하느냐? 나
를 본 자는 아버지를 보았거늘, 어찌하여 아버지를 보이라 하느냐. 10나
는 아버지 안에 있고, 아버지는 내 안에 계신 것을 네가 믿지 아니하느
냐?! 내가 너희에게 이르는 말이 스스로 하는 것이 아니라 아버지께서
내 안에 계셔 그의 일을 하시는 것이라. 11내가 아버지 안에 있고, 아버
지께서 내 안에 계심을 믿으라. 그렇지 못하겠거든 행하는 그 일을 인
하여 나를 믿으라. 12내가 진실로, 진실로 너희에게 이르노니 나를 믿는
자는 나의 하는 일을 저도 할 것이요, 또한 이보다 큰 것도 하리니 이
는 내가 아버지께로 감이니라. 13너희가 내 이름으로 무엇을 구하든지
내가 시행하리니 이는, 아버지로 하여금 아들을 인하여 영광을 얻으시
게 하려 함이라. 14내 이름으로 무엇이든지 내게 구하면 내가 시행하리
라."

내가 아버지 안에 있고 아버지께서 내 안에 계심을 믿으라

예수께서는 십자가상에서의 죽음을 앞에 두고 더욱 더 하나님 아버지와 자신은 하나임을 강조하신다. 지난번 공부에서 **'내가 곧 너희가 아버지께 가는 길이요, 진리요, 생명'**이라 하시고, 이어서 **'나를 통하지 않고는 아버지께로 올 자가 없다'**고 하셨다. 그리고 오늘 공부의 말씀에서는 더욱 아버지와 예수 자신은 하나임을 강조하신다. '너희가 나를 알았다면 내 아버지도 알았으

리라'는 말씀이다. 그런데 빌립이 느닷없이 "주여, 아버지를 우리에게 보여 주옵소서. 그리하면 족하겠습니다"라고 말한다. 그러자 예수께서는 빌립에게 "빌립아! 내가 이렇게 오래 너희와 함께 있었는데 네가 나를 알지 못하느냐? 나를 본 자는 아버지를 보았거늘 어찌하여 아버지를 보이라 하느냐"고 물으신다.

그리고 오늘 공부의 제목인 '내가 아버지 안에 있고, 아버지께서 내 안에 계심을 믿으라'고 하신다. 즉, 나는 너희가 아버지께로 가는 '길이요 진리요 생명'이며 '아버지는 내 안에, 나는 아버지 안에 있다'는 말씀이다.

그러면 사도 요한은 복음서 서두에서 예수 그리스도를 어떻게 정의(定意)하였는가?

"태초에 말씀이 계시니라. 이 말씀이 하나님과 함께 계셨으니 이 말씀이 곧 하나님이시니라. ◇그(예수 그리스도)가 태초에 하나님과 함께 계셨고, ◇만물이 그(예수 그리스도)로 말미암아 지은바 되었다"(요1:1~3)고 하였으니 곧, 창조자 하나님으로 정의하고 있다. 그리고 "말씀이 육신이 되어 우리 가운데 거하시매 우리가 그 영광을 보니 아버지의 독생자의 영광이요, 은혜와 진리가 충만하더라'(요1:14)고 하였다.

18절에서는 **"본래 하나님을 본 사람이 없으되, 아버지 품속에 있는 독생(獨生)하신 하나님이 나타내셨느니라"**고 하였다.

또한 세례 요한은 "위로부터 오시는 이는 만물 위에 계시고, 땅에서 난 이는 땅에 속하여 땅에 속한 것을 말하느니라. 하늘로서 오시는 이는 만물 위에 계시나니 그(예수 그리스도)가 그 보고 들은 것을 증거 하되, 그의 증거를 받는 이가 없다"고 하였다(괄호 안은 필자 삽입).

오늘 공부에서 예수 그리스도는 위의 두 증거자의 말대로 '내가 아버지 안에 있고, 아버지께서 내 안에 계심을 믿으라'고 하신다. 이 말씀을 달리 말한다면 '내 말을 못 믿으면 내가 행하는 일들을 보고 믿으라'가 되겠다. 즉, 예수 그리스도는 아버지! 성부(聖父)시고, 아들! 성자(聖子)이시니 곧, '아버지와 나는 하나!' 임을 강조하신 말씀이다.

본문 공부

7절 "너희가 나를 알았다면 내 아버지도 알았으리로다. 이제부터는 너희가 그를 알았고, 또 보았느니라."

예수께서 제자들에게 "너희가 나를 알았으면 내 아버지도 알았으리라" 하시고, 하반절에서는 **"이제부터는 너희가 그를 알았고, 또 보았느니라"**고 하신다.

이 말씀은 요한 사도가 기록한대로, 예수 그리스도는 처음 '세상 창조 때에 창조자로 계셨던 그 분이 아버지이며, 나 자신'이라는 말씀이다.

8,9절 "빌립이 가로되 주여, 아버지를 우리에게 보여 주옵소서. 그리하면 족하겠나이다. ◇예수께서 가라사대 빌립아, 내가 이렇게 오래 너희와 함께 있으되 네가 나를 알지 못하느냐? 나를 본 자는 아버지를 보았거늘 어찌하여 아버지를 보이라 하느냐."

앞절에서 '너희는 그(아버지)를 알았고, 또 보았느니라'는 예수의 말씀이 끝나자 빌립이 느닷없이 "아버지를 우리에게 보여 주옵소서"라고 한다. 그래야 만족하겠다는 말이다.

빌립의 '하나님 아버지를 보여달라'는 말에 예수께서 말씀하신다. '빌립아, 내가 이렇게 오래 너희와 함께 있었는데 네가 아직도 나를 알지 못하느냐?' 이는 책망하는 말씀이다.

'나를 본 자는 아버지를 보았거늘, 어찌하여 따로 아버지를 보이라고 하느냐'는 말씀이다.

10절 "나는 아버지 안에 있고, 아버지는 내 안에 계신 것을 네가 믿지 아니하느냐. 내가 너희에게 이르는 말이 스스로 하는 것이 아니라 아버지께서 내 안에 계셔 그의 일을 하시는 것이라."

예수께서 빌립에게 **'내가 이렇게 오랫동안 너희와 함께 있었는데 나를 알지 못하느냐?'**는 책망의 말씀을 하시고서 '나는 아버지 안에 있고, 아버지는 내 안에 계신 것을 네가 믿지 아니하느냐'는 질문을 빌립에게 하셨다. 그리고 '내가 너희에게 이르는 말이 나! 스스로 하는 것이 아니라, 아버지께서 내 안에 계시므로 그분의 일을 하시는 것이다.' 즉, 나(예수)를 통해 아버지가 하신다는 말씀이다.

11,2절 "내가 아버지 안에 있고, 아버지께서 내 안에 계심을 믿으라. 그렇지 못하겠거든 행하는 그 일을 인하여 나를 믿으라. ◇ 내가 진실로, 진실로 너희에게 이르노니 나를 믿는 자는 나의 하는 일을 저도 할 것이요, 또한 이보다 큰 것도 하리니 이는 내가 아버지께로 감이니라."

예수께서 재차 강조해 말씀하신다. '내가 하는 말이나 일은 모두가 내 안에 계시는 아버지께서 하시는 일'이다. 그러므로 아버지께서 내 안에 계심을 믿으라. 그렇게 해도 믿지 못하겠거든 내가 행하는 표적을 보고 믿으라고 하신다.

철이 없고 믿음도 없는 제자들에게 '진실로, 진실로'를 연발하시며 **'너희가 나를 믿으면 너희도 나의 일을 행할 수 있다'**고 희망의 말씀을 하신다. 또한 더 나아가서 '이보다 큰 것도 하리라'고 말씀하신다.

여기에서 '나의 하는 일'이란 곧 제자들의 발을 씻기는 일 - 즉, 사랑의 실천과 인류의 구원을 위하여 기도하는 일 등이다. 여기서 큰일이라고 할 때에 기적! 병을 고치는 일 등으로 이야기할 수도 있지만, 기적적인 일보다는 더욱 어렵고 큰일인 그리스도인으로서의 바른 삶! 낮은 자리의 삶! 그리스도의 사랑의 실천(實踐)을 말씀하신 것으로 보아야 한다.

이 대목에서 우리가 유념해야 할 부분이 있다. 무조건 예수께서 하신 일을 허락하는 것은 아님을 말씀하고 계시기 때문이다. 큰일을 허락한 것은 '내가 죽음을 통해 너희에게 새 생명을 주고, 나는 아버지께로 간다'는 말씀이다. 곧 예수 그리스도의 생명이 있는 자(者)! 예수 그리스도의 생명으로 다시 사는 者에게 예수께서 행하시던 일을 할 수 있게 능력을 주신다는 말씀이다. 왜 그럴까? 그것은 아버지와 예수 그리스도가 하나이시고, 예수께서 앞으로 십자가상에서 흘리는 피를 받은 者는 예수 그리스도의 생명이 있기 때문이다. 작은 포도나무 가지의 삶! 희생을 바탕으로 한 이런 삶이 바로 예수 그리스도의 삶이요, 그리스도인의 삶이다.

13절 "너희가 내 이름으로 무엇을 구하든지 내가 시행하리니 이는 아버지로 하여금 아들을 인하여 영광을 얻으시게 하려 함이라."

장차 십자가상에서 예수 그리스도가 흘릴 피를 받는 사람은 무엇을 구하든지 얻을 텐데, 이는 '아버지로 하여금 아들을 인하여 영광을 얻으시게 하기 위함'이라는 말씀이다.

여기서 아버지는 창조자요, 조물주이다. 아버지께서 극상품 아담을 창조하셨지만, 아담의 타락으로 온 인류가 들포도나무로 전락한 후에는 창조자! 곧, 하나님의 백성이 없어지게 되었다. 그래서 죄로 물든 인류를 새로운 하늘백성으로 만드는 일 즉, '아버지로 하여금 아들을 인하여 영광을 얻으시게' 아들의 죽음으로 아버지께서 영광을 얻으시게 되었다는 말씀이다. 바꾸어 말하면 '십자가상에서 흘린 피를 접목 받아 들포도나무가 참포도나무로 바뀌는 제2의 창조'인 갱신(更新)으로 하나님의 백성이 생겨 하나님께 영광을 돌리게 하기 위함이라는 말씀이다.

14절 "내 이름으로 무엇이든지 내게 구하면 내가 시행하리라."

'내 이름으로'는 무슨 말인가? 보통, 생각할 때나 기도할 때에 예수 그리스도의 이름으로 무슨 일이든 하라는 것으로 생각 할 수 있지만, '예수 그리스도의 생명으로 살아가는 새로운 삶'을 말한다고 보아야 할 것이다.

예스 그리스도의 생명을 받은 자가 예수의 이름으로 무엇이든지 구하면 예수께서 시행, 곧 응답하신다는 말씀이다.

2015년 1월 10일 발표

〈제66과〉

내가 아버지 안에, 너희가 내 안에, 내가 너희 안에

본문 말씀 14:15~24

"15너희가 나를 사랑하면 나의 계명을 지키리라. 16내가 아버지께 구
하겠으니 그가 또 다른 보혜사를 너희에게 주사 영원토록 너희와 함께
있게 하시리니 17저는 진리의 영이라 세상은 능히 저를 받지 못하나니
이는 저를 보지도 못하고 알지도 못함이라. 그러나 너희는 저를 아나니
저는 너희와 함께 거하심이요, 또 너희 속에 계시겠음이라. 18내가 너
희를 고아와 같이 버려두지 아니하고 너희에게로 오리라. 19조금 있으
면 세상은 다시 나를 보지 못할 터이로되 너희는 나를 보리니, 이는 내
가 살았고 너희도 살겠음이라. 20그 날에는 내가 아버지 안에, 너희가
내 안에, 내가 너희 안에 있는 것을 너희가 알리라. 21나의 계명을 가지
고 지키는 자라야 나를 사랑하는 자니, 나를 사랑하는 자는 내 아버지
께 사랑을 받을 것이요, 나도 그를 사랑하여 그에게 나를 나타내리라.
22가룟인 아닌 유다가 가로되 주여! 어찌하여 자기를 우리에게는 나타
내시고, 세상에게는 아니하려 하시나이까? 23예수께서 대답하여 가라사
대 사람이 나를 사랑하면 내 말을 지키리니 내 아버지께서 저를 사랑하
실 것이요, 우리가 저에게 와서 거처를 저와 함께 하리라. 24나를 사랑
하지 아니하는 자는 내 말을 지키지 아니하나니 너희의 듣는 말은 내
말이 아니요, 나를 보내신 아버지의 말씀이니라."

너희가 나를 사랑하면 나의 계명을 지키리라

'너희가 나를 사랑하면 나의 계명을 지키리라'는 무슨 말인가?

그리스도敎에서 계명(誡命)—하면 율법을 연상케 한다. 그런데 예수님은 율법 같은 규칙을 정하여 지키게 하시는 분은 아니다. 예수 그리스도의 생명을 받은 자—곧, 예수 그리스도의 교훈인 '믿는 마음'을 말씀하신 것이다.

이는 장차 닥쳐올 십자가상에서의 당신의 죽음에 믿음으로의 동참에 대한 말씀이다. 좌·우의 강도의 모습으로 너희도 십자가상에서 같이 죽고, 내가 부활할 때에 너희도 나의 생명인 십자가상에서 흘린 피를 받아 그 생명으로 부활하면서 믿음으로 동참하라는 말씀이다. 즉 예수 그리스도의 생명으로의 삶을 말씀하신다.

교훈의 말씀에 믿음으로의 동참이 예수 그리스도의 계명이다. 이렇게 하여 예수께서는 아버지와 하나! 우리 그리스도인과 하나를 강조하신다.

20절에서는 "그 날에는 내가 아버지 안에, 너희가 내 안에, 내가 너희 안에 있는 것을 너희가 알리라"고 하신다. 곧 보혜사! 아버지께서 보내신 성령이 우리의 마음에 가르치심으로 '내가 아버지 안에, 너희가 내 안에, 내가 너희 안에 있음을 알 것'이라는 말씀이다. 이는 '하나님 아버지와 나와 너희가 하나'임을 성령께서 가르칠 것이라는 말씀이다. 여기서 중요한 것이 '그 날에는'이다 그 날은 십자가상에서 피 흘리시는 날을 말한다. 즉, 예수께서 흘리신 피를 우리가 받는 날이다. 그래서 그 생명으로 부활하여 다시 사는 날이다.

'내가 아버지 안에'

'너희가 내 안에'

'내가 너희 안에' 있는 것을 너희가 알 것이라는 가르침이다. 이 말씀은 역시 예언적인 말씀으로, 십자가상에서 죽고 부활하는 그 날에는 **'하나님 아버지와 나와 너희가 하나'** 즉 삼자(三者)가 하나임을 강조하신다. 다시 말하면 접붙임으로 우리가 예수 그리스도의 생명을 받을 때에 삼자가 하나로 된다는 말씀이다.

'너희가 내 안에'는 처음으로 언급하신 말씀이다. 예수께서는 지금까지 '내가 아버지 안에, 아버지가 내 안에'를 계속 말씀하셨는데, 여기에서 처음으로 '너희가 내 안에, 내가 너희 안에'라는 말이 언급된다. 이리하여 예수 그리스도께서 십자가상에서 죽고, 부활하신 후에는 말씀이 '내 아버지! 곧 너희 아버지! 내 하나님 곧 너희 하나님께로 올라간다'로 더욱 적극적으로 바꾸어진다(20:17).

십자가상에서 접목을 받으면 '내가 너희 안에, 너희가 내 안에 있다'는 말씀이다. 이렇게 성서를 읽을 수 있는 것은 십자가의 사건을 접목으로 읽었기 때문에 보이게 된 말씀이다. 그런데 물리학자이며 한양대학교 이사장인 최선근 선생은 아래와 같이 주해를 하고 있다.

〈"내가 너희 안에"란 말씀은 주님의 사랑과 겸손을 생각할 때 그래도 이해할 수 있을 것 같이 생각되지만, "너희가 내 안에 있는 것을 너희가 알리라" 하신 말씀은 받기 어려운 말씀이라 하지 않을 수 없다.〉

이 주해는 한 마디로 대속의 신앙관(信仰觀)으로는 주해(註解)를 못한다는 말이 된다. 그러나 접목의 신앙관으로는 가능하다. 예수 그리스도의 생명인 참포도나무의 피를 들포도나무인 인류인 내가 믿음으로 받았으니 아버지와 같은 혈통이 되어 예수님 안에 내가, 내 안에 예수님이 있다고 보아도 무리가 없기 때문이다.

본문 공부

15절 "너희가 나를 사랑하면 나의 계명을 지키리라."

서론에서도 보았지만, 예수께서 말씀하신 '나의 계명'은 무슨 규칙이나 율법이 아닌 방법 - 즉, '교훈의 말씀을 믿으면' 된다는 것으로 본다.

'너희가 나를 사랑하면' 나와 함께 십자가상에서 같이 죽고, 나의 생명을 받는 길을 같이 하라는 말씀이다. 곧 '믿음으로 함께', '마음으로 하나'가 되라는 말씀이다.

16절 "내가 아버지께 구하겠으니 그(아버지)가 또 다른 보혜사를 너희에게 주사 영원토록 너희와 함께 있게 하시리니"

앞절에서 '너희가 나를 사랑하면 나와 함께'라고 말씀하시면서 왜 "내가 아버지께 구하겠다. 그(아버지)가 '또 다른 보혜사'를 너희에게 주사 영원토록 너희와 함께 있게 하시리라"고 하시는가?

그렇다면 보혜사(保惠師)는 누구인가? 한 마디로 '우리에게 가르침을 주시는 분'이다. 앞의 15절에서 '나(예수)'와 함께 십자가상에서 같이 죽었어도, 이 죽음이 오직 하나님께서 농부로서 하시는 일이라 우리! 인류라는 들포도나무가 죽음의 고통을 느끼며 죽는 죽음이 아니었다. 오직 진리로 알게 되고 믿음으로 알게 된 것인데, 이렇게 알게 하는 분이 보혜사(保惠師)이다. 그 보혜사를 보내주실 것을 아버지께 구하겠다는 말씀이다(괄호 안은 필자 삽입).

보혜사는 사람의 눈으로 볼 수 없지만, 우리 그리스도인에게 끊임없이 가르침을 주시는 영육(靈肉)의 선생(先生)이시다. 영과 육의 선생인 보혜사(保惠師)를 보내 주셔서 영원토록 우리 인류와 함께 하시며, 나 자신이 실족하지 않게 돌보시는 분이다. 곧, 십자가상에서 접붙임을 받은 생명에게 그리스도인으로서의 삶을 가르쳐주시는 보혜사이시다. 우리의 영과 육에 속삭임으로 늘 가르치심을 주시는 영이 보혜사이시다. 정말 감사와 감격이 넘치는 은총의 말씀이다.

17절 "저는 진리의 영이라 세상은 능히 저를 받지 못하나니 이는 저를 보지도 못하고, 알지도 못함이라. 그러나 너희는 저를 아나니 저는 너희와 함께 거하심이요, 또 너희 속에 계시겠음이라."

앞절 말씀의 설명으로, 보혜사는 '진리의 영(靈)'이라고 하신다.

창세 이후로 세상은 보혜사를 받지 못하였다고 하신다. 왜? 그 이유는 우리 인류가 하나님을 믿는 마음이 없었기 때문에 보혜사를 보지도 못하고, 알지도 못하였기 때문이라고 하신다. 그러나 믿음을 받아들인 너희는 보혜사를 아나니 보혜사는 너희와 함께 거하실 것이요, 또 너희 속에 계시겠다는 말씀이다.

'너희는 저(보혜사)를 아나니'는 무슨 말씀인가? 제자들은 이미 보혜사를 알고 있다는 말씀이다. 그렇다면 제자들은 어떻게 알고 있는가? 이미 가나 혼인잔치 집에서 예수 그리스도의 능력으로 만든 포도주를 먹었기 때문에 그 제자들에게는 그때부터 그리스도의 생명의 피가 흐르는 그리스도의 사람이 되었기 때문이다. 또한 그리스도의 말씀으로 거듭난 사람들이기 때문이다. 그래서 보혜사에 대하여 어느 정도 알고 있다는 말씀이다.

18절 "내가 너희를 고아와 같이 버려두지 아니하고 너희에게로 오리라."

고아! 보호자가 없는 아이를 일컫는 말이다. 여기서는 제자들을 고아에 비유하고 있으므로, 제자들을 '고아와 같이 버려두지 않겠다'는 말씀이다. 보혜사를 보내어 제자들을 보호하고, 또한 제자들에게로 오시겠다는 말씀이다. 정말 빈틈이 없는 어버이의 사랑의 말씀이다. 달리 말하면 우리 그리스도인과 늘 함께 하시겠다는 말씀이다.

19절 "조금 있으면 세상은 다시 나를 보지 못할 터이로되 너희는 나를 보리니 이는 내가 살았고, 너희도 살겠음이라."

조금 있으면 내가 십자가상에서 죽을 것이므로 세상은 나를 다시 볼 수 없지만, '너희는 나를 보리라' 고 하시는데 이는 무슨 말인가? 15절 "너희가 나를 사랑하면 나의 계명을 지키리라"의 '나의 계명' 은 십자가상에서 예수 그리스도와 함께 하는 죽음을 말한다. 즉, 믿음으로 함께 하는 죽음인 것이다.

'이는 내가 살았고, 너희도 살겠음이라.' 다시 말하여 믿음으로 예수 그리스도와 죽음에 참여하는 자는 예수 그리스도의 부활 때에 우리 그리스도인도 살겠다는 말씀이다. 2000년 前에 있었던 십자가상에서의 예수 그리스도의 죽음은 우리 인류와 그를 믿는 사람들의 죽음이요, 그리스도와 그를 믿는 그리스도인의 부활이다. 죽고 다시 사는 믿음의 삶은 현재의 일로, 이 시각에도 같은 믿음으로 살아야 하는 것이다. 예수께서는 앞으로 일어날 십자가 사건을 염두에 두고 하신 예언적인 말씀이다.

20절 "그 날에는 내가 아버지 안에, 너희가 내 안에, 내가 너희 안에 있는 것을 너희가 알리라."

여기서 '그 날'은 어느 날인가? 성서 공부하는 대부분 사람들은 '그 날'을 예수 그리스도께서 부활한 날로 이야기한다. 그러나 필자는 '십자가상에서 접붙임이 이루어진 그 순간'이라고 정의(定意)한다. 예수께서 흘린 피가 인류! 나에게 흘러든 그 시점이다. 또한 그 날은 미래지향적인 말이기도 하다. 인류역사에서 한 사람, 한 사람이 예수 그리스도를 영접 할 때(時)를 말하기 때문에 베드로 전서 1장 2절의 '피 뿌림'으로 접붙임을 받아 그리스도의 생명이 내 안에, 내 생명이 예수의 생명과 하나 되어 '아버지와 예수 그리스도, 나 자신'이 하나이며, 이러한 믿음을 갖게 되는 때가 '그 날'이다.

증언자 바울도 로마서 6장 8절에서 **"만일 우리가 그리스도와 함께 죽었으면 또한 그와 함께 살줄을 믿노니"**라 하고, 8장 9절에서는 **"만일 너희 속에 하나님의 영이 거하시면 너희가 육신에 있지 아니하고 영에 있나니 누구든지 그리스도의 영이 없으면 그리스도의 사람이 아니라"**고 하였다.

21절 "나의 계명을 가지고 지키는 자라야 나를 사랑하는 자니, 나를 사랑하는 자는 내 아버지께 사랑을 받을 것이요, 나도 그를 사랑하여 그에게 나를 나타내리라."

앞에서도 보았듯 예수 그리스도의 계명은 규칙과 제약이 따르는 율법 같은 것이 아님은 분명하다. 예수 그리스도의 죽음에 참여하여 함께 죽음으로써, 죄 된 몸을 멸하고, 그 자리에 예수 그리스도의 생명을 접목받아 영접을 믿는 자는 '내 아버지께 사랑을 받을 것이요, 나도 그를 사랑하여 그에게 나를 나타내리라'고 하셨다.

22,3절 "가룟인 아닌 유다가 가로되 주여! 어찌하여 자기를 우리에게는 나타내시고 세상에게는 아니하려 하시나이까? ◇예수께서 대답하여 가라사대 사람이 나를 사랑하면 내 말을 지키리니 내 아버지께서 저를 사랑하실 것이요, 우리가 저에게 와서 거처를 저와 함께 하리라."

예수 그리스도의 말씀을 다 듣고서 그 말뜻을 알 것 같은 유다가 주께 '어찌하여 존재를 우리에게는 나타내시면서 세상에는 나타내지 않으십니까?' 하고 묻는다.

유다의 질문에 예수께서 대답하신다.

'사람이 나를 사랑하면 내 말을 지키리니' 예수를 사랑하는 사람들은 그리스도의 가르침을 따른다는 말씀이다. 이어서 예수께서는 당신과 함께하는 사람을 '아버지께서 사랑하실 것'이라고 하시며, "우리가"라고 하셨다. 그러면 "우리"는 무슨 말인가? 여기서 "우리"는 하나님아버지와 예수 자신을 아우른 말로, 풀어 말하면 **"아버지와 나"**가 되겠다. 그러니 "누구든 아버지와 나를 따르면 아버지와 나는 저들과 거처(居處)를 함께 할 것"이라는 말씀이다. 즉, 십자가상에서 예수와 함께 죽어 자신을 멸하고, 예수를 영접한 사람은 부활하여 하나님 아버지, 예수 그리스도와 함께 영원한 삶을 살게 된다는 말씀이다.

24절 "나를 사랑하지 아니하는 자는 내 말을 지키지 아니하나니 너희의 듣는 말은 내 말이 아니요, 나를 보내신 아버지의 말씀이니라."

나를 사랑하여 나의 계명! 즉, 하나님 아버지의 뜻을 따르는 사람은 아버지, 예수 그리스도와 거처(居處)를 함께 할 수 있지만,

'나를 사랑하지 아니하는 자'는 내 말을 지키지 않을 테니 그렇게 할 수가 없다.

'너희의 듣는 말'은 나 예수의 말이 아니라 '나를 보내신 아버지의 말씀이다. 그러므로 아버지의 말을 듣고도 믿지 아니하는 자는 구원을 받지 못한다는 말씀이기도 하다.

2015년 2월 10일 발표

〈제67과〉
인류! 우리! 나 자신에게 保惠師가 가르치신다

본문 말씀 14:25~31

"25내가 아직 너희와 함께 있어서 이 말을 너희에게 하였거니와 26
보혜사 곧 아버지께서 내 이름으로 보내실 성령 그가 너희에게 모든 것
을 가르치시고 내가 너희에게 말한 모든 것을 생각나게 하시리라. 27평
안을 너희에게 끼치노니 곧 나의 평안을 너희에게 주노라. 내가 너희에
게 주는 것은 세상이 주는 것 같지 아니하니라. 너희는 마음에 근심도
말고 두려워하지도 말라. 28내가 갔다가 너희에게로 온다 하는 말을 너
희가 들었나니 나를 사랑하였더면 나의 아버지께로 감을 기뻐하였으리
라. 아버지는 나보다 크심이니라. 29이제 일이 이루기 전에 너희에게 말
한 것은 일이 이룰 때에 너희로 믿게 하려 함이라. 30이후에는 내가 너
희와 말을 많이 하지 아니하리니 이 세상 임금이 오겠음이라. 그러나
저는 내게 관계할 것이 없으니 31오직 내가 아버지를 사랑하는 것과 아
버지의 명하신대로 행하는 것을 세상으로 알게 하려 함이로라. 일어나
라. 여기를 떠나자 하시니라."

인류! 우리! 나 자신을 보혜사(保惠師)가 가르치신다

인간의 속성을 정확히 본 이사야는 하나님이 아담의 자손을 보고 탄식하신 말씀을 전하고 있다.

"하늘이여 들으라, 땅이여 귀를 기울이라. 여호와께서 말씀하시기를 내가 자식을 양육하였거늘 그들이 거역하였도다. 소는 그 임자를 알고, 나귀는 주인의 구유를 알건마는 이스라엘은 알지 못하고, 나의 백성은 깨닫지 못하는도다 하셨도다."(사 1:2-3)

창조주 하나님께서 인간들에게 말씀을 하셔도 듣지 않으므로 한탄하시는 말씀이다.

선견자(先見者) 이사야는 이렇게 마이동풍 격이 되어버린 인류! 아담의 자손들을 보면서 **"창조될 때에는 극상품이었으나 이제는 들포도나무"**라고 탄식하였다(사5:2).

사도 요한은 **"빛이 어두움을 비취되 어두움이 깨닫지 못하더라"**(1:2)고 하였다. 빛이 어두움을 비추는데도 죄악에 빠진 인류는 스스로를 알지 못하고, 깨닫지 못하였다고 예수 그리스도가 이 땅에 오신 이유를 설명하고 있다. 앞의 두 말씀은 인류가 죄인! 곧 들포도나무란 것을 분명히 보여주고 있다.

이리하여 하나님 아버지는 인류를 새롭게 바꿀 참포도나무를 하늘에서 가져다가 이 땅에 심으셨다. **"본래 하나님을 본 사람이 없으되, 아버지 품속에 있는 독생하신 하나님이 나타내셨느니라."** 곧 하나님이시며 육을 가지신 예수 그리스도! 참포도나무가 오신 것이다.

이 예수 그리스도께서 이제까지 자신의 길! 베드로가 미처 깨닫지 못한 길! 십자가상에서 죽는 길을 14장 1절에서부터 설명하시고, 오늘공부 14장 끝자락에서는 자신이 죽은 후의 일들을 가르치실 보혜사를 보내주시겠다고 말씀을 하신다.

예문(例文)의 비유(比喩)이지만 "들포도나무의 참포도나무로의 갱신"은 보혜사의 가르침이 없으면 알 수 없는 일들이다.

예수 그리스도께서는 자신의 가는 길을 인류를 대표하는 제자들에게 설명하시고, 이제는 **"내가 가는 곳의 그 길을 너희가 알리라"**고 하였으나 도마는 **"주여, 어디로 가시는지 우리가 알지 못하거늘 그 어찌 알겠삽니까?"** 라고 하소연하고 있다(14:4-5). 도마뿐만 아니라 수제자인 베드로조차 스승인 예수 그리스도를 알지 못하고 세 번이나 부인한다. 이처럼 직제자들도 예수 그리스도를 알지 못하였는데, 하물며 죄인들인 무지한 인류는 말해 무엇 하겠는가.

이사야가 본 인류도 하나님 아버지를 알지 못하지만, 예수 그리스도의 직제자들도 쇠귀에 경 읽기로 알지 못한 것이 사실이다.

우리 한번 생각하여 보자. 2000년 전 유대 땅에서 죄인의 모습으로 십자가상에서 처참하게 죽은 예수 그리스도란 분이 우리의 생명의 근원이라고 믿게 된 것은 이성의 생각으로는 도저히 이해 할 수 없는 일들이다.

우리의 마음 밭에 예수 그리스도가 십자가상에서 흘린 피가 흘러들어 심어져 있고, 그 심어져 있는 그리스도의 생명! 씨앗을, 보혜사 곧 하나님의 영이 성령의 역사로 자라게 하시는 일들을 하시도록 보혜사를 보내 주시겠다는 약속의 말씀을 하신다. 이 보혜사는 십자가 사건 후에 보내 주신다는 말씀이다. 창조주 하나님께서는 인류! 우리! 나 자신을 깨닫게 하시려고 철두철미한 배려로 보혜사를 보내 주신다는 말씀이다. 더욱이 '때가 되어 그 일이 있을 때에 너희가 예수 그리스도를 알아보게 하신다'는 말씀에 고개가 저절로 숙여진다.

그러면 보혜사(保惠師)는 누구인가?

"신약성서에서 헬라어 '프뉴마' (Pneuma)는 히브리어 '루앗하'(Ruach)인데 본래 구약성서에서는 하나님으로부터 나오고 하나님께로 돌아가는 창조적 힘, 생명의 기운, 진리의 지혜, 기이한 능력을 의미하였습니다. 구약성서에서 '루앗하' 곧 '영' 또는 '성령'은 하나님의 창조활동 생명의 보존과 만물을 새롭게 하시

는 갱신의 능력, 진리와 공의를 나타내고 깨닫게 하는 지혜의 영, 각종 카리스마적 능력을 발휘하게 하는 신적 능력을 의미합니다.

신약에서 하나님의 영-성령은 위에서 말한 구약성서의 의미를 모두 포함하면서 예수 그리스도와 함께 하나님의 구원사역을 완성하시는 보혜사 (Paraklet_os)로서 고백되었습니다. 보혜사는 진리의 영(요14:17)이시며 하나님께로부터 나와서 만물을 생명으로 충만하게 하고, 또 항상 새롭게 만물을 갱신시키며, 해방과 자유와 평화를 이룩하시는 해방의 영이십니다." - 2012년 10월 '천우모임'에서 발표 -

본문 공부

25,6절 "내가 아직 너희와 함께 있어서 이 말을 너희에게 하였거니와 ◇보혜사 곧 아버지께서 내 이름으로 보내실 성령 그가 너희에게 모든 것을 가르치시고 내가 너희에게 말한 모든 것을 생각나게 하시리라."

예수께서는 이제 자신의 죽음이 다가옴을 보면서 제자들에게 당부의 말씀을 하신다. '내가 아직 너희와 함께 있으며 이런 말을 할 수 있어 다행'이라고 하신다.

26절은 예수님 자신이 십자가상에서 죽어 본향인 하늘나라로 돌아가신 후 오게 될 보혜사 곧, 성령님의 하실 일에 대한 말씀이다. '아버지께서 내 이름으로 보내실 성령! 그가 너희에게 모든 것을 가르치시고' 또한 예수께서 제자들에게 가르치신 말씀도 생각나게 하신다는 말씀이다.

'내가 너희에게 말한 모든 것을 생각나게 하시리라' 이 말씀은 예수께서 십자가상에서 죽은 뒤에 이루어질 일들로, 보혜사로 오실 성령님이 가르쳐 주시고 깨닫게 해 주신다는 말씀이다.

27절 "평안을 너희에게 끼치노니 곧 나의 평안을 너희에게 주노라. 내가 너희에게 주는 것은 세상이 주는 것 같지 아니하니라. 너희는 마음에 근심도 말고 두려워하지도 말라."

십자가상에서 이루어질 일에 대해 말씀하신다. '평안을 너희에게 끼치노니 곧 나의 평안을 너희에게 주노라.' 이는 자신의 생명과 마음과 영을 주신다는 말씀이다. **'내가 너희에게 주는 것'** 즉, 예수 그리스도의 생명! 마음! 영!은 세상이 우리에게 주는 어떤 것과는 다르다는 말씀이다. 그러니 이제 '너희는 마음에 근심도 말고 두려워하지도 말라'는 당부의 말씀도 하신다.

28절 "내가 갔다가 너희에게로 온다 하는 말을 너희가 들었나니 나를 사랑하였더면 나의 아버지께로 감을 기뻐하였으리라. 아버지는 나보다 크심이니라."

'내가 갔다가 너희에게로 온다 하는 말을 너희가 들었나니' 이 말씀은 '이제는 나 예수가 아버지께 갈 때가 되었다'는 말씀이다.

'나를 사랑하였더면 나의 아버지께로 감을 기뻐하였으리라' 여기서 예수께서는 '너희가 나를 사랑하였다면 내가 아버지께 감을 기뻐하라'고 하신다. 왜 기뻐하여야 하는가? 예수께서 아버지께 가는 길은 곧, 십자가상에서 죽는 길이다. 이 죽음을 통해 전지전능하신 아버지께서는 인류인 우리에게 당신 아드님의 생명을 나누어 주는 접붙임의 일을 하시기 때문이다.

'아버지는 나보다 크심이니라' 하나님 아버지는 우주만물을 운

행하시는 농부로서 십자가의 죽음을 통해 너희에게 내 생명을 주실 전지전능의 하나님이요, 또한 보혜사 성령을 보내 주시어, 너희에게 모든 것을 가르쳐 주시기 때문에 크다는 말씀이다.

29,30절 "이제 일이 이루기 전에 너희에게 말한 것은 일이 이룰 때에 너희로 믿게 하려 함이라. ◇이후에는 내가 너희와 말을 많이 하지 아니하리니 이 세상 임금이 오겠음이라. 그러나 저는 내게 관계할 것이 없으니"

'일이 이루어지기 전' 내가 아버지께 가는 일 즉, 내가 십자가상에서 피를 흘려 인류에게 생명을 주는 일이 이루기 전을 말한다.

'너희로 믿게 하려 함이라' 이처럼 큰일을 앞두고 우리에게 미리 말씀하시는 것은 일이 이루어진 뒤에 우리로 믿게(깨닫게) 하기 위함이라는 말씀이다.

예수께서는 '이후에는 내가 너희와 말을 많이 하지 아니하리라'고 하신다. 왜? 하실 말씀은 다 하셨고, 이제 자신을 잡아 죽이려는 세력의 때가 가까워지고 있기 때문이다. 곧, 세상을 지배하고 있는 권력의 세력에 의하여 예수님 자신이 죽을 시간이 다가온다는 말씀이다.

31절 "오직 내가 아버지를 사랑하는 것과 아버지의 명하신대로 행하는 것을 세상으로 알게 하려 함이로라. 일어나라 여기를 떠나자 하시니라."

오늘 말씀의 결론이다.

◯ 오직 내가 아버지를 사랑하는 일!

◯ 아버지의 명하신대로 행하여 죽는 것을 세상으로 알게 하려 함.

이런 사실을 인류! 제자들! 우리 그리스도인들이 알게 하려 함이라고 하신다.

즉, 인류의 갱신을 위하여 하신다는 말씀이다.

'일어나라 여기를 떠나자 하시니라' 새로운 말씀을 하신다는 뜻이다.

감사와 감격! 찬송과 영광을 주님께 영원히 돌릴 뿐이다.

2015년 3월 10일 발표

사진 : 신장용 작가

〈공부 6주년 특집〉
그리스도교의 정지된 진리의 발견

요한복음 공부를 시작한 지 6년이 되었다. 그사이 은혜 안에서 공부할 수 있게 해주신 주 하나님께 한없는 감사와 찬미를 올리며, 그동안 같이 해주신 여러 선생님, 형제자매님들께도 감사를 드린다.

예수 그리스도께서 세우신 교회는 어떤 교회였던가?

마태복음에서는 베드로가 수제자로서 세상 사람들보다 일찍 스승 예수 그리스도를 알아보게 된다. "**내가 누구냐?**"는 예수의 물음에 "**주는 그리스도시요, 살아계신 하나님의 아들이시나이다.**"라고 대답한다. 스승 예수를 정확히 본 것이다. 이에 대하여 예수께서는 "**시몬아, 네가 복이 있도다. 이를 네게 알게 한 이는 혈육이 아니요, 하늘에 계신 내 아버지시니라.**" "**또 내가 네게 이르노니 너는 베드로라. 내가 이 반석 위에 내 교회를 세우리니 음부의 권세가 이기지 못하리라.**" "**내가 천국 열쇠를 네게 주리니 네가 땅에서 무엇이든지 매면 하늘에서도 매일 것이요, 네가 땅에서 무엇이든지 풀면 하늘에서도 풀리리라**"고 하시면서 제자들에게 자기가 그리스도라는 것을 '**아무에게도 이르지 말라**'고 경계의 말씀을 하신다.

위의 '**네가 땅에서 무엇이든지 매면 하늘에서도 매일 것이요**' 이 말은 곧 네가 땅에서 '진리를 말하지 않으면' 하늘나라에서도 진리가 풀리지 않는다고 주해(註解)한다.

"**네가 땅에서 무엇이든지 풀면 하늘에서도 풀리리라.**" 너! 베드로가 땅에서 진리를 풀어 말하면 그 진리로, 너희가 하늘나라에 가는 진리도 풀리리라는 말씀이다. 이 말씀을 접하면서 한 가지 놀라운 것은 위의 말씀에서 천국 열쇠를 받은 베드로지만 스승으로부터 '**닭 울기 전에 네가 세 번 나를 부인하리라**'는 예고의 말씀을 들었고(공부 제63과), 그는 실제로 부인을 하였다.

예수 그리스도가 십자가상에서 피를 흘려 죽으신 후 2000년이 흘렀다. 그러나 세상 어디에도 '이런 교회가 베드로에게 말씀하신 교회'라고 말하는 증언자는 없었다. 예수께서 "너는 베드로라. 내가 이 반석 위에 내 교회를 세우리니 음부의 권세가 이기지 못하리라."고 말씀하신 교회는 왜 없을까? 그것은 이제까지 예수께서 말씀하신 교회를 증언하는 신앙의 증언자, 신앙의 개혁자가 나오지 않았다는 말이다. 진실로 세상이, 인류가 성서를 잘못 읽었기 때문이다. 특히 개혁자 루터가 성서를 잘못 읽어서 베드로에게 약속한 '하늘 가는 열쇠'를 찾지 못한 까닭이라고 할 수밖에 없다.

예수 그리스도가 세우신 교회는? 예수 그리스도께서는 '가나의 혼인 잔치'에서 자신의 능력으로 물로 포도주를 만들어 제자들과 모친과 나누어 마시고 예루살렘 성전을 확청하시는데, 가나 혼인잔치에서 먹었던 포도주는 예수 그리스도의 피를 의미한다. 예수께서는 당신의 피인 포도주를 마시고 거듭난 사람들 - 곧, 제자들과 함께 제일 먼저 하신 일은 예루살렘 성전 확청이었다. 이것은 새로운 성전을 짓기 위하여 옛 것을 헐어버리는 의미이다. 그리고 거기에 모인 사람들에게 '너희가 이 성전을 헐라! 내가 사흘 동안에 일으키리라!'고 하셨다.

성전을 허는 이유는 세상의 옛것인 아담의 자손들이 세운 기존(既存)의 성전을 헐어버리고, 하나님이 예수 그리스도의 피로 새로운 성전을 십자가상에서 세우시기 위함이다. 이 교회가 바로 농부인 하나님께서 세우시는 성전인 교회이다.

'내가 사흘 동안에 일으키리라' 이 말씀은 십자가상에서 흘린 피를 인류라는 들포도나무에게 주어 그 피를 받은 한 사람, 한 사람 안에 교회를 세우신다는 말씀이다.

증언자 바울 사도는 **"내가 그리스도와 함께 십자가에 못 박혔나니 그런즉 이제는 내가 산 것이 아니요, 오직 내 안에 그리스도께서 사신 것이라. 이제 내가 육체 가운데 사는 것은 나를 사랑하사 나를 위하여 자기 몸을 버리신(주신) 하나님의 아들을 믿는 믿음 안에서 사는 것이라."**(갈2:20. 괄호 안 필자 삽입)고 하였다.

바울은 그리스도와 함께 죽었다고 증언한다. 죄의 몸을 죽이기 위해 십자가상에서 강도의 모습으로 죽고, 나를 사랑하사 자기 생명을 주신! '**오직 내 안에 그리스도께서 사신 것이라**'고 고백을 한다.

즉, 그리스도인은 사람, 사람마다 그리스도의 생명이 있어, 일인 일교회(一人 一教會)이다. 一人 교회란 그 사람 안에 그리스도의 생명 즉, 그리스도의 영이 있는 사람이니 이는 바로 '**접목되어 있는 사람**'(요1:12)이다. 하나님이 농부로서 세우신 교회는 **"음부(陰府)의 권세가 이기지 못하리라"** 하였으니 '음부'(천년의 악령을 쓴 류화의 전설과 같은 기운)도 이기지 못하는 교회이다. 왜 천년의 악명 높은 악귀도 이기지 못하는가? 그것은 그리스도인 안에 그리스도의 생명이 계시기 때문이다.

예수 그리스도의 생명인 피 흘림을 받은 그리스도인은 어떻게 예배하라고 하셨는가? **"이 산에서도 말고, 예루살렘에서도 말고, 너희가 아버지께 예배할 때가 이르리라"**(6:21,23) 하시고, "아버지께 참으로 예배하는 자들은 신령과 진정으로 예배할 때가 오나니 곧 이때라. 아버지께서는 이렇게 자기에게 예배하는 자들을 찾으시느니라"고 하셨다.

어떤 장소나 성전 - 교회가 아니고, **성전(聖殿) 된 몸으로 그리스도인이 서 있는 자리가 곧 교회요, 예배의 장소이다.**

증언자 바울 선생은 **"우리는 살아 계신 하나님의 성전(聖殿)이라. 이와 같이 하나님이 가라사대 내가 저희 가운데 거하며, 두루 행하여 나는 저희 하나님이 되고, 저희는 나의 백성이 되리라"**(고후6:16)고 하였으며, 또한 **"너희 몸이 그리스도의 지체(肢體)인 줄을 알지 못하느냐"**(고전6:15)고 하였다.

베드로는 처음에는 인간의 의지, 믿음, 마음의 다짐으로 예수 그리스도를 따를 것 같이 말하였지만, 그러한 일들이 자신의 세 번이나 부인하는 실패의 체험을 통해 사람의 마음이 참으로 부질없다는 것을 알게 되고, 자신의 배반을 통해 뼈를 깎는 아픔과 약행(弱行)을 통해 자기 자신에 대한 비애감을 철저히 알게 된다.

그래서 베드로는 예수 그리스도께서 피로 세우신 교회는 '사람들이 세우는 교회가 아니라 하나님께서 농부로써 세우시는 교회'란 것을 철저히 알게 된다. 그런데 이 부분에서 한국어 성서와 일본어 성서에 약간의 차이가 있다. 요한복음 1장 29절을 볼 때 한국어 성서는 **"보라, 세상 죄를 지고 가는 하나님의 어린 양**

이로다" 인데, 일본어 성서는 "세상 죄를 잡아 죽이는 하나님의 어린 양"이다. 곧 아담의 후손을 잡아 죽이는 것으로 되어 있다.

"その翌日　ヨハネは 自分の方へイエスが来られるの見て言った　見よ世の罪を取り除く神の小羊だ."

여기에서 罪を取り除く 이 부분의 우리말 성서는 '죄를 지고 가는' 으로 되어 있으나 일본어의 '罪'を(죄를) '取り' (도리)는 한국어로는 얻다, 받다, 잡다 등의 뜻이다. 한마디로 줄이면 '손으로 잡다' 즉, '죄를 잡아'로 번역할 수 있겠다.

'除く' (노죠꾸)는 '없애다, 치우다, 제거하다, 죽이다'로 번역할 수 있는데, 전체를 번역하면 "죄를 잡아 제거하는 하나님의 어린 양!"으로 본다. 죄를 잡아 없애는 일을 농부인 하나님이 하신다는 것이다.

그런데 예수께서 두 강도와 함께 십자가상에서 로마 군병에 의하여 못을 박아 죽임을 당하는데, 강도와 예수의 죽음의 의미가 각각 다르다는 것이다.

인류의 대표인 강도는 강도의 죄된 몸을 제거하기 위하여 위의 말씀처럼 "죄를 잡아 제거하는" 의미의 죽임을 당하는 것이고, 예수는 하나님의 아들, 어린양으로서 희생양의 피 - 곧, 참포도나무의 가지를 하나님이 취(取)하기 위하여 죽이는 것이다.

예수 그리스도의 수제자인 베드로에게 열쇠를 주신 것은 "너 베드로야, 네가 나 참포도나무와 들포도나무인 너희 인류가 십자가상에서 같이 죽어! 만남의 연결 고리 열쇠를 네게 주나니 네가 진리의 말! 천국 열쇠의 역할이 될 진리의 말을 찾아 '십자가의 사건'을 풀어 말하라"는 당부다.

이리하여 베드로는 예수께서 약속하신 천국에 들어가는 열쇠를 베드로전서 첫머리에서 이렇게 기록한다.

"예수 그리스도의 피뿌림을 얻기 위하여 택하심을 입은 자들에게 편지하노니"(1장 2절)

예수 그리스도가 십자가상에서 흘린 피를 얻기 위하여!

택하심을 입은 자(者)들에게 편지하노니!

위의 편지 내용은 예수 그리스도의 피가 우리에게 흘러들었다는 이야기이다. 곧, 예수 그리스도의 피가 그리스도와 나 자신과의 연결고리이자 열쇠이다.

이는 바로 **'천국을 들어가는 열쇠'**이다. 이렇게 정확하게 **'예수 그리스도의 피를 받기 위하여 택하심을 입은 자(者)들에게 편지하노니'**라고 한 증언은 베드로 외의 어떤 증언자들도 하지 않은 말이다. 이 말씀이 바로, 천국으로 들어가는 열쇠로 풀어 쓴 말이다.

예수 그리스도를 믿는 그리스도인은 예수 그리스도의 피가 내 몸과 내 마음에 있어 하늘 백성으로 거듭나서 하늘의 시민권을 갖게 된다.

베드로는 이어서 **"너희가 거듭난 것이 썩어질 씨로 된 것이 아니요, 썩지 아니할 '씨'로 된 것이니 하나님의 살아 있고 항상 있는 말씀으로 되었느니라."**(1:23)고 하였다.

위에서 '씨'는 곧, 피를 알기 쉽게 표현한 말이다. 베드로는 또 다시 놀라운 말을 한다.

"너희가 전에는 (하나님)백성이 아니더니, 이제는 하나님의 백성이요, 전에는 긍휼을 얻지 못하였더니 이제는 긍휼을 얻는 자(者)니라."(괄호 안은 저자 삽입)

정말 그렇다. 우리는 예수 그리스도의 피가 흘러들면서 접붙임 되어 참포도나무가지의 삶을 살아가게 되었으니 이가 바로 그리스도人이요, 그리스도教이다.

바울 사도 역시 로마서에서 '예수 그리스도의 생명이 우리 안에 와 계심'을 횟수를 헤아릴 수 없을 만큼 거듭하여 쓰고 있다. 로마서 전체가 예수 그리스도와 함께 죽고 함께 부활을 이야기하고 있다(롬 6:3, 6:5, 6:6, 6:8, 6:11, 8:11 등 로마서 전체와 바울 사도의 서신서 전체).

그러나 예수 그리스도께서 세우신 教會는 인간의 눈에 보이지 않으므로 사람들이 눈에 보이는 교회를 세우다 보니 베드로의 성당을 만들고, 거기에 얹어서 교황청을 만들어 스스로 교황에 오르곤 한다.

개신교(改新教) 또한 다르지 않다. 교단이라는 것이 있어 교단의 총회와 당회장을 두고, 많은 교회를 거느린다. 이 모두가 하나님이 세우신 교회와는 상관이 없는 교회지만, 사람들은 육의 눈에 보이므로 진정한 교회로 잘못 알고 섬기고 있다.

하나님의 우주만물 창조와 구원의 원리는 만남!

예수 그리스도가 십자가상에서 인류를 상징하는 좌·우의 강도와 함께 십자가에서 고통으로 죽은 지가 2천여 년이 지났는데도 세상은 그 때나 지금이나 변하지 못하고 지금까지 이 모양 이 꼴로 죄에 물들어 있다.

왜 이렇게 변화가 없는가? 그것은 인류! 곧 종교 개혁자들이 성서를 바르게 읽지 못하였기 때문이다. 다시 말하여 창조자 하나님은 만남의 원리로 우주만물을 창조하셨고, 인류의 구원도 만님의 원리로 이루어 놓으셨어도 하나님이 이루어 놓은 성서를 종교 개혁자들이 제대로 읽지 못했다는 데에 있다.

첫번째 인간 아담의 창조는 '흙과 하나님의 생기의 만남'으로 창조되었다.

"여호와 하나님이 흙으로 사람을 지으시고, 생기(生氣)를 그 코에 불어 넣으시니 생령(生靈)이 되었다"고 하였으니 이는 곧, '흙과 하나님의 생기의 만남'이다.

두번째 창조는 들포도나무인 인간과 참포도나무인 예수 그리스도와의 접목이다. 예수 그리스도 - 즉, 참포도나무가 십자가상에서 피를 흘려 죽으심으로 그 피가 들포도나무인 인간에게 흘러들어 '접붙임'을 받게 되면서 강도의 육신은 죽어 없어지고, 참포도나무 가지로 살게 되는 것이다. 이처럼 인류의 갱신도 참포도나무인 예수 그리스도와 인류인 들포도나무가 만남으로 생겨난 새로운 피조물이 그리스도인이다.

앞에서 살핀 대로, 인류를 구원하는 두번째 창조사업도 하나님이 농부로써 하신 일들인데, 천지창조의 원리와 조금도 다름없이 만남으로 이루어졌다. 하기야 만남으로 이루어진 것이 어디 인류의 재창조뿐이겠는가? 만물이 다 만남으로 이루어져서 생육 번성하는 것이 이치요, 이것을 자연과학으로 살펴볼 수도 있다. 즉, 만남이 없다면 단 하나의 생성(生成)도 이루어질 수 없는 일들이다.

그런데, 종교 개혁자 루터와 칼빈은 인류의 구원이 '대속(代贖)'이라는 '접붙임의 만남의 원리'와는 전혀 다른 논리로 인류 구원을 이야기해 왔다. 이 결과, 자연과학은 빛의 속도처럼 빠르게 발전하고 있건만 그리스도교(教)의 진리는 2천년 전이나 칼빈 이후나 지금이나 달라진 것 없이 계속 대속(代贖)만을 진리로 내세우고 있으니 과학을 조금이라도 아는 사람들이라면 웃지 않을 수 없을 것이다.

세상의 자연과학은 정말 빛의 속도로 하루가 다르게 발전하는데, 인류의 구원론은 루터의 대속론, 칼빈의 대속론, 우찌무라의 대속론, 김교신의 대속론등 대속론에서 한발자국도 앞으로 나가지 못하고, 오직 믿음으로만 구원이 된다고 앵무새처럼 반복하고 있다.

자연과학과 통하는 십자가의 진리는 '접붙임의 만남'이다.

성서를 어떻게 읽어야 하는가?

성서는 자연과학과 통하도록 읽어내야 한다. 하나님이 우주 만물을 '만남'의 원리로 창조하셨고, 만물의 영장인 최초의 인간 아담도 '흙과 하나님의 생기의 만남'으로 창조되었으니 이 만남의 원리로 인류 구원의 길도 찾아야 한다는 이야기이다.

'접붙임의 만남'이라는 인류 구원론이 곧 바울의 구원론이자 베드로의 구원론이다. 그런데 개혁자들이 성서를 잘 못 읽어 오늘과 같은 대 혼란의 세상이 계속되고 있는 것이다.

참다운 진리는 자연과학과 통하는 인류 구원론과 인류 갱신의 성서진리를 찾아 읽어내야 한다. 그러면 하나님은 더욱 놀라움의 전지전능의 창조주(創造主) 하나님으로 우뚝 서시게 될 것이다. 하나의 '만남'의 원리로 인류와 우주만물 창조주로 우뚝 서 계시고, 하나의 원리로 죄악에 물든 인류를 갱신하여 하늘 백성으로 다시 살게 하신 하나님의 능력에 어느 누가 고개를 숙이지 않으랴?

◯ 하나의 만남의 원리로 아담 창조

◯ 하나의 '접붙임의 만남'의 원리로 인류 재창조

◯ 자연의 우주만물이 만남의 원리로 생육 번성됨

◯ 모든 동식물이 만남으로 생육 번성됨

◯ 의술 또한 만남의 원리로 치유함 (현대 의학에서 외과 수술은 모두 *'접목의 만남'*의 원리를 이용한 수술이다. 병든 부위를 잘라내고, 병들지 않은 장기를 떼어서 이식하는 수술이 곧 접목이다. 병들어 못 쓰는 생명을 살리는 것 또한 접붙임의 만남의 원리이다.)

오백년 동안 그리스도敎 진리 발견이 정지됨

나는 2006년 휴전선 북쪽에 있는 금강산을 둘러볼 수 있었는데, 그때 북한의 사회 발전이 정지(停止)되어 있음을 보았다. 특히 북한 농촌이 그렇게 보였다. 1960년대의 남한의 농촌 모습을 그대로 옮겨놓은 듯하였다. 발전이 정지되어 있는 것은 북한 농촌만이 아니다. 세계 역사에서 그리스도敎의 眞理 發見 또한 오백년 동안 정지되어 있음을 본다. 왜 그리스도敎의 진리 발견이 정지되어 있다고 보는가?

성서 공부하는 사람이 성서를 깊이 보고 생각하여 자신의 생각을 글로 표현해 내놓는 것이 성서 공부인데, 성서공부 한다고 하는 사람들이 자신의 깊은 생각을 내놓기보다는 어거스턴, 마틴루터, 내촌감삼 등 선인들이 공부하였던 것을 그대로 베껴 내놓으면서 성서를 공부한다고 한다. 그러나 아니다. 자신이 본 성서보다는 남이 본 것을 그대로 베끼기 때문에 모두가 비슷비슷하다.

그렇기 때문에 새로운 진리가 보이지 않는 것이다.

마틴 루터의 종교개혁 이래 오백년이 지난 지금까지 과학은 눈부시게 발전하였는데 그리스도교 진리는 정지되어 있다. 과학은 수만 리 떨어진 곳에서도 무선 화상전화를 하는 시대로 발전하였으나, 그리스도教의 진리는 오백년 전의 생각에서 앞으로 나아가지 못하고 제자리걸음만을 하고 있다. 요한 웨슬레도, 워치만도, 내촌감삼도, 존 번연도 하나같이 루터가 공부했던 것을 답습하였기 때문이다.

그리스도교의 사정이 이러하기에 21세기 서방세계는 그리스도教를 외면하고 있다. 예수 그리스도의 십자가 진리를 과학이 인정할 때에 그리스도교는 더욱 발전할 수 있을 테지만, 과학이나 철학 쪽에서는 십자가의 대속을 인정하지 않고 있다.

마틴 루터가 예수 그리스도의 십자가의 죽음이 인류를 위하여 죽었다고 본 것은 타당한 이야기다. 그러나 그 죽음을 대속으로 본 것은 잘못이다. 예수의 십자가 죽음의 반쪽 진리이기 때문이다. 예수 그리스도의 십자가의 죽음이 인류를 구원하기 위한 죽음은 맞지만, 그 죽음이 대속의 의미가 아닌 "접붙임으로의 만남"의 죽음이다. 곧 예수와 인류가 함께 죽는 죽음이다. 이리하여 예수의 십자가 좌·우의 두 강도로 즉, 죄인의 모습으로 죽는다. 예수의 십자가 좌·우에서 강도가 죽는 것은 인류가 죽는 것의 표현인 것이다.

예수의 십자가 좌·우의 두 사람은 인류를 대표하는 죄인의 상징으로, 예수와 함께 죽는 것이 십자가 죽음의 의미이다. 이 두 사람은 자신들의 죄를 멸하기 위하여 죽고, 예수의 죽음은 가지를 잘라 그곳에 접붙임하는 죽음이다. 이렇기 때문에 바울은 로마서에서 우리가 예수와 같이 죽었다고 역설하고 있다.

"만일 우리가 그의 죽으심을 본받아 연합한 자가 되었으면 또한 그의 부활을 본받아 연합한 자가 되리라"(6:5) **"만일 우리가 그리스도와 함께 죽었으면 또한 그와 함께 살줄을 믿노니"**(6:8)

예수의 죽음이 대속이라면 예수만 죽고, 우리는 죽지 않아야 한다. 그런데 바울은 함께 죽었다고 수 없이 역설하고 있다.

"내가 그리스도와 함께 십자가에 못 박혔나니 그런즉 이제는 내가 산 것이 아니요, 오직 내 안에 (접붙임으로 오신) 그리스도께서 사신 것이라. 이제 내가 육체 가운데 사는 것은 나를 사랑하사 나를 위하여 자기 몸을 버리신 하나님의 아들을 믿는 믿음 안에서 사는 것이라."(갈2:20)(괄호 안은 필자 삽입)

뿐만 아니다. 심지어 바울은 **"나는 날마다 죽노라"**(고전15:31)고 말하고 있다. 예수가 우리를 위하여 죽었으면 우리는 죽지 않아도 되는 것이다. 그런데 바울은 '나는 날마다 죽노라' 하고 있는 것이다. 그것은 예수의 십자가의 죽음이 대속의 의미가 아니고 '접붙임의 만남'의 의미이기 때문이다.

지금까지 살펴본 대로 예수 그리스도의 십자가의 죽음은 엄연한 접붙임의 죽음인데도 계속 대속으로만 말함으로 서양의 그리스도敎는 차츰 없어지고 있다. 왜 서양의 그리스도교(敎)가 없어지고 있는가? 그것은 과학이 인정하지 못하기 때문이다. 사정이 이렇건만 한국과 일본의 그리스도敎가 그나마 유지되고 있는 것은 가정으로 돌아가자는 무교회론에 영향을 받아 이렇게라도 살아있다고 하겠다.

그러면 어떻게 성서공부를 하여야 그리스도교 진리가 발견이 되는가? 예를 들어 보자. 어느 사람이 무화과나무에 대해서 공부한다면 그 무화과나무를 자세히 보고, 그 생긴 모양을 깊이 생각하며, 생각했던 것을 글로 잘 표현하는 것이 무화과나무에 대한 공부일 터이다.

마찬가지로, 자신이 본 성서를 그대로 표현하여야 한다. 그런데 자신의 생각은 접어둔 채 누구는 이렇게, 누구는 저렇게 했다고 하면서 남의 공부를 복습이나 답습하는 것이 진정한 공부로 착각한다면 진리가 보일 리 없다.

선글라스 (sunglass)로 세상을 보면 유리의 색깔에 따라 한 가지 색(色)으로만 보인다.

예수 그리스도의 십자가의 진리를 대속의 信仰觀으로 보면서, 선글라스로 보는 것처럼 대속이라는 신앙관으로만 주해(註解)하여 왔다. 특히 그 색만이 정통(正統) 신앙이라고 하면서 조금이라도 다른 새로운 眞理는 이단(異端)으로 내몰기까지 하여 왔다.

正統 信仰!! 정통이라는 테두리를 만들고, 여기서 조금이라도 벗어나면 異端이라고 한다. 이 말은 그리스도教에서 제일 못된 말이다. 정통이란 너울을 쓴 교단(教團)에서 자신들을 위해 철망을 두르고, 거기에서 벗어나지 못하게 올가미를 매는 못된 일도 서슴지 않는다. 그런데도 성경 공부하는 사람들 중에는 종종 정통을 이야기하는 사람도 있다. 이것이 韓國 그리스도教의 現實이고, 世界 그리스도教의 실상(實狀)이니.(요한복음 공부 제63괴에서)

성서와 사람 땅덩어리는 유기체이다

○ 성서는 어느 곳을 읽어도 예수께서 십자가에서 흘린 피와 연관되어 있다.

◯ 사람의 몸은 어느 곳이나 상처가 나면 피가 나온다.

◯ 지구 땅덩어리도 어느 곳이나 파면 습기와 물이 나온다. 이것은 살아 있는 有機體이기 때문이다.

◯ 성서는 흙으로 지음을 받은 사람이 기록하였다.

때문에 성서를 공부하는 사람들은 선인들이 공부하였던 것들은 참고는 하되 변할 수 없는 진리로 생각지 말고, 사람의 몸과 땅에서 자라는 동식물들을 참고로 하면 잘못이 없을 것이다. 선인들이 공부한 결과들은 제 각기 시기와 생각들과 신앙의 양이 다르기 때문에 무조건 믿고 따를 대상이 아니다. 그럼에도 우리는 종교개혁 이후 육백년 동안 루터의 성서주장을 교과서로 삼아 왔다.

왜 성경말씀과 사람, 땅덩어리 지구를 有機體적으로 보는가? 그것은 '**흙으로 사람을 지으시고 생기를 그 코에 불어 넣으시니 사람이 생령이 된지라**'(창2:7) 하나님께서 처음 사람을 창조하실 때에 불어넣어 주신 생기로 지금까지 호흡하기 때문이다. 생기! 사람만 바람으로 호흡하는 것이 아니다. 만물이 이 생기 - 곧, 바람으로 숨을 쉬며 살아가는 것이다. 다시 말하여 "**흙으로 사람을 지으시고 그 코에 불어넣어 주신 생기로**" 인류와 만물은 호흡하며 살고 있다. 성경말씀은 그것을 인류에게 나에게 여러분에게 가르치고 있다. 이래서 성경말씀과 사람, 자연은 有機體이다.

성서를 공부하는 사람들이 성서를 깊이 읽고, 예수 그리스도를 깊이 생각하면서 자연을 볼 때 모든 자연이 성서적 진리를 보이고, 가르치고 있음을 알게 된다.

마틴 루터 이후 육백년 동안 그리스도인들이 성서를 공부한다고 하면서 성서공부는 하지 않고, 루터 신앙만을 연구하였기 때문에 루터의 신앙이 진리로 자리를 잡고, 더 나아간 진리의 발견은 정지되어 있는 것이다. 루터 이후에도 많은 사람들이 성서공부를 하였는데 루터 신앙에서 벗어나면 비판의 대상이 되고, 심지어는 이단으로 내몰림도 당했다. 루터 신앙에서 벗어나지 않는 공부가 정통 성서공부로 치부되어 왔으니 이 얼마나 어리석은 일들인가? 때문에 많은 사람들의 성서공부가 루터 신앙을 답습하는 데에만 머물고 있다.

왜 루터의 신앙관에서 벗어나는 공부를 하면 이단으로 내몰았는가? 그것은 종교적 세력가들이 기득권을 지키려는 술책에서였다. 그런데 이러한 일들이 무교회에서 마저도 일어나고 있다. 많은 사람들은 무교회라고 하면 기득권층이 없는 것으로 알고 있으나 그렇지 않다. 소위 「무교회」란 이름으로 잡지를 내고, 무교회 이름으로 성서 공부하는 사람들이 있는데, 이들은 무교회 내에서 선생으로 추앙을 받는다. 그렇기 때문에 그들은 이것을 놓지 않으려고 정통 신앙을 고집하며 새로운 말을 하는 사람들을 내몰고 있다. 이러한 생각들 때문에 오백년 동안 새로운 진리가 발견되지 못한 채 정체되어 있는 것이다. 그러나 아무리 기득권자들이 정통신앙을 수호하려고 하여도 하나님이 보여주시는 진리 발견은 누구도 막지 못한다. 당신이 보이시는 진리를 당신이 밝히시기 때문이다.

2015년 4월 10일 발표

〈제68과〉

나는 포도나무, 너희는 가지, 내 아버지는 농부!

본문 말씀 15:1~9

"[1]내가 참포도나무요 내 아버지는 그 농부라. [2]무릇 내게 있어 과실
을 맺지 아니하는 가지는 아버지께서 이를 제해 버리시고, 무릇 과실
을 맺는 가지는 더 과실을 맺게 하려하여 이를 깨끗케 하시느니라. [3]너
희는 내가 일러준 말로 이미 깨끗하였으니 [4]내 안에 거하라. 나도 너희
안에 거하리라. 가지가 포도나무에 붙어 있지 아니하면 절로 과실을 맺
을 수 없음 같이 너희도 내 안에 있지 아니하면 그러하리라. [5]나는 포
도나무요 너희는 가지니, 저가 내 안에 내가 저 안에 있으면 이 사람은
과실을 많이 맺나니 나를 떠나서는 너희가 아무 것도 할 수 없음이라.
[6]사람이 내 안에 거하지 아니하면 가지처럼 밖에 버리워 말라지나니 사
람들이 이것을 모아다가 불에 던져 사르느니라. [7]너희가 내 안에 거하
고 내 말이 너희 안에 거하면 무엇이든지 원하는 대로 구하라. 그리하
면 이루리라. [8]너희가 과실을 많이 맺으면 내 아버지께서 영광을 받으
실 것이요, 너희가 내 제자가 되리라. [9]아버지께서 나를 사랑하신 것 같
이 나도 너희를 사랑하였으니 나의 사랑 안에 거하라."

나는 포도나무, 너희는 가지, 내 아버지는 농부!!

세계적인 성서학자들은 성서66권 중 요한복음을 제일의 복음서로 보고, 서신서 중에서는 로마서와 베드로 전 후서를 중요하게 생각한다. 그러나 성서공부를 하는 사람들은 많아도 요한복음을 공부하는 사람은 그 수효가 매우 적다. 즉, 마태복음이나 로마서를 공부하는 사람은 많아도 요한복음을 공부하는 사람은 드물다는 말이다. 그렇다면 왜 이렇게 요한복음을 공부하는 사람이 적은가? 그것은 요한복음 말씀 안에는 대속의 논리로는 주해(註

解)하지 못하는 부분이 많이 있기 때문이다.

또한 서신서 중에서도 로마서를 공부하는 사람들은 많지만, 예수 그리스도의 수제자가 쓴 베드로 전·후서를 공부하는 사람은 전무(全無)하다고 볼 수 있다. 이 역시 베드로 전·후서에는 대속의 시각으로는 이해하지 못하는 부분이 많이 있기 때문이다. 세계적인 성서학자들은 요한복음과 로마서, 베드로 전·후서를 중요하게 생각을 하면서도 복음서 가운데 으뜸인 요한복음을 공부하지 않는 것은 요한복음을 논리로 주해할 수 없었기 때문이다. 대속의 시각으로 보면, 요한복음과 베드로 전·후서가 이해가 잘 되지 않는다. 그렇지만 접붙임의 시각으로 보면 요한복음과 로마서, 베드로서는 하나로 통하고 있다. 이는 로마서로부터 바울 선생의 서신서 전체가 접붙임의 시각으로 기록된 성서이기 때문이다. 같은 시각으로 성서를 보면, 창세기부터 요한계시록까지 66권이 하나의 진리(眞理)로 통한다.

이처럼 '대속'의 시각으로 성서공부를 하면, 요한복음과 베드로 전·후서가 걸림돌이 되지만, '접붙임의 만남'의 시각으로 보면 요한복음은 복음서의 으뜸이요, 베드로 전·후서는 서신서의 으뜸으로 우뚝 서게 된다. 따라서 로마서와 바울의 서신서는 우뚝 서 있는 요한복음과 베드로서의 증언서로 튼실하게 받치고 있음을 본다.

어떤 사람들은 로마서를 바울의 복음서라고 하는 사람도 있다. 예수 그리스도의 말씀이 복음서인데, 복음서를 증언한 로마서를 복음서로 보면 주객이 전도된다.

평생을 성서공부에 매진하였던 고 노평구 선생은 '**요한복음은 알지 못할 말씀들이 많이 있다**'고 하시며 "**예수께서 이르시되,**

내가 진실로, 진실로 너희에게 이르노니 인자의 살을 먹지 아니하고 인자의 피를 마시지 아니하면 너희 속에 (내) 생명이 없느니라"(괄호 안은 필자 삽입), 또 "내 살을 먹고 내 피를 마시는 자(者)는 영생을 가졌고, 마지막 날 내가 그를 다시 살리리니" (6:53,4) 등을 대속의 신앙관(信仰觀)으로는 도저히 풀 수 없다고 하셨다. 노 선생께서 '내 나이 70이 넘었는데도 알 수 없다' 고 하시던 모습이 선하다.

오늘 본문 말씀도 대속의 논리로는 풀 수 없는 말씀이다. "내가 포도나무, 내 아버지는 농부" "나는 포도나무, 너희는 가지" 라는 말씀 또한 대속의 논리로는 풀 수 없다. 대속의 신앙관으로는 무슨 말씀인지 알지 못한다는 것이다.

기성 교회에서는 "내가 포도나무 너희는 가지니 저가 내 안에, 내가 저 안에 있으면 이 사람은 과실을 많이 맺나니 나를 떠나서는 너희가 아무 것도 할 수 없음이라"는 5절 말씀을 들어 예수 그리스도가 교회의 머리! 곧 몸이니 가지는 교회에 있어야 가지의 역할을 할 수 있다고 하면서 교회 출석을 강조하는 웃지 못할 일들도 있다. 그 말대로라면 교회를 떠나서는 가지가 될 수 없다는 말이 된다.

그러나 예수 그리스도의 십자가 사건을 대속이 아닌, '접붙임의 만남'으로 보면 역시 "인자의 살을 먹지 아니하고 인자의 피를 마시지 아니하면 너희 속에 생명이 없느니라"고 하신 말씀의 뜻이 봄날에 눈이 녹듯 스르르 풀린다.

그러면 요한복음 6장 공부를 어떻게 하였는가? 다시 돌아보기로 한다.

예수의 살과 피를 어떻게 먹는가?

"예수 그리스도의 살과 피를 먹는 방법은 오직 한 가지 방법이 있다. 십자가상에서 우리 인류 한 사람, 한 사람이 행악者(들포도나무)로서 예수의 좌우에서 예수와 같이 죽임을 당함으로써, 우리 인류 아담의 자손은 자신의 죄를 멸하기 위하여 죽고, 예수는 우리 인류의 몸을 베어낸 곳에 당신의 살과 피를 접붙임 하기 위하여 그리스도! 참포도나무로서 죽는 일이다. 접붙임에 쓰일 참포도나무 가지를 우리에게 주시기 위해서다. 그 일은 농부인 하나님께서 장차 십자가상에서 행하실 일이다. 참포도나무 가지인 예수의 살과 피로 접붙임 받는 그것이 살과 피를 먹는 일이다."(공부 제29과에서)

그리스도인! 곧 믿는 사람은, 예수 그리스도를 자신의 생명의 근원으로 하는 영접이다. 그런데 이 예수의 살과 피의 말씀은 6장에서 예수 그리스도 자신이 '**생명의 떡**'이라는 '떡 기적'을 행하신 후에 이어진 말씀이다 '생명의 떡 기적'은 보리떡 다섯 개로 오천 명에게 떼어 나누어 주었는데, 이는 장차 십자가상에서 하나님이 예수 그리스도라는 생명의 떡을 당신의 손에 놓고 떼어 접붙임 하시는 것을 미리 보여주신 상징적인 사건이다.

'내기 포도나무요 너희는 가지'라는 밀씀도 집붙임으로 보면 당연히 예수 그리스도의 피가 우리 그리스도인의 몸에 흘러들므로 가지가 된다는 말씀이다. 이래서 예수 그리스도는 포도나무! 우리는 가지! 아버지는 그 접붙임의 일을 하시는 농부이시다. 농부께서 '다 이루어 놓은 진리'를 믿는 것이 십자가의 진리이다.

본문 공부

1절 "내가 참포도나무요 내 아버지는 그 농부라."

농부가 무슨 일을 하는가? 곧 포도나무 농장 일을 한다. 예수께서는 세상을 포도나무 농장으로 비유를 많이 하셨다. '아버지 하나님은 포도나무 농장을 경영하시는 농부'라는 비유도 그중에 하나다. 그렇다. 선견자(先見者)! 이사야가 본 대로 처음 창조 때에는 인류가 극상품 포도나무였으나, 아담의 범죄로 들포도나무로 전락하고 말았다(사5:2).

2절 "무릇 내게 있어 과실을 맺지 아니하는 가지는 아버지께서 이를 제해 버리시고, 무릇 과실을 맺는 가지는 더 과실을 맺게 하려하여 이를 깨끗케 하시느니라."

포도나무 가지들 가운데는 열매를 많이 맺을 가지가 있고, 그렇지 못할 가지가 있다. 농부가 포도나무 가지를 잘라낼 때에는 열매를 맺지 못할 가지를 제거한다는 말씀이다.

'과실을 맺는 가지는 더 과실을 맺게 하려하여 이를 깨끗케 하시느니라' 열매를 맺지 못할 가지는 제거하여 열매를 많이 맺을 가지가 열매 맺는데 지장이 없도록 햇볕이 잘 들게 하신다는 말씀이다.

3,4절 "너희는 내가 일러준 말로 이미 깨끗하였으니 ◇내 안에 거하라. 나도 너희 안에 거하리라. 가지가 포도나무에 붙어 있지 아니하면 절로 과실을 맺을 수 없음같이 너희도 내 안에 있지 아니하면 그러하리라."

오늘 공부의 본론(本論)으로, '너희'는 제자들이다. '나의 사랑하는 제자인 너희들은 내가 지금까지 일러준 말과, 가나 혼인집에서 내 피의 의미인 포도주를 마셨으므로 제거할 필요가 없는 좋은 가지'라고 하신다.

너희는 이미 좋은 가지이므로 '내 안에 거하라. 나도 너희 안에 거하리라'고 하신 것처럼 가지인 사람이 예수 그리스도 안에 거하고, 예수의 생명이 우리 사람 안에 살게 하려면 장차 십자가상에서 예수 그리스도라는 참포도나무로 하나님이 농부의 일을 하시는 접붙임의 사건이 있을 때에 이루어질 일들이다. 가나 혼인집에서의 포도주는 장차 십자가상에서 흘릴 예수 그리스도의 피의 상징이다.

여기서 요한복음 6장 33절을 상기해 보자. 예수께서 **'하나님의 떡은 하늘에서 내려 세상에게 생명을 주는 것'**이라고 하신다. 그러자 듣고 있던 무리가 **떡을 항상 먹을 수 있게 달라'**(34절)고 한다. 이 말을 들은 예수께서 말씀하신다. **'내가 곧 생명의 떡'**(35절)이라고. 또 **'내 살을 먹고 내 피를 마시는 者는 永生을 가졌고, 마지막 날에 내가 그를 다시 살리리니'**(54절) 라고 하신다. 이런 일을 농부인 아버지께서 십자가 사건을 통해 접붙임으로 하신다는 말씀이다.

5절 "나는 포도나무요 너희는 가지니 저가 내 안에, 내가 저 안에 있으면 이 사람은 과실을 많이 맺나니 나를 떠나서는 너희가 아무 것도 할 수 없음이라."

장차 십자가 사건을 통해 아버지께서 접붙임의 일을 하시면 나 예수는 포도나무요, 너희는 가지니 저가 내 안에 내가 저 안에 있을 것이며, 예수 그리스도의 생명으로 살면 **'이 사람은 과실을**

많이 맺는다. 나를 떠나서는 너희가 아무 것도 할 수 없다.' 이 말씀은 곧, 우리가 예수 그리스도 안에 있으면 그 분과 한 혈통이 된다는 말씀이다. 이러한 삶이 그리스도인의 삶이라고 말씀하신다. 예수 그리스도의 진리를 떠나서는 우리가 아무것도 할 수 없다.

6,7절 "사람이 내 안에 거하지 아니하면 가지처럼 밖에 버리워 말라지나니 사람들이 이것을 모아다가 불에 던져 사르느니라. ◇ 너희가 내 안에 거하고, 내 말이 너희 안에 거하면 무엇이든지 원하는 대로 구하라. 그리하면 이루리라."

참 그리스도인의 삶을 말씀하시고, 그리하지 못하면 열매를 맺지 못하는 가지처럼 잘라서 버린다는 말씀이다.

그리스도의 생명이 그리스도인 안에 있으면 모든 사물(事物)의 이치(자연과 과학)와 통합으로 **'무엇이든지 원하는 대로 구하면 그대로 이루어진다'**는 말씀이다.

8절 "너희가 과실을 많이 맺으면 내 아버지께서 영광을 받으실 것이요. 너희가 내 제자가 되리라."

예수 그리스도께서 십자가상에서 피를 흘려주시기 전(前)까지는 참 하나님의 사람! 참 그리스도인이 없었는데, 예수 그리스도의 생명을 받아 생명의 근원으로 영접하면 하나님! 곧 아버지께 영광을 돌리는 그리스도인이 많아져 '아버지께서는 영광을 받으실 것이요, 너희는 곧 내 형제요, 너희가 내 제자가 되리라'고 하신다.

9절 "아버지께서 나를 사랑하신 것 같이 나도 너희를 사랑하였으니 나의 사랑 안에 거하라."

예수 그리스도의 생명으로 사는 그리스도인들에게 놀라운 말씀을 하신다.

◯ **'아버지께서 나를 사랑하신 것 같이!'**

◯ **'나도 너희를 사랑하였으니'** 내 생명을 주면서까지 너희를 사랑하였다.

◯ **'나의 사랑 안에 거하라'** 내가 너희에게 흘려 준 피의 생명으로 살아라.

2015년 5월 10일 발표

〈제69과〉
내 기쁨이 너희 안에 충만하게 하려 함이니라

본문 말씀 15: 10~17

"10내가 아버지의 계명(교훈)을 지켜 그의 사랑 안에 거하는 것 같이 너희도 내 계명(교훈)을 지키면 내 사랑 안에 거하리라. 11내가 이것을 너희에게 이름은 내 기쁨이 너희 안에 있어 너희 기쁨을 충만(充滿)하게 하려 함이니라. 12내 교훈은 곧 내가 너희를 사랑한 것 같이 너희도 서로 사랑하라 하는 이것이니라. 13사람이 친구를 위하여 자기 목숨을 버리면 이에서 더 큰 사랑이 없나니 14너희가 나의 명하는 대로 행하면 곧 나의 친구라. 15이제부터는 너희를 종이라 하지 아니하리니, 종은 주인의 하는 것을 알지 못함이라. 너희를 친구라 하였노니 내가 내 아버지께 들은 것을 다 너희에게 알게 하였음이니라. 16너희가 나를 택한 것이 아니요, 내가 너희를 택하여 세웠나니 이는 너희로 가서 과실을 맺게 하고, 또 너희 과실이 항상 있게 하여 내 이름으로 아버지께 무엇을 구하든지 다 받게 하려 함이니라. 17내가 이것을 너희에게 명함은 너희로 서로 사랑하게 하려함이로다." (괄호 안은 저자 삽입)

내 기쁨이 너희 안에 充滿하게 하려 함이니라

예수 그리스도의 기쁨은 무슨 기쁨인가? 본문 말씀은 "내가 아버지의 교훈을 지켜 그(아버지)의 사랑 안에 거하는 것 같이, 너희도 내 교훈을 지키면 내 사랑 안에 거(居)하리라"는 말씀이다(계명을 교훈으로 읽음).

즉, 하나님이 인류의 조상 아담을 극상품으로 창조하셨는데, 아담이 범죄하면서 인류는 사탄의 지배를 받게 되었다. 하나님이 당신의 자녀를 창조하였는데 그 창조물은 사탄의 백성이 되어 들포도나무로 전락하여(롬3:23) 하나님께는 당신의 백성이 없게 되고, 하나님의 말씀을 듣는 사람은 더욱 없다고 이사야 선견자

(先見者)를 통해 하나님이 탄식하였다(이사야 1장).

그러나 예수 그리스도의 순종 - 곧, 아버지의 교훈을 따라 십자가상에서 인류를 갱신(更新)하는 죽음의 길을 걸으심으로 하나님은 농부로서 접붙임의 일을 하시어 들포도나무 농장(世上)을 참포도나무 농장(새 하늘과 새 땅)으로 바꾸는 일을 하시면서 얼마나 기뻐하실까? 하고 생각 할 때에, 예수 그리스도! 참포도나무의 기쁨은 어떠한 언어(言語)로도 표현 할 수 없는 기쁨이었을 것이다.

예수 그리스도께서는 처음 복음전도를 시작하실 때에 **"예루살렘 성전을 헐라! 그러면 내가 사흘 동안에 새 성전을 세우겠다"** 하시고, 곧 바로 찾아온 이스라엘 의회 의원이며 학문이 높은 '니고데모'에게 **"사람이 거듭나지 아니하면 하나님 나라를 볼 수 없다"**고 하신다. 이 거듭남이란 자기 자신 스스로 거듭나는 것이 아니고, 농부이신 하나님의 도움으로 들포도나무를 참포도나무로 바꾸는 마음으로부터의 시작이다. 이 갱신의 마음이 예수 그리스도의 '내 기쁨'이라는 말씀이다. 그래서 "너희가 나를 택한 것이 아니요, 내가 너희를 택하여 세웠나니" 아버지의 기쁜 마음을 전하기 위하여 '내가 너희를 택했다'고 하신다.

인류가 들포도나무에서 참포도나무로 갱신이 되면 본래(本來)의 하나님 백성으로 되어진다. 그것을 생각하면, 예수 그리스도의 십자가의 길은 기쁨의 길! 인류를 갱신하는 길이라는 것을 알게 되어 기쁨이 충만(充滿)하다는 말씀이다. '너희도 내가 전하여 준 하나님 아버지의 말씀(교훈)을 지켜 믿음으로 나를 받아들이면 내 기쁨이 너희의 기쁨이 되리라'는 말씀이다. 그래서 "너희가 나를 택한 것이 아니요 내가 너희를 택하여 세웠다"고 하신다.

그러면 예수 그리스도의 제자들과 인류는 무슨 기쁨인가? 장차 십자가상에서 피 흘려주시면 제자들과 우리의 영혼은 들포도나무에서 참포도나무의 생명을 받아 하늘 백성, 하나님의 백성, 하나님의 자녀(子女)가 되었다는 것을 믿어 기쁨이 충만(充滿)하게 되리라는 말씀이다.

이어서 예수께서는 제자들! 우리 신앙인들의 신분(身分) 상승(上昇)에 대한 말씀을 하신다.

'너희가 나의 명하는대로 행하면 곧 나의 친구라'

'이제부터는 너희를 종이라 하지 아니하리니'

'너희가 나를 택한 것이 아니요, 내가 너희를 택하여 세웠나니'

이 말씀들은 농부이신 아버지 하나님이 들포도나무를 참포도나무로 바꾸는 일을 하신다는, 장차 십자가상에서 이루어질 일에 대한 예언적인 말씀이다.

십자가의 접목으로 한 혈통이 된 후에는 '내 이름으로 아버지께 무엇을 구하든지 다 받게 하려 함이니라' 곧 제자들과 우리 그리스도인은 예수 그리스도와 아무런 차별이 없다는 말씀이다.

본문 공부

10절 "내가 아버지의 계명(교훈)을 지켜 그의 사랑 안에 거하는 것 같이 너희도 내 계명(교훈)을 지키면 내 사랑 안에 거하리라."

되풀이되는 말이지만, 유대교가 아닌 복음교(教)! 그리스도教에서는 자율이 생명의 근원이다. 하나님의 말씀을 따르는 것도 계명이 아니라 아버지의 교훈이 자율신경처럼 자율로 되어야 하기 때문에 계명이라고 읽지 않고 교훈으로 읽는다.

예수 그리스도께서 아버지의 교훈을 지켜! 아버지의 큰 사랑을 받아 늘 그분의 사랑 안에 살고 있다는 말씀이다. "너희도 내 계명(교훈)을 지키면 내 사랑 안에 거하리라." 너희 즉, 우리도 예수 그리스도의 교훈을 지키면 예수께서 하나님 아버지의 사랑 안에 산 것 같이 우리도 예수님의 사랑 안에 살게 된다는 말씀이다.

여기서 예수 그리스도의 교훈은 무엇인가? 예수 그리스도에 대하여 깊은 생각과 공부 - 즉 '예수 그리스도는 어떤 분인가?' 하는 관찰의 삶을 통해 예수 그리스도의 교훈을 찾아 믿고 따르는 삶이지, 결코 획일적인 계명이나 교리(教理)가 아니다.

11절 "내가 이것을 너희에게 이름은 내 기쁨이 너희 안에 있어 너희 기쁨을 충만(充滿)하게 하려함이니라."

그러면 아버지의 교훈은 무엇인가?

성서 66권 대부분이 예수 그리스도의 희생의 삶을 적고 있다. 곧, 어린 양과 참포도나무의 관련 기사들이다. 예언자 이사야는 이렇게 말하고 있다.

'그가 찔림은 우리의 허물을 인함이요'

'그가 상함은 우리의 죄악을 인함이라'

'그가 징계를 받음으로 우리가 평화를'

'그가 채찍에 맞음으로 우리가 나음을'(사53:5)

모두가 장차 십자가상에서 일어날 일들에 대한 예언이다. 이 예언을 이루는 예수 그리스도의 삶은 한마디로 십자가상에서 죽어야 하는 삶이다.

위의 예언의 삶에서 예수 그리스도는 기쁨이 충만하다고 말씀하신다. 왜 예수께서는 기쁨이 충만하였던가? 얼마 있지 않으면 아버지의 교훈을 이루려고 가기 때문이다. 아버지 하나님은 예수 그리스도의 생명을 인류 - 들포도나무들에게 나누어 주는 삶을 바라시기 때문이다(6:33). 그런데 예수 그리스도의 기쁨이 너희의 기쁨이 되게, 곧 충만(充滿)하게 하려 함이라는 말씀이다. 왜 우리의 기쁨도 충만하게 되는가? 그것은 땅의 사람이 하늘 사람 - 즉, 하나님의 아들이 되기 때문이다.

12절 "내 교훈은 곧 내가 너희를 사랑한 것 같이 너희도 서로 사랑하라 하는 이것이니라."

여기서 '내 교훈'은 무슨 말인가? '서로 사랑하라'는 말씀이다. 예수님이 아버지께 받은 교훈대로 우리 인류를 사랑하셨는데, 그 사랑은 곧 자신의 생명을 주는 사랑이다.

예수님의 사랑은 십자가상에서 자신의 살을 갈기갈기 떼어서 접붙임의 가지로 희생의 생명을 주는 사랑인데, 그 희생이 인류에게는 생명이 되는 하늘나라의 생명체인 진액의 피다.

'너희도 서로 사랑하라 하는 이것이니라.' 여기서 사랑에 두 의미가 있다.

- 예수 그리스도께서 십자가상에서 흘린 사랑의 피는 인류 갱신(更新)의 사랑이다.

- '너희도 서로 사랑하라'는 사랑은 혈통의 사랑이다. 예수 그리스도가 십자가상에서 흘릴 피를 받을 사람들이다. 다시 말해 한 혈통의 우애의 사랑이다.

13,4절 "사람이 친구를 위하여 자기 목숨을 버리면 이에서 더 큰 사랑이 없나니 ◇너희가 나의 명하는 대로 행하면 곧 나의 친구라."

13절은 앞절에 대한 구체적인 말씀이다. '사람이 친구를 위하여 자기 목숨을 버리면' 곧 예수 그리스도께서 십자가상에서 죽는 죽음은 친구인 인류를 위하여 죽는 죽음이라는 설명이다.

세상에서나 하늘나라에서나 친구를 위하여 죽는 사랑보다 더 큰 사랑은 없다. 이는 최고의 사랑인 희생에 대한 말씀이다.

'나의 명하는 대로 행하면' 이란 무슨 말씀인가? 참으로 어려운 말씀이다. 앞의 10절에서 언급한 대로 당신의 교훈을 깊이 생각하고 믿으면 누구나 나의 친구라는 말씀이다. 그러면 무엇을 믿어야 하는가? 십자가상에서의 희생! 즉 생명을 인류인 우리! 나 자신에게 주기 위하여 예수께서 죽었다는 것을 믿으면! 믿음으로 받으면! 친구가 된다는 말씀이다.

15절 "이제부터는 너희를 종이라 하지 아니하리니, 종은 주인의 하는 것을 알지 못함이라. 너희를 친구라 하였노니 내가 내 아버지께 들은 것을 다 너희에게 알게 하였음이니라."

정말 좋은 말씀이다. 인류에게 우리에게 나에게 참으로 좋은 말씀이다. '이제부터는 너희를 종이라 하지 아니하리니' 십자가상에서 예수 그리스도 당신의 생명을 받을 테니 이제부터는 종이 아니라고 하신다. 왜? 종은 주인의 하는 것을 알지 못하는데, 예수께서는 우리에게 하나님 아버지의 말씀을 알려주셨으므로 "너희는 한 혈통의 친구요, 형제"라고 하신다. 나! 예수의 생각뿐만 아니라 아버지의 말씀도 알게 되었으니 너희, 곧 우리가 친구요, 형제자매라는 예수님의 말씀이다.

16절 "너희가 나를 택한 것이 아니요, 내가 너희를 택하여 세웠나니 이는 너희로 가서 과실을 맺게 하고, 또 너희 과실이 항상 있게 하여 내 이름으로 아버지께 무엇을 구하든지 다 받게 하려 함이니라."

십자가상에서 예수 그리스도와 같이 죽어, 예수 그리스도의 생명을 받아 친구 형제가 되었다고 자만(自慢) 할 수 있으니 자만하지 말라고 경계의 말씀을 하신다. '너희가 나를 택한 것이 아니요, 내가 너희를 택하여 세웠나니' 예수께서 우리를, 나를 택하여 세웠다고 하신다. 오직 은혜로 된 친구요, 형제라는 말이다. 또한 그리스도의 생명이다. 수제자 베드로는 '예수 그리스도의 피 뿌림을 얻기 위하여 택하심을 입은 자들에게' 편지한다(벧전1:2)고 하였다.

'내가 너희를 택하여 세운' 것은 '너희로 가서 과실을 맺게 하고, 또 너희 과실이 항상 있게' 하기 위한 - 즉, 충실한 예수 그리스도인(人)의 삶을 말씀하신다. 그렇게 그리스도인의 삶을 산 사람은 '내 이름으로 아버지께 무엇을 구하든지 다 받게 하려 함'이라는 말씀대로 예수 그리스도 자신과 같이 우리 그리스도인도 다 받게 한다는 뜻이기도 하다.

17절 "내가 이것을 너희에게 명함은 너희로 서로 사랑하게 하려 함이로다."

오늘 공부의 결론 말씀이다. '너희로 서로 사랑하게 하려함'이라고 하신다. 우리가 서로서로 사랑하면 이 땅과 하늘나라에서 새로운 세상이 만들어진다는 말씀이다.

곧, 새 하늘과 새 땅은 예수 그리스도의 생명이 있는 사람들의 삶의 공간이 도래(到來)한다는 뜻이다.

2015년 6월 10일 발표

〈제70과〉
"나, 예수의 생명이 있는 너희도 핍박을 받는다"는 예고

본문 말씀 15:18~27

"18세상이 너희를 미워하면 너희보다 먼저 나를 미워한 줄을 알라.
19너희가 세상에 속하였으면 세상이 자기의 것을 사랑할 터이나 너희는
세상에 속한 자가 아니요, 도리어 세상에서 나의 택함을 입은 자인고로
세상이 너희를 미워하느니라. 20내가 너희더러 종이 주인보다 더 크지
못하다 한 말을 기억하라. 사람들이 나를 핍박하였은 즉 너희도 핍박
할 터이요, 내 말을 지켰은즉 너희 말도 지킬 터이라. 21그러나 사람들
이 내 이름을 인하여 이 모든 일을 너희에게 하리니 이는 나 보내신 이
를 알지 못함이니라. 22내가 와서 저희에게 말하지 아니하였다면 죄가
없었으려니와 지금은 그 죄를 핑계할 수 없느니라. 23나를 미워하는 자
는 또 내 아버지를 미워하느니라. 24내가 아무도 못한 일을 저희 중에
서 하지 아니하였다면 저희가 죄 없었으려니와 지금은 저희가 나와 및
내 아버지를 보았고 또 미워하였도다. 25그러나 이는 저희 율법에 기록
된바 저희가 연고 없이 나를 미워하였다 한 말을 응하게 하려 함이니
라. 26내가 아버지께로서 너희에게 보낼 보혜사 곧, 아버지께로서 나오
시는 진리의 성령이 오실 때에 그가 나를 증거하실 것이요 27너희도 처
음부터 나와 함께 있었으므로 증거하느니라."

나의 생명이 있는 너희도 핍박을 받는다

예수께서 '하나님의 떡은 하늘에서 내려 세상에게 생명을 주는 것'이라 하시니 곧 저희가 가로되 **'주여! 이 떡을 항상 우리에게 주소서'**(요6:33)라고 말한다. 떡을 항상 달라는 요구에 예수께서는 **'나는 하늘로서 내려온 산 떡이니 사람이 이 떡을 먹으면 영생하리라. 나의 줄 떡은 곧 세상의 생명을 위한 내 살이로라.'**

하시고 곧 바로, 진실로, 진실로를 연발하시며 "[53]인자의 살을 먹지 아니하고 인자의 피를 마시지 아니하면 너희 속에 (나의) 생명이 없느니라. [54]내 살을 먹고 내 피를 마시는 자는 영생을 가졌고, 마지막 날에 내가 그를 다시 살리리니 [55]내 살은 참된 양식이요, 내 피는 참된 음료로다. [56]내 살을 먹고 내 피를 마시는 자는 내 안에 거하고 나도 그 안에 거하나니 [57]살아계신 아버지께서 나를 보내시매 내가 아버지로 인하여 사는 것 같이 나를 먹는 그 사람도 나로 인하여 살리라"(요6:53~57)고 하신다(괄호 안은 필자 삽입).

위의 말씀은 장차, 십자가상에서 하나님! 즉, 농부께서 하실 접붙임의 일들을 예언적으로 하신 말씀이다. 곧 떡으로 오신 예수 그리스도를 인류의 생명, 우리들의 생명, 나의 생명으로 영접! 곧 믿음으로의 영접을 말씀하신다.

베드로는 예수 그리스도에 대하여 두 갈래의 관(觀)이 있었다.

첫째 관 ; 예수 그리스도가 십자가상에서 돌아기시기 전까지는 스승 예수 그리스도를 '진리(眞理)를 혁명(革命)의 도구로 하여 로마제국의 식민(植民)통치에서 벗어나게 할 유대민족의 해방자(解放者)'로 생각을 하고 있다가 스승이 힘 한번 써보지 않고 무기력하게 잡혀가게 되니 '그를 알지 못한다'고 부인하였다.

둘째 관 ; 예수께서 십자가에 매달리게 되고, 매달린 스승 예수 그리스도의 피가 한 방울! 한 방울! 떨어지게 되자 그제야 스승이 자신에게 흘려주는 생명의 피로 알게 되었다.

하나님의 아들! 예수가 흘리는 피는 참포도나무 가지의 진액으로써, 아담의 자손 들포도나무와의 접붙임의 피임을 깊이깊이 관찰(觀察)한 수제자 베드로는 자신이 쓴 베드로전서에서 다음과 같이 증언하고 있다.

증언 하나 ; "하나님 아버지의 미리 아심으로 순종함과 예수 그리스도의 피 뿌림을 얻기 위하여 택하심을 입은 者들에게 편지하노니"(1:2)

십자가상에서 피 흘림을 받기위해 '그리스도인은 택함을 입은 자들'이라고 증언하고 있다.

증언 둘 ; "너희가 거듭난 것은 썩어질 씨(血) 된 것이 아니요 썩지 아니할 씨(생명의 피)로 된 것이니 하나님의 살아있고 항상 있는 말씀(생명)으로 되었느니라."(1:23)

증언 셋 ; "너희가 전에는 하나님의 백성이 아니더니 (그리스도의 피를 받지 않았으므로) 이제는 (피를 받았으므로) 하나님의 백성이요, (피를 받기) 전에는 긍휼을 얻지 못하였더니, (피를 받았으므로) 이제는 긍휼을 얻는 者니라."(2:10) (괄호 안은 필자 삽입)

바울 선생은 베드로와 같은 증언자로서 예수 그리스도가 피 흘려주시고, 베드로가 '그 피를 인류에게 흘려주는 피'라고 관찰한 것을 포함하여 증언자로 서 있다. "내가 그리스도와 함께 십자가에 못 박혔나니 그런즉 이제는 내가 산 것이 아니요, 오직 내 안에 그리스도께서 사신 것은 나를 사랑하사 나를 위하여 자기 몸을 버리신(주신) 하나님의 아들을 믿는 믿음 안에 사는 것이다."(갈2:20)

"그런즉 누구든지 그리스도 안에 있으면 새로운 피조물(被造物)이라. 이전 것은 지나갔으니 보라 새것이 되었도다."(고후5:17)

바울 선생이 기록한 서신서 13권 모두가 그리스도와 함께 인류가 죽고, 예수 그리스도의 부활을 힘입어 다시 살았다는 부활 신앙을 기록하고 있다.

오늘의 공부는 위의 본문 말씀을 (믿지 않는 저희들이) 다 들었으므로 저희! 세상 사람들은 핑계할 수 없다는 것을 말씀하신 부분에 대한 공부이다.

본문 공부

18절 "세상이 너희를 미워하면 너희보다 먼저 나를 미워한 줄을 알라."

지난 69과에서 공부한 신앙인들의 신분 상승에 관한 말씀에 이어서 예수께서 말씀하신다.

세상은 너희를 미워할 것이다. 왜냐하면, 너희는 나의 생명의 떡을 받았기 때문이다. 오천 명이 먹었던 생명의 떡은 나 예수가 준 것이 아니라 농부이신 하나님이 떼어주신 나의 살이었다. 이 떡은 장차(將次) 십자가상에서 아버지가 나누어 주실 상징이다.

19절 "너희가 세상에 속하였으면 세상은 자기의 것을 사랑할 터이니 너희는 세상에 속한 자가 아니요, 도리어 세상에서 나의 택함을 입은 자인고로 세상이 너희를 미워하느니라."

세상은 앞으로 너희를 미워할 터인데, 그 원인은 '너희가 나의 생명의 떡을 먹었기에 세상 사람들과는 다른 존재이기 때문'이라고 말씀하신다.

"너희는 세상에 속한 자가 아니요, 도리어 세상에서 나의 택함을 입은 자인고로 세상이 너희를 미워하느니라." 라는 말씀처럼 실질적으로 십자가의 사건은 예수 그리스도의 생명을 우리 인류! 죄인들이 받게 되는 사건이다. 그러므로 세상이 우리를 미워하는 것은 당연한 일이다.

20절 "내가 너희더러 종이 주인보다 더 크지 못하다 한 말을 기억하라. 사람들이 나를 핍박하였은즉 너희도 핍박할 터이요, 내 말을 지켰은 즉 너희 말도 지킬 터이라."

"내가 지난날에 종이 주인보다 더 크지 못하다고 했던 말을 기억하라"고 하신다. 주인도 세상이 미워하고 있으니, 당연히 나의 생명의 떡을 먹은 너희도 주인과 같이 미워할 줄 알라는 말씀이다. 또한 "사람들이 나를 핍박하였은 즉 너희도 핍박할 터이요, 내 말을 지켰은 즉 너희 말도 지킬 터이라"고 하신다.

이 말씀은 두 가지로 간추릴 수 있겠다.

첫째, 세상이 나를 핍박하였은 즉 너희도 핍박할 것이다.

둘째, 나 예수의 말을 너희가 지켰은 즉, 너희의 말도 지킬 것이다. 곧, 전도자의 말도 지킨다는 말씀이다.

예수 그리스도와 우리 믿는 사람들을 하나로 세상이 본다는 말씀이다.

21절 "그러나 사람들이 내 이름을 인하여 이 모든 일을 너희에게 하리니 이는 나 보내신 이를 알지 못함이니라."

앞에서 하신 말씀을 알아듣기 쉽게 되풀이하신다. 예수 그리스도의 이름으로 인하여 발생할 일들은 모두 너희 즉, 우리에게도 적용된다는 말씀이다.

세상이 우리에게 하는 것은 세상이 예수 그리스도를 이 땅에 보내신 아버지의 뜻을 알지 못하기 때문이라고 하신다.

이는 예수 그리스도가 저희를 거듭나게 하는 생명의 떡이라는 것을 세상이 알지 못하기 때문이라는 말씀이다.

22절 "내가 와서 저희에게 말하지 아니하였다면 죄가 없었으려니와 지금은 그 죄를 핑계할 수 없느니라."

정말 중요한 말씀을 하신다. 예수께서 세상 사람들에게 **"나는 너희의 생명의 떡으로 왔다"**는 (6장의 복음의) 말씀을 하지 아니하였으면 너희가 나를 알 수 없어 죄가 없다고 할 수 있다. 그러나 나는 처음부터 저희에게 말하여 왔다. 나는 하늘에서 와서 너희에게 생명을 주는 생명의 떡이라고. 그러니 이제는 이 말을 듣지 않았다고 핑계할 수 없다"고 하신다.

또한 실질적으로 십자가의 사건을 통해 아버지는 접붙임의 일을 다 하시고, **"다 이루었다!!"** 곧 접붙임의 일을 다 하였다고 하신 후 돌아가신다(19:30).

23절 "나를 미워하는 자는 또 내 아버지를 미워하느니라."

예수 그리스도를 미워하는 것은 내 아버지 즉, 예수 그리스도를 보내신 하나님을 미워하는 일이라고 하신다.

그런데 19절에서 '너희는 세상에 속한 자가 아니요, 도리어 세상에서 나의 택함을 입은 자인고로 세상이 너희를 미워하느니라'고 하였다.

세상은 예수 그리스도에게 속한 우리 그리스도인을 미워하고, 예수 그리스도도 십자가에 못 박아 죽이고, 또한 아버지도 미워한다는 말씀이다.

이 말씀은 곧 그리스도의 떡을 십자가의 사건으로 받은 사람은 하늘의 백성으로, 아버지 농부와 아들 예수 그리스도와 그리스도인은 하나의 혈통임을 설명하고 있다. 그래서 세상은 이를 미워한다는 말씀이다.

24,5절 "내가 아무도 못한 일을 저희 중에서 하지 아니하였다면 저희가 죄 없었으려니와 지금은 저희가 나와 및 내 아버지를 보았고 또 미워하였도다. ◇그러나 이는 저희 율법에 기록된바 저희가 연고 없이 나를 미워하였다한 말을 응하게 하려 함이니라."

아무도 하지 못할 일! 예수께서 세상에서 인류를 새롭게 바꾸는 갱신(更新)의 일을 다 하지 않으셨다면 믿지 않는 사람들에게 죄가 없을 수 있다. 그러나 잠시 후면 갱신의 일을 십자가를 통해 할 것이고, 또한 "나와 아버지를 보았어도 미워하였다"고 저들의 죄목을 말씀하고 계신다.

이어서 세상 사람들이 예수 그리스도! 하나님 아버지! 우리 그리스도인을 미워한 것은 성서의 예언을 이루기 위함이라고 하신다(시편 35:19).

26절 "내가 아버지께로서 너희에게 보낼 보혜사 곧 아버지께로서 나오시는 진리의 성령이 오실 때에 그가 나를 증거하실 것이요"

'내가 아버지께로서' 이 말씀은 무슨 말씀인가? 24절의 '나와 및 내 아버지를 보았고' 이 말대로 아버지와 자신은 같다는 말씀이다.

아버지와 자신이 보낼 보혜사 곧, "아버지께로서 나오시는 진리의 성령이 오실 때에 그가 나를 증거 하실 것"이라고 하신다. 우리들의 마음과 대화하실 보혜사가 오신다는 말씀이다.

27절 "너희도 처음부터 나와 함께 있었으므로 증거하느니라."

'너희들' 즉, 예수의 제자들과 예수를 믿는 우리 그리스도인들은 복음을 듣는 날부터 나와 함께 있어 예수 그리스도를 증거 한다는 말씀이다.

나 자신이 이렇게 성서공부를 하는 일도 예수 그리스도의 일을 증언하는 일이 아니겠는가.

2015년 7월 10일 발표

〈제71과〉
누가 예수 그리스도인을 핍박하였던가?

본문 말씀 16:1~4

"[1]내가 이것을 너희에게 이름은 너희로 실족지 않게 하려 함이니 [2]
사람들이 너희를 출회(黜會)할 뿐 아니라 때가 이르면 무릇 너희를 죽
이는 자(者)가 생각하기를 '이것이 하나님을 섬기는 예(例)라' 하리라.
[3]저희가 이런 일을 할 것은 아버지와 나를 알지 못함이라. [4]오직 너희
에게 이 말을 이른 것은 너희로 그 때를 당하면 내가 너희에게 이 말한
것을 기억나게 하려 함이요, 처음부터 이 말을 하지 아니한 것은 내가
너희와 함께 있었음이니라."

누가! 예수 그리스도인을 핍박하였던가?

통상 예수 그리스도를 믿는 그리스도인을 핍박하는 사람들은 예수 그리스도를 알지 못하는 사람, 또는 무신론자(無神論者)라고 생각할 수 있다. 그런데 그리스도教의 역사를 보면 하나님 - 곧 예수 그리스도를 잘 믿는다고 하는 사람들이 오히려 그리스도人들을 핍박하고 죽였음을 본다.

유대교를 보아도 그렇다. 예수 그리스도를 십자가에 매달아 죽인 사람들은 유일신(唯一神)인 하나님을 잘 섬긴다는 유대인들이었다. 예수님 사후에 그리스도를 따르는 초대교회 교인들을 핍박한 자들도 제사장들이었다. 하지만, 저들의 하수인이었던 사울은 예수 그리스도를 믿는 사람들을 죽이려고 다메섹으로 가는 도중에 극적으로 예수 그리스도를 만남으로써 회심하여 예수를 믿게 되고, 이름도 바울로 바꾸어 그리스도교의 전파자가 되었

다.

중세기에 와서는 인류역사에서 가장 소름끼치는 그리스도인 핍박이 개혁자라고 하는 '칼뱅'이라는 살인마(殺人魔)에 의해서 저질러졌다.

"칼뱅의 예정설에 공공연히 반대한 한 남자는 도시의 거리를 끌려다니면서 피가 날 때까지 채찍질을 당하고 난 뒤 화형에 처해졌고, 술에 취해 칼뱅을 욕한 어떤 출판업자는 불타는 쇠꼬챙이로 혀를 찔린 후 도시에서 추방당했다. 자크 그뤼에라는 사람은 칼뱅을 위선자라고 불렀다는 이유만으로 고문을 받은 후 처형당했다. 어떤 시민은 '칼뱅 선생님' 이라고 부르지 않고 '칼뱅 씨'라고 불렀다는 이유로 감옥에 갇히기도 했다.

이런 사례는 셀 수 없을 만큼 많다.

칼뱅이 제네바에서 사실상의 통치자로 있던 처음 5년 동안 이 도시에서 칼뱅을 의심했다는 혐의로 13명이 교수대에 매달리고, 10명의 목이 잘렸으며, 35명이 화형당하고, 76명이 추방당했다."

이 때에 "종교적 견해가 다르다"는 이유로 신학자 세르베투스가 화형에 처해진 것은 널리 알려진 역사적 사실이다. 칼뱅의 세르베투스 처형은 볼테르의 말대로 개신교에서 일어난 최초의 '종교적 살인' 이었다. 그것은 개신교 본래의 이념을 부정한 사건이었다. 사실 '이단자'라는 개념 자체가 개신교의 가르침에 맞지 않는다. ***"개신교는 모든 사람에게 성서 해석에 대한 자유로운 권리를 인정했다."*** -박상익 교수의 「나의 서양사 편력」(종교가 권력이 될 때 얼마나 무섭게 변질되는가) 중에서

이러한 교단의 핍박은 지금도 끊이지 않고 있다. '교회 안에만 하나님이 계신다'는 기성 교회들의 폐해를 넘어서자는 무교회에

서조차도 이런 핍박이 일어나고 있는 것이다. 한국 무교회는 '임중기의 진리(眞理) 발견(發見)'을 '이단시' 하여 신앙적 절교(絶交)를 선언한 채 오늘에 이르고 있다. 뿐만 아니다. 자신들끼리 모여 "임중기가 왜 선생인가? 시장에서 물건을 파는 장사치에 불과하다"라고 했는지 성서잡지들을 보내올 때에 겉봉에 '임중기 선생님' 대신 '임중기님'이라고 표기하여 잡지가 오기 시작했다. 내가 언제 나의 대한 호칭을 선생으로 해달라고 저들에게 말하였던가?

구약시대 "아마샤가 또 아모스에게 이르되 선견자야 너는 유다 땅으로 도망하여 가서 거기서나 떡을 먹으며 거기서나 예언하고,/다시는 벧엘(수도)에서 예언하지 말라. 이는 왕의 성소요! 왕의 궁임이니라./아모스가 아마샤에게 대답하여 가로되 나는 선지자가 아니며 선지자의 아들도 아니요,/나는 목자요 뽕나무를 배양하는 자로서 양떼를 따를 때에 여호와께서 나를 데려다가 내게 이르시기를 '가서 내 백성 이스라엘에게 예언하라!' 하셨나니"(아모스 7:12-15)

아모스는 '변방으로 가서 예언하라'고 압박하는 아마샤에게 이렇게 말한다. '나는 선견자가 아니요, 목자요 뽕나무를 기르는 농사꾼이라'고. 나는 아모스가 왜 그렇게 말하였는지 알 것 같다.

우편물에서 나에 대한 호칭이 바뀐 지 6년이 지닌 요즘에 어떤 우편물은 '님'이라는 호칭 대신 '선생님'으로 고쳐 보내와서 씁쓸한 웃음을 짓는 때가 있다.

예수 그리스도께서 사후 제자들의 안전이 염려되어 훗날에 있을 일들을 미리 말씀해 주신 것은 제자들을 끝까지 사랑하시는 주님의 은혜로, 감사와 감격으로 공부를 하여야 할 일이다.

오늘 공부는 예수께서 당신 사후에 있을 제자들 - 그리스도인들에게 닥쳐올 고통을 아시고, 하나님 아버지와 아들인 자신을 알지 못한 저들이 행할 극악무도함을 예언하는 가르침이다. 이런 일이 있을 때에 자신의 말을 기억하여 그 핍박을 피해가라는 말씀이다. 예수께서 십자가에 매달리신 지 2천년이 지난 지금도 예수 그리스도를 잘못 믿으면 살인마가 될 수 있고, 죽어서 천국에 가기는 고사하고 지옥 밑창에도 못갈 것이다.

예수 그리스도께서는 저들이 너희를 핍박하는 것은 '아버지와 나를 알지 못함이라'고 하셨다. 예수 그리스도를 믿는다는 것은 오직 창조주 하나님을 제대로 알고 믿는 일이다. 그 생명! 창조주의 생명을 받는 사람들이 믿는 일이다.

新 요한복음 공부는 창조주 아버지와 그 아들로 오신 우리의 생명의 근원을 영접하여 접목으로 생명을 받은 사람! 하나님의 생명이 있는 者들이 한 혈통의 아버지를 아버지로 불러야 한다는 것을 알아가는 공부이다.

본문 공부

1,2절 "내가 이것을 너희에게 이름은 너희로 실족지 않게 하려 함이니 ◇사람들이 너희를 출회(黜會)할 뿐아니라 때가 이르면 무릇 너희를 죽이는 자(者)가 생각하기를 이것이 하나님을 섬기는 예(例)라 하리라."

예수 그리스도께서 당신의 사후에 일어날 일을 예고하는 말씀이다. 왜? 핍박하는 자들에게 실족! 곧 죽음을 당할 수 있기에 하시는 말씀이다.

'사람들이 너희를 출회할 뿐아니라' 여기서 '사람들'은 누구인가? 지금까지 예수 그리스도를 함께 믿으니 같은 형제요 자매라고 하던 사람들이다. 그들이 너희를 출회(黜會)! 모임이나 단체 또는 나라에서 쫓아낸다는 말이다.

거기에다 출회(黜會)뿐만 아니라, 저들이 생각하기를 너희를 죽이는 일이 하나님의 뜻에 따르는 예(例)라고 할 것이다.

그러면 예수 그리스도를 참으로 믿는다고 하는 사람은 어떤 사람인가?

◯ 절대로 전쟁을 반대하는 사고(思考)와 평화주의 사람!

◯ 사람을 죽이는 일에 절대로 '아니다!'라고 할 수 있는 사람!

◯ 인종 차별을 하지 않는 사람!

◯ 동식물의 생명의 가치를 알고 더불어 사는 사람!

위의 사람들이 기본적으로 예수 그리스도를 믿는 사람으로 보아야 한다.

전에 어떤 분은 '북한 사람들은 모두 마귀 새끼'라고 하며 '다 죽여 없애야 한다'고 열을 올리는 것을 보았다. 물론, 육이오를 겪은 세대에서 북한 사람들은 모두 공산주의자로 보고 하는 말인지는 모른다. 하지만, 이는 아버지 하나님의 인류 갱신의 사랑을 알지 못한 데서 오는 무서운 오해가 아닐까.

3절 "저희가 이런 일을 할 것은 아버지와 나를 알지 못함이라."

참으로 간단명료하다. 앞 절에서 일어날 일들은 우리 인류의 생명의 근원이신 '아버지와 나'를 알지 못하기 때문이라고 하신다.

예수 그리스도를 바로 알고 믿으면, 제일 먼저 변하는 것이 가치관(價値觀)이다. 전에는 들풀 한 잎이 가치가 없었지만, 예수 그리스도의 생명의 근원을 알고 그 생명의 마음눈으로 보면 그 풀잎 하나도 무한한 가치가 있음을 알게 된다. 하물며 사람의 생명에 있어서랴!

4절 "오직 너희에게 이 말을 이른 것은 너희로 그 때를 당하면 내가 너희에게 이 말한 것을 기억나게 하려 함이요, 처음부터 이 말을 하지 아니한 것은 내가 너희와 함께 있었음이니라."

예수 그리스도께서 말씀의 의미를 제자들이 알아듣기 쉽게 설명하신다.

첫째 : 너희가 훗날 핍박을 당하게 되면 내 말을 기억하여 그 핍박을 슬기롭게 피해가도록 해라.

둘째 : 너희들에게 처음부터 이런 말을 하지 않은 것은 내가 너희와 함께 있을 동안에는 그러한 일이 일어나지 아니하기 때문이었다.

오늘 본문 내용을 잘 살펴보면 아버지가 본향에 가시기 전에 하시는 유언의 말씀 같기도 하다. 어린자식들을 두고 가는 아버지의 마음이 이러리라는 생각이다.

2015년 8월 10일 발표

〈제72과〉
성령의 일

본문 말씀 16: 5~15

"[5]지금 내가 나를 보내신 이에게로 가는데 너희 중에서 나더러 어디
로 가느냐 묻는 자가 없고 [6]도리어 내가 이 말을 하므로 너희 마음에
근심이 가득하였도다. [7]그러하나 내가 너희에게 실상을 말하노니 내가
떠나가는 것이 너희에게 유익이라. 내가 떠나가지 아니하면 보혜사(保
惠師)가 너희에게로 오시지 아니할 것이요, 가면 내가 그를 너희에게로
보내리니 [8]그가 와서 죄에 대하여, 의에 대하여, 심판에 대하여 세상을
책망하시리라. [9]죄에 대하여라 함은 저희가 나를 믿지 아니함이요, [10]의
에 대하여라 함은 내가 아버지께로 가니 너희가 다시 나를 보지 못함이
요, [11]심판에 대하여라 함은 이 세상 임금이 심판을 받았음이니라. [12]내
가 아직도 너희에게 이를 것이 많으나 지금은 너희가 감당치 못하리라.
[13]그러하나 진리의 성령이 오시면 그가 너희를 모든 진리 가운데로 인
도하시리니 [14]그가 자의로 말하지 않고 오직 듣는 것을 말하시며 장래
일을 너희에게 알리시리라. 그가 내 영광을 나타내리니 내 것을 가지고
너희에게 알리겠음이니라. [15]무릇 아버지께 있는 것은 다 내 것이라. 그
러므로 내가 말하기를 그가 내 것을 가지고 너희에게 알리리라 하였노
라."

성령의 일!

오늘 본문에서는 예수 그리스도께서 아버지께 가신 뒤에 성령이 오시어 하실 일(事)의 성격에 관해서 말씀하고 계신다.

우리나라 성서는 "그(성령)가 와서 죄에 대하여, 의에 대하여, 심판에 대하여 세상을 책망하시리라"라고 되어 있다(8절).

그런데 여기서 '죄(罪)에 대한 책망'은 있을 수 있으나, '의(義)에 대하여 책망'은 말이 되지 않는다.

그렇다면 日本語 성서는 어떻게 되어 있는가를 살펴보아도 참

고가 되겠다.

"その方が来れば　罪について義について　また　裁きについて　世の誤りを明らかにする" 곧 "罪에 대하여, 義에 대하여 審判에 대하여 책망"이 아니라

"죄에 관해서, 의에 관해서, 심판에 관해서, 세상이 잘못 알고 있는 일들을 명쾌(明快)하게 가르쳐 주시려고 오신다"고 되어 있다. '의에 대한 책망'이 아니라 '의에 대하여 명쾌하게 가르쳐 주신다'는 점이 다른 것이다.

다시 말하여 세상 사람들은 죄(罪)에 대하여 잘 알지 못하고 있다고 하겠다. 그래서 모세는 율법을 세웠다. 곧 '살인하지 말라, 간음하지 말라, 도둑질 하지 말라'는 내용이다. 인간들이 최소한으로 '이러한 죄는 범하지 말라'는 조항들이다. 이러한 인간들의 죄(罪)는 하나님 아버지께서 보시는 죄와는 다르다는 말이기도 하다.

그러면 하나님 아버지가 보시는 죄는 어떤 것인가? 곧, 아담이 아버지의 나라에서 추방당하여 에덴동산에서 살지 못한 것이 죄이다. 즉 하나님 아버지와 하나 되지 못한 것이 죄라는 말이다. 바울 선생은 "모든 사람이 죄를 범하였으매 하나님의 영광에 이르지 못하더니"(롬 3:23) 라고 하였다. 이는 하나님 아버지와 인류가 하나 되지 못한 상태를 죄로 본 것이다.

그런데 예수 그리스도께서 세상에 오신 것은 **'나와 하나'** 곧, 하나님과 인류가 하나 되게 하시려고 오셨다. **"그 날에는 내가 아버지 안에, 너희가 내 안에, 내가 너희 안에 있는 것을 너희가 알리라"**는 말씀처럼 오직 십자가상에서 '접붙임의 만남'으로 이루어지는 십자가의 진리이다. 아버지께서 농부로서 다 이루어 놓

은 진리를 믿는 진리이다.

성령께서는 위의 일들을 인류에게! 여러분에게! 나에게 가르쳐 주시기 위하여 오시는 것이다.

본문 공부

5,6절 "지금 내가 나를 보내신 이에게로 가는데 너희 중에서 나더러 어디로 가느냐 묻는 자가 없고 ◇도리어 내가 이 말을 하므로 너희 마음에 근심이 가득하였도다."

나는 지금 아버지께로 가는 길인 죽음의 길을 가는데, 너희들은 나에게 '왜 죽는 길로 가야 합니까?' 묻는 자(者)가 없다고 하신다. 이 말씀은 제자들이 '당신의 가는 길을 알지 못하고 있음'을 지적하신 말씀이다.

내가 아버지께 가는 길은 인류에게 나의 생명을 주는 길인데, 너희 중에는 도리어 내가 아버지께 간다는 말을 하므로, 너희 마음에 근심이 가득하였다고 지적하신다. 이는 제자들의 마음상태를 그대로 읽어내신 말씀이다.

7절 "그러하나 내가 너희에게 실상을 말하노라. 내가 떠나가는 것이 너희에게 유익이라. 내가 떠나가지 아니하면 보혜사가 너희에게로 오시지 아니할 것이요, 가면 내가 그를 너희에게로 보내리니"

내가 떠난다 하니 너희가 근심이 가득하지만, '내가 너희에게 실상(實像)을 말하노라. 내가 떠나가는 것이 너희에게 유익이라'고 하신다. 왜? 내가 십자가에 매달려 죽지 않으면 너희는 나의 생명을 받지 못하기 때문이다. 또한 '내가 떠나가지 아니하면 보혜사(保惠師)가 너희에게로 오시지 아니할 것이요' 즉, 예수 그리스도께서 죽음의 길을 가지 않으면 보혜사도 오시지 않고, 그러나 '가면 - 십자가에서 죽으면 내가 보혜사를 너희에게로 보내게 된다' 고 하신다.

8절 "그가 와서 죄에 대하여 의에 대하여 심판에 대하여 세상을 책망하시리라."

그 보혜사께서 죄(罪)에 대하여 의(義)에 대하여 심판(審判)에 대하여 하나하나 명쾌하게 가르쳐 주신다는 말씀이다.

◯ 罪에 대하여 ; 아버지와 하나 되어 있지 못한 것이 罪이다.

◯ 義에 대하여 ; 십자가의 義를 말한다. 십자가의 의로 우리 인류는 하나님 아버지의 생명을 얻었기 때문이다.

◯ 審判에 대하여 : 심판은 십자가의 의를 믿지 않는 것에 대한 심판이다.

여기서 심판에 대한 의미는 두 가지가 있다.

그 하나는 죄를 잡아 죽이는 심판이다. 즉, 이 심판은 십자가상에서 하나님이 인류를 접붙임 하시기 위하여, 십자가상에서 예수 그리스도의 좌 · 우의 강도를 잡아 죽이는 것을 말한다.

또 하나는 예수 그리스도가 십자가상에서 새 생명을 주신 義를 믿지 않는 데에 대한 심판이다. 아버지께서 당신 아들의 몸을 갈기갈기 찢어 생명으로 주셨는데, 그 것을 믿지 않는 인간들에 대한 심판은 당연한 것이다.

여러분과 나 자신을 위하여 죽음의 길로 가시고, 보혜사도 보내 주신다는 은혜의 십자가의 죽음의 길이라는 것을 가르쳐 주신다는 말씀이다. 그런데도 이러한 인류 갱신의 일들을 믿지 못하는 인간들에 대한 심판은 당연한 일이 아니겠는가.

9~11절 "죄에 대하여라 함은 저희가 나를 믿지 아니함이요. ◇의에 대하여라 함은 내가 아버지께로 가니 너희가 다시 나를 보지 못함이요. ◇심판에 대하여라 함은 이 세상 임금이 심판을 받았음이니라."

'죄에 대하여' 예수께서는 죄와 의와 심판에 대하여 9절과 10절에서 구체적으로 설명을 하신다. 예수 그리스도께서 십자가 위에서 돌아가심으로 우리 인류에게 생명을 주셨는데, 그것을 믿지 아니함이 죄라는 말씀이다.

'죄에 대하여' 예수께서 아버지께 가는 길을 통해 즉, 예수 그리스도의 십자가의 사건을 통해 인류에게 새 생명을 주는 길인데, '다시 나를 보지 못함이요' 생명의 근원인 義, 그 義인 예수 그리스도를 보지 못함이라고 하신다. 즉 예수 그리스도가 우리 인류에게 나에게 생명을 주신 것이 義인데, 이러한 義를 알지도 보지도 못한다고 하셨다.

'심판에 대하여'는 예수 그리스도께서 십자가에서 죽을 때에 세상 죄악의 권세들도 죽임을 당했다고 말씀하신다. 즉 예수 그리스도의 좌 · 우 강도! 죄의 세력을 잡아 죽이는 것을 죄악의 심판으로 보신 것이다. 바울 선생이 **'내가 예수 그리스도와 같이 십자가에서 죽었다'**고 한 고백과 같은 의미의 심판이다.

12,3절 "내가 아직도 너희에게 이를 것이 많으나 지금은 너희가 감당치 못하리라. ◇그러하나 진리의 성령이 오시면 그가 너희를 모든 진리 가운데로 인도하시리니 그가 자의로 말하지 않고 오직 듣는 것을 말하시며 장래 일을 너희에게 알리시리라."

'너희가 감당치 못하리라' 예수께서는 죄에 대하여 의에 대하여 심판에 대하여 말씀을 하시고, '아직도 할 말이 많으나, 더 말을 하면 너희가 이해를 못한다'고 하신다.

'진리의 성령이 오시면 그가 너희를 모든 진리 가운데로 인도' 앞절에서 이어지는 말씀으로, 진리의 성령께서 진리가 무엇인가를 확실하게 알게 할 것이라고 하신다. 그러나 그 성령이 절대 '자의로 말하지 않고' 오직 하나님 아버지의 말씀만을 우리에게 전할 것이며, '장래 일'도 우리로 하여금 알게 한다고도 하신다.

성령께서 우리에게 가르쳐 주시는 은혜의 지혜도, **'오직! 아버지께 듣는 것을'** 가르쳐 주신다는 말씀이요, 아버지의 우주만물(宇宙萬物)의 창조관(創造觀) 안에서 가르치신다는 말씀이다.

14절 "그가 내 영광을 나타내리니 내 것을 가지고 너희에게 알리겠음이니라."

참으로 놀라운 말씀을 하신다. **'그'** 성령이 **'내 영광'** 예수님의 죽음 뒤에 올 영광을 나타내며 우리에게 알릴 것이라고 하신다.

이는 곧, 성령이 예수 그리스도의 영광을 나타내시며, 오직 예수 그리스도에 대하여 가르치신다는 말씀이다.

15절 "무릇 아버지께 있는 것은 다 내 것이라. 그러므로 내가 말하기를 그가 내 것을 가지고 너희에게 알리리라 하였노라."

앞절 말씀에 덧붙여 '무릇! 아버지께 있는 것은 다 내 것'이라고 하신다. 즉, **'아버지와 나는 하나'**라는 말씀이다.

'성령이 너희를 가르치심'은 성령이 예수 그리스도를 우리에게 가르쳐 주신다는 뜻이기도 하다.

2015년 9월 10일 발표

〈第73과〉
그 날에는 너희 기쁨을 빼앗을 者가 없느니라

본문 말씀 16:16~24

"[16]조금 있으면 너희가 나를 보지 못하겠고, 또 조금 있으면 나를 보
리라 하신대 [17]제자 중에서 서로 말하되 우리에게 말씀하신바 조금 있
으면 나를 보지 못하겠고, 또 조금 있으면 나를 보리라 하시며 또 내가
아버지께로 감이라 하신 것이 무슨 말씀이뇨? 하고 [18]또 말하되 '조금
있으면' 이러한 말씀이 무슨 말씀이뇨? 무엇을 말씀하시는지 알지 못
하노라 하거늘 [19]예수께서 그 묻고자 함을 아시고 가라사대 내 말이 조
금 있으면 나를 보지 못하겠고 또 조금 있으면 나를 보리라 하므로 서
로 문의하느냐? [20]내가 진실로, 진실로 너희에게 이르노니 너희는 곡하
고 애통하겠으나 세상은 기뻐하리라. 너희는 근심하겠으나 너희 근심이
도리어 기쁨이 되리라. [21]여자가 해산하게 되면 그 때가 이르렀으므로
근심하나 아이를 낳으면 세상에 사람 난 기쁨을 인하여 그 고통을 다
시 기억하지 아니하느니라. [22]지금은 너희가 근심하나 내가 다시 너희
를 보리니 너희 마음이 기쁠 것이요, 너희 기쁨을 빼앗을 자가 없느니
라. [23]그 날에는 너희가 아무 것도 내게 묻지 아니하리라. 내가 진실로
진실로 너희에게 이르노니 너희가 무엇이든지 아버지께 구하는 것을 내
이름으로 주시리라. [24]지금까지는 너희가 내 이름으로 아무 것도 구하
지 아니하였으나 구하라. 그리하면 받으리니 너희 기쁨이 충만하리라."

그 날에는 너희 기쁨을 빼앗을 者가 없느니라

예수께서는 자신이 죽을 때가 이르는 줄 아시고 제자들에게 말씀하신다. "조금 있으면 너희가 나를 보지 못하겠고, 또 조금 있으면 나를 보리라." 그러자 제자들 사이에서는 이 말씀이 무슨 말씀인가? 하며 서로에게 묻는다.

이러한 모습을 보신 예수께서는 제자들을 향하여 "내 말이 조금 있으면 나를 보지 못하겠다, 또 조금 있으면 나를 보리라 하므

로 서로 문의(問議)하느냐?" 하시며 "너희는 근심하나, 너희 근심이 도리어 기쁨이 되리라"고 하신다. 그리고 다시 예를 들어 말씀하신다. "여자가 해산하게 되면 그 때가 이르렀으므로 근심하나 아이를 낳으면 세상에 사람 난 기쁨을 인하여 그 고통을 다시 기억지 아니하느니라" 라고.

그런데 왜 여기에서 여인들의 해산의 고통을 예로 들고 계실까?

그것은 오늘 공부의 제목처럼 '그 날에는 너희 기쁨을 빼앗을 자'가 없기 때문이다.

왜? 예수 그리스도의 죽음의 길! 십자가상에서 흘려주신 생명의 피를 받아 그 생명으로 다시 사는 신앙의 삶은 새 생명의 삶이기에 그 기쁨보다 큰 기쁨이 없고, 그래서 '그 기쁨을 빼앗을 자가 없다'고 하신 것이다.

여기에서 예를 들어보자. 누군가가 천국에 가는 표를 받았다면 그 표는 다시 빼앗길 수도 있다. 힘 있는 자에게 그 표를 갈취당할 수도 있기 때문이다.

그런데 십자가상에서 흘려진 예수 그리스도의 피는 우리의 죄로 물든 몸이 절단된(강도의 다리 끊어짐) 곳에 흘러들어 우리 몸은 그리스도와 혈통이 같게 되어 빼앗을 자가 없다는 말이다. 전에는 들포도나무였던 나를 농부이신 하나님이 십자가상에서 접붙임의 일을 하셨고, 그 접붙임을 받은 우리 그리스도인은 생명의 근원이신 그리스도의 생명을 갖게 되었다는 말이기도 하다.

또한 예수 그리스도를 믿는 그리스도인은 '믿음'이라는 징표를 갖고 있다. 우리 몸에 예수 그리스도의 피가 흐르고 있고, 예수 그리스도를 생명의 근원으로 영접한 믿음이 있다. 이 믿음만 있어도 되는데, 그리스도라는 가지의 생명까지 우리 몸 안에 같이 살고 있다. 그래서 '빼앗을 자가 없다'고 하신다.

오늘 말씀도 앞으로 있을 십자가상의 죽음의 의미를 제자들에게 가르치기 위하여 하신 말씀이라고 하겠다.

본문 공부

16절 "조금 있으면 너희가 나를 보지 못하겠고, 또 조금 있으면 나를 보리라 하신대"

예수 그리스도께서는 조금 있으면 십자가상에서 죽게 됨으로 '너희가 나를 보지 못한다'고 하신다. 그런데 죽으러 가는 길이라는 것을 직접적으로 말씀하시지 않았기 때문에 제자들이 알아듣질 못한다. 또한 '조금 있으면 나를 보리라'는 말씀 곧 자신의 부활을 예언하셨는데, 제자들은 스승의 죽음도 생각지 못하고 있는 참에 부활이란 꿈에서도 생각지 못할 일이다.

17,8절 "제자 중에서 서로 말하되 우리에게 말씀하신바 조금 있으면 나를 보지 못하겠고, 또 조금 있으면 나를 보리라 하시며 또 내가 아버지께로 감이라 하신 것이 무슨 말씀이뇨 하고 ◇또 말하되 조금 있으면 이러한 말씀이 무슨 말씀이뇨? 무엇을 말씀하시는지 알지 못하노라 하거늘"

예수께서 죽음의 길을 가신다고 직접 말씀하시지 않으므로 '조금 있으면 나를 보지 못하리라'는 말씀을 알아듣지 못하고 서로 수근 거린다.

처음에 '조금 있으면 나를 보지 못하겠고, 조금 있으면 나를 보리라'는 말도 알아듣지 못하는데, '또 내가 아버지께로 감이라'고 하시니 답답한 제자들은 '무슨 말씀이뇨?' 하며 서로 서로에게 묻는다.

'조금 있으면' 제자들은 아무리 생각해도 스승의 말씀을 알아듣지 못하여 서로에게 '도대체 저 말씀이 무슨 말씀이뇨?' 하며 궁금해 하는 모습이다.

19,20절 "예수께서 그 묻고자 함을 아시고 가라사대 내 말이 조금 있으면 나를 보지 못하겠고 또 조금 있으면 나를 보리라 하므로 서로 문의하느냐? ◇내가 진실로, 진실로 너희에게 이르노니 너희는 곡하고 애통하겠으나 세상은 기뻐하리라. 너희는 근심하겠으나 너희 근심이 도리어 기쁨이 되리라."

궁금해 하는 제자들을 지켜보던 예수께서 제자들의 시선을 집중하게 하시고 말씀하신다.

'내가 진실로, 진실로 너희에게 이르노니' 중요한 말씀을 하실 때마다 '진실로, 진실로'라고 강조해 오신 예수께서 여기에서도 강조하신다.

'너희는 곡하고 애통하겠으나' 제자들이 스승의 십자가상에서의 죽음을 보면 곡하고 애통해 하리라는 말씀이다.

'세상은 기뻐하리라' 왜 세상이 기뻐하는가? 여기서 세상은 마귀가 지배하는 죄악의 세상이다. 예수그리스도를 시기하던 사람들은 예수 그리스도가 십자가에 매달려 죽으면 자신들이 이긴 것으로 착각하기 때문이다.

"너희는 근심하겠으나 너희 근심이 도리어 기쁨이 되리라" 내가 죽음의 길을 가므로 너희는 근심하겠으나, 너희 근심이 도리어 기쁨이 되어 온다는 말씀이다. 예수 그리스도가 영원히 죽는 것이 아니라 죽음의 권세를 이기고, 또한 인류에게 하늘의 생명을 나누어 주신 후 승리의 부활을 하시기 때문이다.

여기서 예수 그리스도의 십자가의 죽음을 잠시 생각해 보자!

단 한 번의 죽음으로

1. 세상 죄(십자가상의 강도)를 잡아 죽이는 일이 이루어졌다. 곧 강도의 죽음은 나 자신의 죽음이다.

2. 세상 죄를 잡아 죽이고, 그 자리에 예수 그리스도의 생명을 접목하는 일을 농부가 하셨다.

3. 인류는 죄로 죽음을 당하였지만, 인류는 새 하늘의 생명인 예수 그리스도의 생명을 얻었다.

4. 예수께서 십자가에서 죽으셨지만, 죽음의 권세를 이기고 부활하시므로 즉, 승리의 부활을 하셨기 때문에 우리 그리스도인들의 죽음도 새 생명을 얻는 죽음이다. 이것이 죽음을 이기는 그리스도의 생명으로서의 부활 신앙이다.

21절 "여자가 해산하게 되면 그 때가 이르렀으므로 근심하나 아이를 낳으면 세상에 사람 난 기쁨을 인하여 그 고통을 다시 기억하지 아니하느니라."

예수께서는 곧 다가올 당신의 십자가상에서의 죽음을 '해산의 고통'으로 비유하신다.

'그 때가 이르렀으므로 근심하나 아이를 낳으면 세상에 사람 난 기쁨을 인하여 다시는 고통을 기억지 아니하느니라' 여인들의 출산의 고통은 크지만, 아이를 낳은 뒤에는 출산의 기쁨으로 고통을 생각지 않는다고 하신다. 이는 새로운 하늘백성 탄생을 예고하는 말씀이기도 하다.

22절 "지금은 너희가 근심하나 내가 다시 너희를 보리니 너희 마음이 기쁠 것이요. 너희 기쁨을 빼앗을 자가 없느니라."

'너희가 지금은 근심하나' 제자들이 죽음의 길로 가시는 스승 예수 그리스도를 보고 근심하나,

'내가 다시 너희를 보리니' 나, 예수가 죽음의 길을 가지만 곧 너희를 다시 볼 것이라는 말씀이다. 예수 그리스도가 너희 - 곧, 우리를 다시 볼 때는 예수께서는 부활의 생명이요, 우리는 예수 그리스도의 생명이 있는 혈통을 받는다는 말이기도 하다.

'너희 마음이 기쁠 것이요 너희의 그 기쁨을 빼앗을 자가 없느니라.' 왜? 우리 그리스도인에게는 그리스도의 생명이 있기 때문이다.

23절 "그 날에는 너희가 아무 것도 내게 묻지 아니하리라. 내가 진실로, 진실로 너희에게 이르노니 너희가 무엇이든지 아버지께 구하는 것을 내 이름으로 주시리라."

'그 날에는' 그날은 어떤 날인가? 예수 그리스도와 들포도나무인 우리 강도가 십자가상에서 참포도나무인 예수님의 진액을 받는 날을 말한다. 즉, 하나님이 농부로서 접붙임의 일을 하시는 날이다.

'아무 것도 내게 묻지 아니하리라' 그날 이후에는 아무것도 예수께 묻지 않고 오직 순종으로 받는 믿음뿐이라는 말씀이다. 아멘!

"너희가 무엇이든지 아버지께 구하는 것을 내 이름으로 주시리라"

그날, 예수 그리스도의 생명을 얻는 날이 지나면 너희는 하나님 아버지의 자녀가 되니 그 뒤로는 무엇이든지 아버지께 구하면 예수의 이름으로 주신다는 참말로 놀라운 은혜의 말씀이다. 무엇이든지 아버지께 구하라 하신다.

24절 "지금까지는 너희가 내 이름으로 아무 것도 구하지 아니하였으나 구하라. 그리하면 받으리니 너희 기쁨이 충만하리라."

그날에는! 곧 그날 십자가상에서 예수 그리스도의 생명을 얻는 날이면 한 혈통이 되는 것이니, 구하라! 그리하면 받을 것이다. 그 때는 너희 기쁨이 충만하리라고 하신다. 정말 놀라운 하나님의 인류 구원의 은혜이다.

이 놀라운 은혜를 받고도 신앙으로 살지 않으면 아버지 하나님께서 얼마나 실망하시겠는가?

2015년 10월 10일 발표

〈제74과〉

그 날에는 너희가 내 이름으로 구할 것이라

본문 말씀 16: 25~33

"25이것을 비사로 너희에게 일렀거니와 때가 이르면 다시 비사로 너
희에게 이르지 않고 아버지에 대한 것을 밝히 이르리라. 26그 날에는
너희가 내 이름으로 구할 것이요, 내가 너희를 위하여 아버지께 구하겠
다 하는 말이 아니니 27이는 너희가 나를 사랑하고, 또 나를 하나님께
로서 온줄 믿은 고로 아버지께서 친히 너희를 사랑하심이니라. 28내가
아버지께로 나와서 세상에 왔고, 다시 세상을 떠나 아버지께로 가노라
하시니 29제자들이 말하되 지금은 밝히 말씀하시고 아무 비사도 하지
아니하시니 30우리가 지금이야 주께서 모든 것을 아시고 또 사람의 물
음을 기다리시지 않는 줄 아나이다. 이로써 하나님께로서 나오심을 우
리가 믿삽나이다. 31예수께서 대답하시되 이제는 너희가 믿느냐? 32보
라, 너희가 다 각각 제 곳으로 흩어지고 나를 혼자 둘 때가 오나니 벌
써 왔도다. 그러나 내가 혼자 있는 것이 아니라 아버지께서 나와 함께
계시느니라. 33이것을 너희에게 이름은 너희로 내 안에서 평안을 누리
게 하려함이라. 세상에서는 너희가 환난을 당하나 담대하라. 내가 세상
을 이기었노라 하시리라."

그 날에는 너희가 내 이름으로 구할 것이다

예수께서는 제자들에게 '그 날에는 너희가 내 이름으로 구할 것'이라고 하셨는데, 그 날이란 예수 그리스도가 십자가상에서 자신의 몸 - 곧, 참포도나무를 갈기갈기 찢어서 흘러나온 진액을 들포도나무에 접붙임 하시는 날이다. 즉, 십자가의 사건이 있는 날이다.

나 자신은 누누이 말해 왔다. 십자가의 사건은 예수 그리스도라고 하는 참포도나무와 인류 - 곧, 아담의 자손인 들포도나무를

접목시키는 사건이라고. 이번 본문의 말씀에서도 '그날'이란 농부인 아버지 하나님께서 십자가상에서 접붙임의 일을 하신 날이라고 말하고 있다.

십자가의 사건. 접목으로 참포도나무의 진액을 받은 사람은 들포도나무가 참포도나무의 생명인 피 흘림을 받아서 참포도나무가 되었으니, 이제 아버지 하나님께 바로 구할 것이라고 하신다. 그 날 후에는 우리 인류가 들포도나무에서 참포도나무로 거듭나서 새로운 생명체가 된다는 말씀이다. 즉, 예수 그리스도와 같은 혈통이 된다는 말씀이다 그래서 우리가 하나님께 직접 구할 자격이 주어졌다는 말씀이기도 하다.

본문 공부

25절 "이것을 비사로 너희에게 일렀거니와 때가 이르면 다시 비사로 너희에게 이르지 않고 아버지에 대한 것을 밝히 이르리라."

예수 그리스도께서 이 땅에 오신다는 예언과 세례자 요한의 증거뿐만 아니라 예수께서 자신을 소개 할 때에도 '비사(比辭)' 즉, 비유의 말씀을 사용하셨다.

○ 나는 생명의 떡이다.

○ 나는 참포도나무다.

○ 나는 빛이다.

○ 나는 길이요, 진리요, 생명이다.

이 외에도 많은 말씀들을 비유로 하셨는데, 여기에서는 '때가 이르면 다시 비사로 너희에게 이르지 않고, 아버지에 대하여 밝히' 말씀하시겠다고 한다.

26절 "그 날에는 너희가 내 이름으로 구할 것이요, 내가 너희를 위하여 아버지께 구하겠다 하는 말이 아니니"

16장에서 '그 날에는' 이란 말이 두 번 나오는데, '그날'은 예수 그리스도가 십자가상에서 인류에게 자신의 생명인 피를 흘려 주시는 날이다. 바꾸어 말하면 그날은 우리 그리스도인들이 새 생명 - 즉, 그리스도의 생명을 받는 날이다. 그리스도의 생명을 받으면 우리는 하나님 아버지와 예수 그리스도와 한 혈통이 되므로 하나님 아버지께 직접 구하라는 말씀이다. 예수 그리스도 자신이 우리를 위하여 구하겠다는 것이 아니라고 분명히 하고 계신다.

27,8절 "이는 너희가 나를 사랑하고, 또 나를 하나님께로서 온줄 믿은 고로 아버지께서 친히 너희를 사랑하심이니라. ◇내가 아버지께로 나와서 세상에 왔고, 다시 세상을 떠나 아버지께로 가노라 하시니"

이번 절에서는 그리스도인이 아버지께 직접 구할 수 있는 조건을 구체적으로 말씀하신다. 곧 '너희가 나를 사랑하고, 나를 하나님께로서 온줄 믿은 고로 아버지께서 친히 너희를 사랑하심이니라' 고. 제자들! 즉, 우리 그리스도인이 예수가 그리스도임을 알고 사랑하였다. 그래서 예수를 보내신 하나님 아버지께 직접 구할 자격이 주어졌다고 하신다.

그러면 어떻게 알고 사랑하였는가?

◯ 예수 그리스도를 나의 생명의 근원으로 알게 되었다.

◯ 예수 그리스도를 나의 생명으로 사랑하였다.

→ 곧 반신(半身)과 같은 존재로 사랑하였다.

→ 즉 신랑과 같은 존재로 사랑하였다.

예수께서 이어서 말씀하신다. '내가 아버지께로 나와서 세상에 왔고' 세상에 자신의 생명을 십자가의 사건으로! 곧 하나님 아버지의 일인 접붙임으로 나누어 주고, '세상을 떠나 아버지께로 가노라' 하나님 아버지께 돌아가신다는 말씀이다.

29,30절 "제자들이 말하되 지금은 밝히 말씀하시고 아무 비사도 하지 아니하시니 ◇우리가 지금이야 주께서 모든 것을 아시고 또 사람의 물음을 기다리시지 않는 줄 아나이다. 이로써 하나님께로서 나오심을 우리가 믿삽나이다."

위의 말씀들을 제자들이 듣고 스승께 말한다. '지금은 밝히 말씀하시고 아무 비사도 하지 아니하시니' 아무런 비유를 들지 않고 직접 말씀하시니(29절) 저희들이 이제야 '주께서 모든 것을 아시고' 즉 죽음의 길을 아시고, 또한 사람들의 물음도 기다리시지 않는 줄 알겠습니다. 주님은 하나님께로서 나오심을 우리가 믿사옵니다(30절).

스승의 우회적인 말씀을 깨닫지 못하던 제자들이 직접적인 말씀을 듣고서야 이해하게 되었음을 말하고 있다.

31,32절 "예수께서 대답하시되 이제는 너희가 믿느냐? ◇보라, 너희가 다 각각 제 곳으로 흩어지고 나를 혼자 둘 때가 오나니 벌써 왔도다. 그러나 내가 혼자 있는 것이 아니라 아버지께서 함께 계시느니라."

제자들의 말을 들은 예수께서 물으신다. "이제서야 너희가 믿느냐?"(31절) 그리고 이어서 말씀하신다. "그러나 두고 보아라. 머잖아서 너희는 모두 자기 갈 곳으로 도망가고, 나 혼자 둘 때가 온다. 그렇지만 나는 혼자 있지 않고, 내 옆에는 아버지께서 함께 계신다(32절).

여기서 우리는 생각할 부분이 있다.

◯ 인간들의 의지나 믿음이라는 것은 바람 앞에 등불이라고 할 수 있다.

◯ 예수 그리스도를 믿고 구원 받는 것은 다 이루어 놓은 진리를 알면 구원이 된다는 말과 같다.

다시 말하면 '예수 그리스도를 아는 것이 구원'이라는 말이다. 그렇다면 어떻게 알아야 하는가?

예수 그리스도를 나의 새 생명의 근원으로 아는 것! 그것이 바로 구원이다.

33절 "이것을 너희에게 이름은 너희로 내 안에서 평안을 누리게 하려함이라. 세상에서는 너희가 환난을 당하나 담대하라. 내가 세상을 이기었노라 하시리라."

예수께서 참으로 중요한 말씀을 하신다. '너희로 내 안에서 평안을 누리게 하려함이라.' 이 말씀은 곧 인간들의 의지나 믿음으로 되는 것이 아니라, 농부이신 하나님 아버지께서 다 이루어 놓은 진리를 알게 되면 너희가 새 생명을 얻어 '내 안에서! 평안을 누리게 하려함' 이라는 말씀이다.

그리고 이어서 말씀하신다. '세상에서는 너희가 환난을 당하나 담대하라.' 앞으로 세상이 너희를 미워해서 환난을 당할 것이다. 그 까닭은 너희가 나의 생명으로 살게 되면 세상에 속하지 않으므로 이질(異質)성 때문에 그렇게 될 것이다. 그러나 담대하라.

내가 세상에 있는 죄를 잡아 죽이고! (아담의 자손! 인류의 대표 두 강도)

들포도나무의 밑동을 베어 버리고! (비유로 들포도나무)

십자가상에서 강도의 다리를 끊고! (실질적으로 강도의 다리를 끊어)

접목으로 새생명이 되었으니(예수 그리스도의 피로 접목) 담대하라는 말씀이다.

'내가 세상을 이기었노라' 세상의 죄를 잡아 죽이고, 나의 생명을 주게 되었으니 내가 세상을 이기었노라.

오늘 공부의 말씀도 십자가상에서 곧 있을 일들의 예언적인 말씀이다.

2015년 11월 10일 발표

〈제75과〉

우주 만물을 역사하는 아버지와 아들의 대화(상)

본문 말씀 17:1~10

“1예수께서 이 말씀을 하시고 눈을 들어 하늘을 우러러 가라사대 아
버지여 때가 이르렀사오니 아들로 아버지를 영화롭게 하게 하옵소서. 2
아버지께서 아들에게 주신 모든 자에게 영생을 주게 하시려고 만민(萬
民)을 다스리는 권세를 아들에게 주셨음이로소이다. 3영생은 곧 유일하
신 참 하나님과 그의 보내신 자(者) 예수 그리스도를 아는 것이니이다.
4아버지께서 내게 하라고 주신 일을 내가 이루어 아버지를 이 세상에서
영화롭게 하였사오니 5아버지여 창세(創世) 전(前)에 내가 아버지와 함
께 가졌던 영화로써 지금도 아버지와 함께 나를 영화롭게 하옵소서. 6
세상 중에서 내게 주신 사람들에게 내가 아버지의 이름을 나타내었나
이다. 저희는 아버지의 것이었는데 내게 주셨으며, 저희는 아버지의 말
씀을 지키었나이다. 7지금 저희는 아버지께서 내게 주신 것이 다 아버
지께로서 온 것인 줄 알았나이다. 8나는 아버지께서 내게 주신 말씀들
을 저희에게 주었사오며, 저희는 이것을 받고 내가 아버지께로부터 나
온 줄을 참으로 아오며, 아버지께서 나를 보내신 줄도 믿었사옵나이다.
9내가 저희를 위하여 비옵나니 내가 비옵는 것은 세상을 위함이 아니
요, 내게 주신 자들을 위함이니이다. 저희는 아버지의 것이로소이다. 10
내 것은 다 아버지의 것이요, 아버지의 것은 내 것이온데 내가 저희로
말미암아 영광을 받았나이다.”

우주 만물을 역사하는 아버지와 아들의 대화(上)

예수 그리스도는 우주만물을 창조하신 창조주 하나님 아버지의 아들이 분명하시다.

왜? 인류역사에서 누가 창세(創世) 전(前)에 있었던 일들을 말하였던가? 오직 그분의 아들 예수 그리스도만이 하시는 말씀이다.

사도요한은 참으로 위대한 예수 그리스도의 제자이다. 그는 성서를 기록함에 있어 편집이 정말 뛰어나다.

17장에 하나님 아버지와 아들 예수 그리스도의 대화(對話)에서 창세(創世) 전(前)이라는 말씀이 두 번 나온다. 그런데 두 번의 의미가 각각 다르다. 첫 번째는 창세 전에 있었던 일들을 회상하며 좋았던 것에 대한 말씀이고, 두 번째는 앞으로 그리스도의 생명을 받을 그리스도인들에 대한 말씀이다. 아담이 죄를 범하여 에덴에서 추방당하였는데, 이 회상에서는 아담이 추방당하기 이전의 모습으로 돌아가는 우리 그리스도인들의 모습을 말씀하고 계신다.

다시 말하여 예수 그리스도의 **'접붙임의 만남'**의 복음은 인류만 회복 거듭나는 것이 아니고, 천국의 모습도 회복(回復)되는 - 곧 그리스도의 생명이 있는 하늘나라 하나님의 백성이 있는 천국으로의 회복이다.

아담이 추방된 후로는 하늘 백성이 없었는데, 그리스도의 생명을 받은 저들 - 곧 그리스도인들이 합류함으로 이 모습이 하늘나라 백성으로의 회복이다. 이러한 일들이 십자가상에서 이루어질 예고이다.

첫 번째는

"아버지여 창세 전에 내가 아버지와 함께 가졌던 영화로써 지금도 아버지와 함께 나를 영화롭게 하옵소서"(17:5)

두 번째는

"아버지여 내게 주신 자도 나 있는 곳에 나와 함께 있어 아버지께서 창세 전부터 나를 사랑하시므로 내게 주신 나의 영광을 저희로 보게 하시기를 원하옵나이다."(17:24)

이렇게 두 번 나오는 창세(創世) 전(前)의 회상(回想)의 대화 내용이 각기 다름을 공부하는 것이 17장의 공부이다.

본문 공부

1절 "예수께서 이 말씀을 하시고 눈을 들어 하늘을 우러러 가라사대 아버지여 때가 이르렀사오니 아들로 아버지를 영화롭게 하게 하옵소서."

요한복음 13장에서 16장 사이에서 제자들에게 말씀을 다 하시고, '눈을 들어 하늘을 우러러 아버지여! 때가 이르렀사옵니다' 하시면서 하나님과의 대화를 시작하신다.

'때'는 곧 십자가상에서 죽을 때, 십자가상에서 예수 자신의 사지(四肢)를 갈기갈기 찢어 접붙임 하게 되는 때를 말한다.

"아들로 아버지를 영화롭게 하게 하옵소서" 여기서 '아버지를 영화롭게'는 두 가지의 의미가 있다.

○ 자신의 생명을 저들에게 줄 아들로서 아버지를 영화롭게 하는 일

○ 자신의 생명을 받을 저들 - 곧 그리스도인들이 아버지를 높이는 일

2절 "아버지께서 아들에게 주신 모든 자에게 영생을 주게 하시려고 만민(萬民)을 다스리는 권세를 아들에게 주셨음이로소이다."

창조주 하나님 아버지께서 아들에게 권세를 주셨다고 하신다. 그러면 그 권세는 어떤 것인가?

"만민(萬民)을 다스리는 권세"이다.

권세를 주신 이유를 말씀하시는데, 아버지 하나님께서 '모든

자들에게 영생을 주게 하시려고' 아들인 예수 그리스도에게 생명을 주는 권세를 주셨다는 말씀이다. 참으로 놀라운 말씀이 아닐 수 없다.

3절 "영생은 곧 유일하신 참 하나님과 그의 보내신 자(者) 예수 그리스도를 아는 것이니이다."

그리스도인 한 사람 한사람이 영생하는 길에 관한 대화이다. 그 길은 "유일하신 참 하나님과 그의 보내신 자(者) 예수 그리스도를 아는 것"이라는 말씀이다.

통상적으로 '예수 그리스도教의 진리'는 '예수 그리스도를 믿으면 구원'이라고 하였다 그런데 믿음이라는 단어가 정말 추상적인 말이다.

영생은 곧 유일하신 참 하나님과 그의 보내신 자 예수 그리스도를 **'아는 것'**이라고 하였다. 그렇다면 **'아는 것'**이란 무슨 말인가?

그 답은 **'예수 그리스도가 인류의 영생'**이라는 것을 아는 일이다. 이 일은 곧, 앞에서 공부하였던 그리스도인의 교사(教師)로 보내심을 받은 성령님의 가르침을 받아 예수 그리스도의 십자가의 진리를 찾아 아는 일이다.

이 길의 진리는 논리적이어야 한다. 그래서 십자가의 '접붙임의 만남'의 길이 논리의 진리이다.

어느 사람은 그리스도教 진리는 하늘의 진리라 세상의 자연의 진리와는 차원이 달라서 인간들의 논리로 말할 수가 없다고 한다. 그러나 우주만물을 창조하신 그분은 자연과학이 통하는 자연을 창조하셨다. 그래서 인류 구원의 십자가상의 진리도 자연과학이 통하는 진리로 인류 구원의 길을 여셨다.

이 때문에 500년 동안 믿어온 루터가 내세웠던 속죄론이나 대속이라는 진리는 구원의 논리로 성립되지 않는다고 하겠다. 즉, 진리로 성립될 수 없다는 말이다.

4절 "아버지께서 내게 하라고 주신 일을 내가 이루어 아버지를 이 세상에서 영화롭게 하였사오니"

예수께서는 아버지께서 자신에게 일을 주셨다고 하신다. "내가 이루어 아버지를 이 세상에서 영화롭게 하였사오니" 곧 사도요한의 기록대로 예수 자신이 인류의 생명의 떡으로 왔음을 누누이 말해 왔는데, 오늘 공부에서처럼 하나님 아버지와의 대화를 통해 하나님의 일을 다 전하시고, 이제 마지막 겪게 될 죽음을 염두에 두시고 말씀하신다. 십자가의 죽음을 통해 아버지의 일을 이루어 아버지를 이 세상에서 영화롭게 하였다고.

5절 "아버지여 창세 전에 내가 아버지와 함께 가졌던 영화로써 지금도 아버지와 함께 나를 영화롭게 하옵소서."

인류역사에서 창세(創世) 전(前)의 이야기를 하는 사람이 있었는가? 오직 창조주의 아들, 곧 하나님의 아들로 오신 그리스도만이 하실 수 있는 말씀이다.

'아버지여!'

'창세 전에 내가 아버지와 함께 가졌던 영화로써' 그리스도께서 창세전에 '아버지와 함께 가졌던 영화로써' 지난날을 회상하시고, '지금도 아버지와 함께 나를 영화롭게 하옵소서' 라고 하신다. 이 말씀은 곧 아버지와 하나! 아버지와 함께 하나임을 세상으로 알게 하시여 예수 자신도 영화롭게 해 주시라는 말씀이다.

6절 "세상 중에서 내게 주신 사람들에게 내가 아버지의 이름을 나타내었나이다. 저희는 아버지의 것이었는데 내게 주셨으며, 저희는 아버지의 말씀을 지키었나이다."

'세상 중에서 내게 주신 사람' 이란 무슨 말인가? 하나님께서 택하여 성령의 가르치심으로 예수 그리스도의 진리를 찾게 된 사람들을 말한다. 그 사람들에게 '내가 아버지의 이름을 알게 하였다'는 말씀이다.

'저희는 아버지의 것이었는데 내게 주셨으며' 진리를 찾은 저희는 본래 아버지의 것인데 예수께 주셨으며,

'저희는 아버지의 말씀을 지키었나이다.' 저희는 예수 그리스도의 가르침을 받아들여서 하나님의 말씀을 지켰다는 말씀이다.

7,8절 "지금 저희는 아버지께서 내게 주신 것이 다 아버지께로서 온 것인줄 알았나이다. ◇나는 아버지께서 내게 주신 말씀들을 저희에게 주었사오며, 저희는 이것을 받고 내가 아버지께로부터 나온 줄을 참으로 아오며, 아버지께서 나를 보내신 줄도 믿었사옵나이다."

지금 저희는 예수께서 하신 말씀은 모두 아버지로부터 온 것인줄로 알았다고 하신다. 제자들의 깨달음을 두고 하신 말씀이다.

8절은 7절 말씀에 구체적으로 한번 더 말씀하신다.

'아버지께서 내게 주신 말씀들을 저희에게 그대로 주었으며' 이 말씀을 받아들인 저희는 '내가 아버지께로부터 나온 줄을' 알게 되었고, '아버지께서 자신을 보내신 줄도 믿게 되었다'는 말씀이다.

9절 "내가 저희를 위하여 비옵나니 내가 비옵는 것은 세상을 위함이 아니요, 내게 주신 자들을 위함이니이다. 저희는 아버지의 것이로소이다."

예수 그리스도께서 아버지께 간절히 기도하신다. 그런데 그 기도는 세상을 위한 것이 아니고, 하나님 아버지께서 자신에게 주신 자들을 위한 기도이다. 이렇게 기도를 드리는 이유는 '저희는 아버지의 것'이기 때문이다. 아버지의 것이므로 단 하나라도 소홀히 할 수 없다는 말씀이다.

여기서 **만인(滿人) 구원의 진리**가 성립된다.

10절 "내 것은 다 아버지의 것이요, 아버지의 것은 내 것이온데 내가 저희로 말미암아 영광을 받았나이다."

'내 것은 다 아버지의 것'에서 **"것"**은 예수의 생명을 받은 자 - 곧 그리스도.

'아버지의 것은 내 것' 아버지와 자신은 하나임을 말씀하신다.

그런데 여기서 중요한 것은 "내가 저희로 말미암아 영광을 받았나이다" 하는 말씀이다. 이 말씀은 곧 예수 자신의 생명이 있는 그리스도인에게서 영광을 받는다는 말씀이다. 즉, 하늘의 백성이 생겼다는 말씀이다.

하늘 백성! 나의 백성에게서 감사의 찬미와 영광을 받는다는 말씀이다.

인류는 이 놀라운 접붙임의 만남으로 그리스도의 생명을 받아 하늘 백성으로서 하나님 아버지께 영광을 돌리는 것은 당연한 일들이다.

2015년 12월 10일 발표

〈제76과〉
우주 만물을 역사하는 아버지와 아들의 대화(중)

본문 말씀 17:11~19

"11나는 세상에 더 있지 아니하오나 저희는 세상에 있사옵고, 나는
아버지께로 가옵나니 거룩하신 아버지여 내게 주신 아버지의 이름으로
저희를 보전하사 우리와 같이 저희도 하나가 되게 하옵소서. 12내가 저
희와 함께 있을 때에 내게 주신 아버지의 이름으로 저희를 보전하와 지
키었나이다. 그 중에 하나도 멸망치 않고 오직 멸망의 자식뿐이오니 이
는 성경을 응하게 함이니이다. 13지금 내가 아버지께로 가오니 내가 세
상에서 이 말을 하옵는 것은 저희로 내 기쁨을 저희 안에 충만히 가지
게 하려 함이니이다. 14내가 아버지의 말씀을 저희에게 주었사오매 세
상이 저희를 미워하였사오니 이는 내가 세상에 속하지 아니함 같이 저
희도 세상에 속하지 아니함을 인함이니이다. 15내가 비옵는 것은 저희
를 세상에서 데려가시기를 위함이 아니요, 오직 악에 빠지지 않게 보전
하시기를 위함이니이다. 16내가 세상에 속하지 아니함같이 저희도 세상
에 속하지 아니하였삽나이다. 17저희를 진리로 거룩하게 하옵소서. 아버
지의 말씀은 진리니이다. 18아버지께서 나를 세상에 보내신 것 같이 나
도 저희를 세상에 보내었고 19또 저희를 위하여 내가 나를 거룩하게 하
오니 이는 저희도 진리로 거룩함을 얻게 하려 함이니이다."

저희를 진리(眞理)로 거룩하게 하옵소서

사도요한은 '본래 하나님을 본 사람이 없으되 아버지 품속에 있는 독생하신 하나님이 나타내셨느니라.'고 하였다.

세례자 요한은 "보라 세상 죄를 지고 가는 하나님의 어린 양"이라고 하였는데, 日本語 성서에서는 '보라 세상 죄를 잡아 죽이시는 하나님의 어린 양'이라고 하였다. 나다나엘은 '당신은 하나님의 아들이시오, 당신은 이스라엘의 임금이로소이다'라고도 하였다.

세계적인 화가 '호프만'은 예수 그리스도의 '겟세마네 기도'를 그리면서 예수 그리스도의 얼굴과 눈이 하나님을 향하게 배치하였다.

이 세상, 어느 누가 감히 하나님을 두 눈으로 똑 바로 볼 수 있겠는가? 예수 그리스도가 오직 하나님의 독생자란 것을 분명히 나타내기 위해 그렇게 그렸다고 본다. 오직 하나님의 독생자만 하나님을 바로 볼 수 있을 것이다.

이러한 예수 그리스도가 하늘! 곧 아버지 하나님을 향해 **"아버지여 아버지! 내가 저희를 거룩하게 하옵소서!"** 라고 기도하신다.

요한복음 17장에서만, '아버지'와 '내가' '저희들' 이란 말이 아래와 같이 많이 나온다.

◯ '아버지여!' '아버지' 35회

◯ '내가' '내게' '나를' 이란 자칭이 55회

◯ 기도의 내용에서 '저희를' '저희는' 즉, 제자들과 세상에서 자신을 생명의 근원으로 믿는 그리스도인을 41회나 칭하며 기도하고 있다.

기도의 내용

17장은 예수께서 사랑하는 제자들과 헤어지기에 앞서 하나님 아버지께 올리는 기도의 장이다.

"아버지여, 때가 이르렀사오니 아들을 영화롭게 하사 아들로 아버지를 영화롭게 하게 하옵소서."

이렇게 시작되는 기도는 이번에 공부하는 11절에서 이렇게 이어진다.

"나는 세상에 더 있지 아니하오나 저희는 세상에 있사옵고, 나는 아버지께로 가옵나니 거룩하신 아버지여 내게 주신 아버지의 이름으로 저희를 보전하사 '우리와 같이 저희도 하나'가 되게 하옵소서."

하나님과 예수 그리스도와 제자들, 그리고 우리 그리스도인들이 하나가 되게 해 주십사 하는 기도이다.

17장의 예수님의 기도의 내용은 다음에 공부할 24절 하반절로 축약된다.

"아버지께서 창세(創世) 전부터 나를 사랑하시므로 내게 주신 나의 영광을 저희로 보게 하시기를 원하옵나이다."

결론적으로 예수 그리스도는 오직 그리스도 자신과 인류 - 곧 제자들과 그리스도인들과 하나 되기 위하여 기도를 드리고 있다.

본문 말씀 공부

11절 "나는 세상에 더 있지 아니하오나 저희는 세상에 있사옵고, 나는 아버지께로 가옵나니 거룩하신 아버지여 내게 주신 아버지의 이름으로 저희를 보전하사 우리와 같이 저희도 하나가 되게 하옵소서."

먼저 예수께서 '나는 세상에 더 있지 아니하오나' 하시며 당신의 떠나가심을 아버지께 말씀드리고 있다. '저희는 세상에 있사옵고'의 저희는 제자들을 일컫는 말씀이다.

'나는 아버지께로 가옵나니' 예수 자신은 아버지께, 즉 본향인 하늘나라로 가신다는 말씀이다.

'내게 주신 아버지의 이름으로 저희를 보전하사' 하나님 아버지의 능력에 대한 말씀이다. 아버지의 능력으로 저들을 보전하여

'우리와 같이 저희도 하나가 되게 하옵소서' 하시며 예수께서 기도하고 있다.

보전은 미래지향적인 말로, 장차 십자가상에서 예수 그리스도가 흘려주시는 피를 받을 수 있게 하는 보전이다.

12절 "내가 저희와 함께 있을 때에 내게 주신 아버지의 이름으로 저희를 보전하와 지키었나이다. 그 중에 하나도 멸망치 않고 오직 멸망의 자식뿐이오니 이는 성경을 응하게 함이니이다."

앞에서 기도로 드린 말씀을 다시 상기하며 더욱 적극적으로 말씀하신다. '내가 저희와 함께 있을 때에 내게 주신 아버지의 이름으로 저희를 보전하여 지키었나이다.' 내가 지키지 못한 자(者)가 그 중에 하나도 없었고, 오직 있다면 '멸망의 자식뿐이오니' 이들은 '성경을 응하게 함이니이다.' 성서기록이 응하게 하려는 것이라고 하신다. 아주 적은 소수의 멸망! 곧 가룟 시몬의 아들 유다 같은 자(者)들만의 멸망을 예고하신다.

13절 "지금 내가 아버지께로 가오니 내가 세상에서 이 말을 하옵는 것은 저희로 내 기쁨을 저희 안에 충만히 가지게 하려 함이니이다."

예수께서는 '내가 지금 아버지께로 가는데 이 말을 하옵는 것은' 저희, 곧 자신의 제자들에게 '내 기쁨을 충만히 가지게 하려 함'이라고 하신다. 그렇다면 예수 그리스도의 기쁨은 과연 어떤 기쁨일까?

제자들이 아담의 자손이라는 죄된 생명에서 자신 곧, 하늘 아버지의 생명으로의 갱신을 생각할 때에 솟아나는 기쁨이다.

14절 "내가 아버지의 말씀을 저희에게 주었사오매 세상이 저희를 미워하였사오니 이는 내가 세상에 속하지 아니함 같이 저희도 세상에 속하지 아니함을 인함이니이다."

여기에서도 중요한 말씀을 하신다.

'내가 아버지의 말씀을 저희에게 주었사오매' '내가 아버지의 말씀을 저희! 제자들과 우리 그리스도인들에게 주었다'는 말씀이다. 또, '세상이 저희를 미워하였'다고 하신다. 세상이 미워하는 이유는 '내가 세상에 속하지 아니함 같이 저희도 세상에 속하지 아니함' 때문이라는 말씀이다. 예수님이 하늘나라에서 오시어 하늘의 생명을 제자들과 우리 그리스도인들에게 주었는데, 하늘의 생명이 있는 우리 그리스도인들을 세상이 미워한다는 말씀이다.

15절 "내가 비옵는 것은 저희를 세상에서 데려가시기를 위함이 아니요. 오직 악에 빠지지 않게 보전하시기를 위함이니이다."

예수께서 하나님 아버지께 기도하시는 이유는 '저희를 세상에서 데려가시라는 게 아니라, 오직 악에 빠지지 않도록 보전해 주시기를 위함'이라고 하신다. 그리스도인이 오직 악에 빠지지 않고, 그리스도인으로 당당히, 또는 그리스도인의 모습으로 사는 것을 바라는 말씀이다. 그리스도인의 삶을 통해 세상을 바꾸어 나아가는 모습을 그리며 하신 말씀이다.

16,7절 "내가 세상에 속하지 아니함같이 저희도 세상에 속하지 아니하였삽나이다. ◇저희를 진리로 거룩하게 하옵소서. 아버지의

말씀은 진리니이다."

앞 절의 내용을 반복하여 말씀하신다. 예수 그리스도께서 하늘 아버지의 아들로 오신 삶을 사신 것처럼 제자들도, 우리 그리스도인들도 세상에 속하지 아니하였음을 말씀하고 계신다.

17절에서는 또 새로운 말씀을 하신다. '저희를 진리로 거룩하게 하옵소서' 에서의 진리라는 말씀이나 '아버지의 말씀은 진리' 라는 말씀은 이전까지는 누구에게도 하시지 않았다. 그런데 오늘 예수 그리스도 자신이 '아버지여!' 하며 기도 가운데서 하신다. '아버지의 말씀은 진리' 는 말씀을 하는 자신 즉, **'그리스도의 말씀이 진리'**임을 나타내는 말씀이다. 이는 곧 자신의 말씀이 십자가상에서 이루어질 길이요, 바울 선생의 말대로 십자가의 도(道)가 '진리'라는 말씀이다.

18절 "아버지께서 나를 세상에 보내신 것 같이 나도 저희를 세상에 보내었고"

하나님 아버지께서 예수 그리스도 자신을 세상에 보내셨음을 상기하신다. 이리하여 예수께서는 아버지께로부터 와서 저희 - 우리에게 아버지의 생명을 십자가를 통해 주시고, 이제 예수 그리스도께서는 아버지께 가시므로 예수 자신도 저희(제자들과 그리스도인들)를 통해 세상에서 일 하신다는 말씀이다.

19절 "또 저희를 위하여 내가 나를 거룩하게 하오니 이는 저희도 진리로 거룩함을 얻게 하려 함이니이다."

여기에서는 번역에 약간의 문제가 있다. **'저희를 위하여! 내가 나를 거룩하게 하오니'** 이 대목을 일본어 성서에서는 **"私は自分**

自身をささげます"로 쓰고 있는데, "ささげます" 부분을 우리말로는

(1) 바치다

(2) 받들어 올리다

(3) 받들어서 드리다.

위 뜻을 종합하면 '저희 - 제자들과 세상 사람들을 위하여 나를 드리다'라는 말이 되겠다. 이는 곧, 예수 그리스도 자신의 몸! 참포도나무를 하나님이 갈기갈기 절단하여 접목할 수 있게 하나님께 드린다는 말씀이다.

하반절 "저희도 진리로 거룩함을 얻게 하려 함이니이다" 또한 "彼らも　真理によって　ささげられた"이다. 여기에서도 'ささげられた'는 위와 같다.

다시 말하면 예수 그리스도는 아버지 하나님의 뜻에 맡겨 드리는 죽음이고, 인류의 대표 십자가상의 강도와 저희 제자들도 그리스도인들도 진리에 따라 죽어 없어지며, 그 없는 자리에 예수 그리스도의 생명을 영접하여 가지! 곧 작은 예수로 살기 위함이다.

2016년 1월 10일 발표

〈제77과〉
우주 만물을 역사하는 아버지와 아들의 대화(하)

본문 말씀 17: 20~26

“20내가 비옵는 것은 이 사람들만 위함이 아니요, 또 저희 말을 인
하여 나를 믿는 사람들도 위함이니 21아버지께서 내 안에, 내가 아버지
안에 있는 것 같이 저희도 다 하나가 되어 우리 안에 있게 하사 세상
으로 아버지께서 나를 보내신 것을 믿게 하옵소서. 22내게 주신 영광을
내가 저희에게 주었사오니 이는 우리가 하나가 된 것같이 저희도 하나
가 되게 하려 함이니이다. 23곧 내가 저희 안에, 아버지께서 내 안에 계
셔 저희로 온전함을 이루어 하나가 되게 하려 함은 아버지께서 나를 보
내신 것과 또 나를 사랑하심 같이 저희도 사랑하신 것을 세상으로 알게
하려 함이로소이다. 24아버지여! 내게 주신 자도 나 있는 곳에 나와 함
께 있어 아버지께서 창세 전부터 나를 사랑하시므로 내게 주신 나의 영
광을 저희로 보게 하시기를 원하옵나이다. 25의로우신 아버지여! 세상
이 아버지를 알지 못하여도 나는 아버지를 알았삽고, 저희도 아버지께
서 나를 보내신 줄 알았삽나이다. 26내가 아버지의 이름을 저희에게 알
게 하였고, 또 알게 하리니 이는 나를 사랑하신 사랑이 저희 안에 있고,
나도 저희 안에 있게 하려 함이니이다.”

하나님은 왜 아담과 하와를 에덴에서 추방하였는가?

“자신의 새끼는 애지중지 하는 것이 모든 생명체의 본능이다. 하물며 하나님이 당신 손으로 만드신 아담과 하와를 사랑하는 마음이 오죽하겠는가? 그러나, 하나님도 죄악으로 물들어 있는 당신의 창조물인 아담과 하와를 추방하지 않으면 그들은 살수 없게 되어있었다. 이미 그들은 죄로 물들어 사탄에게 귀속되었기 때문이다. 그들을 에덴에 두어도 될 사정이었으면 하나님은 그들을 계속 그곳에 두었을 것이다. 그러나 안타깝게도 그곳에 두면

그들은 죽게 되어있었다.

아담은 하나님의 낯을 피해야 살 수 있었고,

하나님은 아담을 추방하여야 그를 살릴 수 있었다." - 공부 제 1과에서 -

아담과 하와가 추방되어 없는 하나님 아버지의 나라 에덴에 십자가의 사건으로 그리스도의 생명을 받은 사람들 곧, 그리스도인들이 하늘 백성으로 살게 될 것임을 말씀하고 계신다.

즉, 처음 아담을 창조하시면서 아름다운 천국 에덴이라는 하나님 아버지 나라를 꿈꾸셨는데, 아담의 범죄로 하나님의 꿈은 산산조각이 났기에 아담을 에덴에 그냥 둘 수 없어 추방을 하였다. 이때의 하나님의 심정은 어떠하셨을까?

이때의 하나님의 마음을 이사야는 아래와 같이 표현하였다.

"소는 그 임자를 알고 나귀는 주인의 구유를 알건만 이스라엘은 알지 못하고 나의 백성은 깨닫지 못하는도다 하셨도다."(사 1:3) 이렇게 탄식하시던 하나님께서는 결국 세상을 새롭게 하시려고 당신의 독생자를 이 땅에 보내셨고, 그 독생자 예수 그리스도는 인류에게 전해 줄 생명의 떡으로 참포도나무로 보내심을 받으셨다.

예수 그리스도의 십자가상에서 피 흘려주신 희생과 하나님의 접붙임의 능력으로 인류는 그리스도 예수의 생명을 접붙임 받게 되었다. 그리스도의 생명이 있는 자들을 이제는 천국 곧 에덴의 회복을 이야기하며 새 하늘과 새 땅 도래의 이야기가 있었는데(계시록 21:1), 그 새 하늘 새 땅의 백성이 될 인류! 예수 그리스도인과 함께를 말씀하시며 기도드리고 있다.

"곧 내가 저희 안에, 아버지께서 내 안에 계셔 저희로 온전함을 이루어 하나가 되게 하려 함은 아버지께서 나를 보내신 것과 또 나를 사랑하심 같이 저희도 사랑하신 것을 세상으로 알게 하려 함이로소이다. 아버지여! 내게 주신 자도 나 있는 곳에 나와 함께 있어 아버지께서 창세 전부터 나를 사랑하시므로 내게 주신 나의 영광을 저희로 보게 하시기를 원하옵나이다."(17:23,4절)

즉 아담이 범죄 하기 전(前)으로의 회복을 말씀드리고, 그리스도의 생명이 있는 저희 제자들과 그리스도인들에게도 아버지의 사랑을 보게 해주십사 하는 기도이다. 이리하여 아담 추방으로 하늘 백성이 없었는데, 그리스도인들이 아담의 범죄 이전의 회복인 하늘 백성으로의 신분(身分) 상승을 말씀하신다.

위의 말씀을 증거 하는 사도요한은 요한1서 5장 11,12절에서 아래와 같이 증거하고 있다. "또 증거는 이것이니 하나님이 우리에게 영생을 주신 것과 이 생명이 그의 아들 안에 있는 그 것이니라. ◇아들이 있는 자에게는 생명이 있고, 하나님의 아들이 없는 자에게는 생명이 없느니라."

본문 공부

20절 "내가 비옵는 것은 이 사람들만 위함이 아니요, 또 저희 말을 인하여 나를 믿는 사람들도 위함이니"

예수 그리스도께서 기도하신 것은 위의 제자들만 위함이 아니라 "또 저희 말을 인하여 나를 믿는 사람들도 위함"이었다.

제자들에게 또는 전도자들에게 듣고 믿는, 모든 사람들을 위하여 기도 하신다는 말씀이다. 정말 놀랍고, 고마운 말씀이다.

21절 "아버지께서 내 안에, 내가 아버지 안에 있는 것 같이 저희도 다 하나가 되어 우리 안에 있게 하사 세상으로 아버지께서 나를 보내신 것을 믿게 하옵소서."

예수께서 세상에 오신 목적을 말씀하신다. 에덴에서 추방당한 인류, 아담의 자손에게 예수 그리스도의 생명을 주어 새 생명으로 거듭날 사람들이 '아버지께서 내 안에, 내가 아버지 안에 있는 것 같이 저희도 다 하나가 되어 우리 안에 있게 하사' 인류를 천국 백성으로 회복시켜 주시라는 말씀이다.

22절 "내게 주신 영광을 내가 저희에게 주었사오니 이는 우리가 하나가 된것 같이 저희도 하나가 되게 하려 함이니이다."

21절의 말씀을 구체적으로 말씀하신다. 내게 주신 아들의 영광을 '내가 저희에게 주었사오니' 여기서 저희는 제자들, 즉 예수 그리스도를 믿는 그리스도인을 말한다.

'이는 우리가 하나가 된 것 같이' 아버지와 그리스도가 하나인 것 같이, 저희도 즉 제자들, 인류 곧 그리스도인들도 '하나가 되게 하려 함이니이다'라고 하신다.

23절 "곧 내가 저희 안에 아버지께서 내 안에 계셔 저희로 온전함을 이루어 하나가 되게 하려 함은 아버지께서 나를 보내신 것과 또 나를 사랑하심 같이 저희도 사랑하신 것을 세상으로 알게 하려 함이로소이다."

'내가 저희 안에'는 십자가상에서 피 흘림으로 우리 안에 영접되어 있음을 나타내는 말씀이다. '아버지께서 내 안에 계셔' 저희로 온전함을 이루어 하나가 되게 하려 함은 '아버지께서 나를 보내신 것과 또 나를 사랑하심 같이' 저희 세상 사람들도 아버지와 내가 '사랑하신 것을 세상으로 알게 하려 함'이라고 하신다. 하나님 아버지와 예수 그리스도가 우리 그리스도인을 사랑하신 것, 이것이 곧 복음(福音)이다. 이 복음을 세상으로 알게 하려함이라고 하신다.

24절 "아버지여! 내게 주신 자도 나 있는 곳에 나와 함께 있어 아버지께서 창세 전부터 나를 사랑하시므로 내게 주신 나의 영광을 저희로 보게 하시기를 원하옵나이다."

여기서 '아버지여!'는 간절(懇切)함을 담고 있다.

'아버지여! 내게 주신 자도 나 있는 곳에 나와 함께 있어' 우리 인류 그리스도인도 '나 있는 곳에 나와 함께 있어 아버지께서 창세 전부터 나를 사랑하시므로 내게 주신 나의 영광을 저희 - 그리스도인도 보게 하시기를 원하옵나이다' 우리 그리스도인도 새 하늘과 새 땅에 함께 참여를 원한다고 기도하신다.

참으로 간절함이 배어있는 기도말씀이다.

25절 "의로우신 아버지여! 세상이 아버지를 알지 못하여도 나는 아버지를 알았삽고, 저희도 아버지께서 나를 보내신 줄 알았삽나이다."

예수께서는 다시 '의로우신 아버지여!' 하시며 간절히 말씀 드리고 있다.

'세상이 아버지를 알지 못하여도' 세상 사람들은 비록 '아버지를 알지 못하여도' 나는 아버지를 알았삽고, 저희도 제자들, 우리 그리스도인도 '아버지께서 나를!' 세상에 보내 주시여 당신의 생명을 주어 새로 지음을 받을 것을 알게 되었다는 말씀이다.

26절 "내가 아버지의 이름을 저희에게 알게 하였고, 또 알게 하리니 이는 나를 사랑하신 사랑이 저희 안에 있고, 나도 저희 안에 있게 하려 함이니이다."

예수께서 이 세상에 오신 목적을 환기(喚起)시키신다.

예수께서 아버지의 이름! 곧 창조주 하나님이 계신 것을 인류에게 알게 하였다고 하신다. 그런데 야훼 아버지! 창조주를 알게 하는 이유가 있는데, "이는 나를 사랑하신 사랑이 저희 안에 있고 나도 저희 안에 있게 하려 함"이라고 하신다. 하나님께서 그리스도를 '사랑하신 사랑이' 인류에게 자신의 생명을 주어 '저희' 제자들, 그리스도인 안에 있다는 것을 알게 하고, 또한 예수 그리스도도 '저희' 제자들, 그리스도인 안에 있어 함께 살려 함이라고 하신다. 곧, 예수 그리스도와 그리스도인이 함께 사는 삶이란 것을 하나님께 말씀드리고 있다.

아멘으로 영광과 찬송을 영원히 돌리며 감사 할 뿐이다.

2016년 2월 10일 발표

〈제78과〉

예수 그리스도의 권위에 압도되어 땅에 엎드리다

본문 말씀 18:1~11

"[1]예수께서 이 말씀을 하시고 제자들과 함께 기드론 시내 저편으로
나가시니 거기 동산이 있는데 제자들과 함께 들어가시다. [2]거기는 예수
께서 제자들과 가끔 모이시는 곳이므로 예수를 파는 유다도 그곳을 알
더라. [3]유다가 군대와 및 대제사장들과 바리새인들에게서 얻은 하속들
을 데리고 등과 홰와 병기를 가지고 그리로 오는지라 [4]예수께서 그 당
할 일을 다 아시고 나아가 가라사대 '너희가 누구를 찾느냐?' [5]대답하
되 '나사렛 예수라' 하거늘, 가라사대 '내로라' 하시니라. 그를 파는 유
다도 저희와 함께 섰더라. [6]예수께서 저희에게 '내로라' 하실 때에 저
희가 물러가서 땅에 엎드러지는지라. [7]이에 다시 '누구를 찾느냐'고 물
으신대 저희가 말하되 '나사렛 예수라' 하거늘 [8]예수께서 대답하시되
'너희에게 내로라 하였으니 나를 찾거든 이 사람들의 가는 것을 용납하
라' 하시니 [9]이는 '아버지께서 내게 주신 자 중에서 하나도 잃지 아니
하였삽나이다' 하신 말씀을 응하게 하려 함이러라. [10]이에 시몬 베드로
가 검을 가졌는데 이것을 빼어 대제사장의 종을 쳐서 오른편 귀를 베어
버리니 그 종의 이름은 말고라. [11]예수께서 베드로더러 이르시되 '검을
집에 꽂으라. 아버지께서 주신 잔을 내가 마시지 아니하겠느냐' 하시니
라."

예수 그리스도의 위엄에 압도되어 땅에 엎드리다

우리는 지금 우주만물을 창조하신 주 하나님의 아들 예수 그리스도의 권위와 위엄을 한 눈으로 보고 있다.

포박하러 온 군병이 포박당할 사람의 말 한마디에 '땅에 엎드러지는지라' 얼굴과 머리를 숙여 땅에 박고 엎드린다. 이러한 장면은 인류역사에서 찾아보하기 어려운 일이다.

왜 저들은 이렇게 땅에 엎드려 고개를 숙였을까? 그것은 하나

님 아들의 권위와 위엄이 그들을 압도하였기 때문이다. 포박하러 온 군병이 위대한 위엄 앞에 도리어 고개를 땅에 박고 숨을 죽이고 있다. 우주만물 창조주의 독생자 앞에서 엎드릴 사람이 어디 군병들뿐이겠는가?

예수께서는 '당할 일을 다 아시고' 위엄을 더욱 살려 '너희가 누구를 찾느냐?' 고 물으시니 그들이 대답한다, '나사렛 예수라' 고. 이에 예수께서는 '내로라' 고 답하신다.

이 '내로라' 는 한 마디 말에 저들은 땅에 엎드러진 것이다. 바람 앞에 등불의 존재가 인간들이다. 이런 인간들이 결국에는 우주만물 창조주의 독생자 예수 그리스도를 십자가에 못 박아 죽였다. 이 죽음은 예수 그리스도 스스로 택하신 죽음이다.

인류에게 자신의 생명을 주시려고 죽으신 죽음! 예수 그리스도 자신의 몸을 야훼 아버지께서 농부의 역할로 갈기갈기 찢어 그 피와 살! 즉, 참생명의 가지로 인류의 대표인 강도의 잘린 다리에 접붙임하시기 위한 죽음이다.

본문 공부

1,2절 "예수께서 이 말씀을 하시고 제자들과 함께 기드론 시내 저편으로 나가시니 거기 동산이 있는데 제자들과 함께 들어가시다. ◇거기는 예수께서 제자들과 가끔 모이시는 곳이므로 예수를 파는 유다도 그곳을 알더라."

예수께서는 말씀을 마치신 후 제자들과 함께 '기드론'이라는 시내 저 편에 있는 동산으로 가셨다. 평소에도 가끔씩 제자들과 기도하러 가시던 곳이다. '겟세마네 동산의 기도'라는 유명한 성화에 그려진 그 동산이다.

이처럼 제자들과 가끔 가던 곳이라서 예수를 파는 유다도 자연히 이곳을 알고 있었다.

3절 "유다가 군대와 및 대제사장들과 바리새인들에게서 얻은 하속들을 데리고 등과 홰와 병기를 가지고 그리로 오는지라"

유다가 앞장서서 군병들과 대제사장과 바리새인들에게서 얻은 하속들을 데리고 오고 있었다.

시각은 밤이어서 그들은 등과 횃불과 병기를 든 차림이었다. 다시 말하여 완전무장을 하고 예수를 포박하러 온 것이다.

4,5절 "예수께서 그 당할 일을 다 아시고 나아가 가라사대 '너희가 누구를 찾느냐?' ◇대답하되 '나사렛 예수라' 하거늘 가라사대 '내로라' 하시니라. 그를 파는 유다도 저희와 함께 섰더라."

유다와 동행한 병사들을 보신 예수께서는 그들 앞에 나아가 '너희가 누구를 찾느냐?'고 물으시면서 자진하여 모습을 드러내신다.

예수님의 '누구를 찾느냐?'는 물음에 병사들이 '나사렛 예수'라고 대답한다. 그러자 예수께서는 너희가 찾는 예수는 '내로라'고 하신다. 이렇게 문답을 하는 현장에는 스승을 파는 유다도 저희와 함께 서 있었다.

6,7절 "예수께서 저희에게 '내로라' 하실 때에 저희가 물러가서 땅에 엎드러지는지라. ◇이에 다시 '누구를 찾느냐?'고 물으신대 저희가 말하되 '나사렛 예수라' 하거늘"

'내로라!' '너희가 찾는 사람은 바로 나다!'라는 한 마디 말씀에 저들은 앞으로 나아가지 못하고 뒷걸음을 쳐서 땅에 엎드린다. 놀라운 일이 아닐 수 없다. 예수 그리스도의 권위와 위엄에 엎드려 숨을 죽이는 인간들이다.

엎드러진 저들에게 예수께서 다시 '누구를 찾느냐?' 고 물으시니 저들이 '나사렛 예수라'고 대답한다. 스스로 체포당할 줄을 아시면서도 스스로 '내로라' 하시며 죽음의 길을 가신 인류의 새로운 생명의 근원이 되시는 주 예수 그리스도의 참 모습을 본다.

8,9절 "예수께서 대답하시되 '너희에게 내로라 하였으니 나를 찾거든 이 사람들의 가는 것을 용납하라' 하시니 ◇이는 아버지께서 내게 주신 자 중에서 하나도 잃지 아니하였삽나이다 하신 말씀을 응하게 하려 함이러라."

예수께서 대답하신다. '너희에게 내로라고 하였으니 너희가 나를 찾아왔거든 이 사람들의 가는 길을 열어주라' 고 하신다. 즉, 남은 제자들은 포박 당하지 않고 그곳을 벗어날 수 있도록 배려하신 말씀이다.

제자들의 살 길을 열어주신 것은 이미 기록된 성서를 응하게 하려 하심이었다. 이는 곧, 예수 그리스도께서 당신의 길, 십자가의 길을 가시기 위함이다.

10절 "이에 시몬 베드로가 검을 가졌는데 이것을 빼어 대제사장의 종을 쳐서 오른편 귀를 베어버리니 그 종의 이름은 '말고' 라."

예수 그리스도를 잡기위해 군병들이 다가오는 것에 격분한 베드로가 가지고 있던 칼집에서 검을 빼어 '말고'라고 하는 대제사장의 종을 쳐서 오른편 귀를 베어버렸다.

스승을 보호하겠다는 제자다운 행동이다. 이때까지도 베드로는 예수께서 정치적으로 유대인을 로마제국에서 해방시킬 구세주로 생각한 것이 사실이었다. 그렇기 때문에 정치적으로 정권을 잡을 선생께 행하는 대제사장들의 행위를 보아 넘길 수 없었던 것이다. 그래서 검을 뽑아 앞에 있는 말고의 귀를 베어버렸다. 통쾌한 행동이다. 스승을 모시는 제자로서 나올 수 있는 행동이라 하겠다.

11절 "예수께서 베드로더러 이르시되 '검을 집에 꽂으라. 아버지께서 주신 잔을 내가 마시지 아니하겠느냐' 하시니라."

예수께서는 격분한 베드로에게 다가가 조용히 말씀하신다. '검을 집에 꽂으라. 아버지께서 주신 잔을 내가 마시지 아니하겠느냐.' 예수 그리스도께서 죽음의 길로 가시는 것은 아버지의 뜻이고, 그 뜻에 순종하여 가시는 예수 자신의 길을 말씀하고 계신다.

2016년 3월 10일 발표

〈제79과〉
대제사장 가야바와 베드로(상)

본문 말씀 18:12~18

> “12이에 군대와 천부장과 유대인의 하속들이 예수를 잡아 결박하여
> 13먼저 안나스에게로 끌고 가니 안나스는 그 해의 대제사장인 가야바의
> 장인이라. 14가야바는 유대인들에게 ‘한 사람이 백성을 위하여 죽는 것
> 이 유익하다’ 권고하던 자이라. 15시몬 베드로와 또 다른 제자 하나가
> 예수를 따르니 이 제자는 대제사장과 아는 사람이라 예수와 함께 대제
> 사장의 집 뜰에 들어가고 16베드로는 문 밖에 섰는지라. 대제사장과 아
> 는 그 다른 제자가 나가서 문 지키는 여자에게 말하여 베드로를 데리고
> 들어왔더니 17문 지키는 여종이 베드로에게 말하되 ‘너도 이 사람의 제
> 자 중 하나가 아니냐?’ 하니 그가 말하되 ‘나는 아니라’ 하고. 18그 때
> 에 추운고로 종과 하속들이 숯불을 피우고 서서 쬐니 베드로도 함께 서
> 서 쬐더라.” (필자주:다른 제자는 사도요한으로 판단됨)

대제사장 가야바와 베드로

사도요한은 왜 18장 12~27절 사이에서 대제사장 가야바와 베드로의 이야기를 쓰고 있는가?

그것은 유대인의 대제사장 ‘가야바’는 예수 그리스도의 새로운 하늘의 복음과 유대교의 기존 모세 오경을 중심으로 한 율법적인 갈등과 로마제국의 진노가 무서워서 예수 그리스도를 죽게 하는 편이 하나의 해결책이라고 주장하던 사람이다. 가야바는 이렇게 말하고 있다.

“48만일 저를 이대로 두면 모든 사람이 저(예수)를 믿을 것이요, 그러면 로마인들이 와서 우리 땅과 민족을 빼앗아 가리라 하니 49그 중에 한 사람 그 해 대제사장인 가야바가 저희에게 말하

되 너희가 아무 것도 알지 못하는도다. 50한 사람이 백성을 위하
여 죽어서 온 민족이 망하지 않게 되는 것이 너희에게 유익한 줄
을 생각지 아니하는도다 하였으니 51이 말은 스스로 함이 아니
요, 그 해에 대제사장이므로 예수께서 그 민족을 위하시고 52또
그 민족만 위할뿐 아니라 흩어진 하나님의 자녀를 모아 하나가
되게 하기 위하여 죽으실 것을 미리 말함이러라." (11:48~52)

위의 말씀에서처럼 가야바는 두 가지 측면이 있다.

첫째, 지극히 정치적인 사람이다

둘째, 스스로의 뜻은 아니지만 예수 그리스도가 이스라엘 민족과 인류를 위하여 죽는다는 예언자로서의 역할도 하고 있다.

베드로 역시 예수 그리스도에 대하여 새하늘의 복음을 말씀하는 예수 그리스도를 생각지 않고, 오직 예수께서 로마의 식민지배에서 유대인을 해방시키는 정치적 지도자로 생각하며 따르고 있었음을 보여주고 있다. 적어도 예수께서 잡혀가실 때까지는 그렇다.

"시몬 베드로가 검을 가졌는데 이것을 빼어 대제사장의 종을 쳐서 오른편 귀를 베어버리니 그 종의 이름은 말고라. ◇예수께서 베드로더로 이르시되 검을 집에 꽂으라. 아버지께서 주신 잔을 내가 마시지 아니하겠느냐 하시니라." (18:10,11)

여기서 베드로는 예수 그리스도의 죽음이 아버지에 대한 순종이라는 것을 알지 못했다. 곧, 인류에게 참 생명을 주는 참 포도나무의 생명이라는 것을 알지 못하고, 이때까지는 오직 정치적인 지도자로만 보고 따랐다고 해야 할 것이다.

그래서 베드로는 검을 뽑아 대제사장의 종 말고의 귀를 베어버린다. 생각을 바로 행동으로 옮긴 것이다. 제자로서 지극히 당연한 행동이다. 한편으로는 통쾌하다는 생각이 들 정도이다. 그리고 다른 제자들은 거의 다 도망갔지만 베드로는 예수께서 포박당한 후에도 혹시 기적을 일으켜 유대교의 대제사장과 로마제국을 혼내주지 않을까 싶어 대제사장 집까지 따라갔던 것이다. 그러나 가야바의 집 안에서 일어나는 일들을 끝까지 지켜본 베드로는 참으로 절망하고 있었다.

베드로가 이렇게 행동한 것은 스승 예수 그리스도를 진정하게 알지 못했기 때문이다. 가야바와 베드로는 예수 그리스도를 잘 알지 못했었다. 적어도 이때까지는 그랬다.

사도요한은 위의 가야바와 베드로의 지극히 인간적인 또는 정치적으로 판단한 두 사람의 일들을 기사로 남겨 오늘날까지 보여주고 있다. 위의 기사를 상, 하로 나누어 공부하기로 한다.

본문 공부

12절 "이에 군대와 천부장과 유대인의 하속들이 예수를 잡아 결박하여"

지난 78과 공부에서 예수께서 **'너희가 누구를 찾느냐?'**고 물었을 때 그들은 **'나사렛 예수라'**고 대답하였고, 이에 예수께서는 **'내로라'**고 하신다. 그러자 포박하러 온 군병들이 예수 그리스도의 권위에 압도되어 땅에 엎드린다. 이 광경만을 보아도 예수께서는 잡혀가시지 않을 분이다. 그렇지만, 아버지 하나님의 뜻에 따라 순순히 결박을 당하신다.

13,4절 "먼저 안나스에게로 끌고 가니 안나스는 그 해의 대제사장인 가야바의 장인이라. ◇가야바는 유대인들에게 한 사람이 백성을 위하여 죽는 것이 유익하다 권고하던 자이라."

예수님은 결박을 당한 채 안나스에게로 끌려가셨다. 안나스는 그 당시 대제사장을 맡고 있는 가야바의 장인이다. 결국 예수 그리스도를 죽이는 일에 장인인 안나스와 사위인 가야바가 결정적인 역할을 한 셈이다(안나스는 AD6년경 수리아 총독이었음).

가야바는 유대인의 대제사장으로, 예수 그리스도를 죽이는 일을 맨 먼저 선동하였다. 종교적 지위를 이용한 정치적인 선동이었다.

가야바는 예수를 죽음으로 몰고 가 죽게 하면 종교적인 경쟁자를 제거하게 되고, 또한 로마제국의 진노를 피하게 되어 자신의 입지(立志)도 굳건해지리라는 생각이었을 것이다.

15,6절 "시몬 베드로와 또 다른 제자 하나가 예수를 따르니 이 제자는 대제사장과 아는 사람이라 예수와 함께 대제사장의 집 뜰에 들어가고 ◇베드로는 문 밖에 섰는지라. 대제사장과 아는 그 다른 제자가 나가서 문 지키는 여자에게 말하여 베드로를 데리고 들어왔더니"

예수 그리스도의 위엄 서린 '내로라' 하는 한 마디에 포박하러 온 군병들이 땅에 엎드리는 것을 지켜본 베드로는 스승이 비록 결박을 당하였지만 결국에는 한 마디 말씀으로 군병들과 유대 대제사장을 혼내줄 것을 염두에 두고, 스승의 뒤를 따라 대제사장의 집 대문 앞까지 가서 '다른 제자'의 도움으로 집 뜰에까지 들어갔다.

많은 사람들이 성경을 공부하면서 이 대목에서 '다른 제자'는 과연 누구인가 궁금해 하지 않는 사람이 없을 것이다. 그러나 이 제자가 '사도 요한'이라는 데에 의견들이 모아지고 있다.

"그 다른 제자가 나가서 문 지키는 여자에게 말하여 베드로를 데리고 들어왔더니" 즉, 베드로는 스승을 따라가긴 했지만 가야바의 집 안으로는 들어가지 못하고 밖에 서 있었는데, 대제사장 가야바와 잘 아는 사도 요한이 문 지키는 여인에게 말하고서야 겨우 들어간 것으로 보인다.

17절 "문 지키는 여종이 베드로에게 말하되 '너도 이 사람의 제자 중 하나가 아니냐?' 하니 그가 말하되 '나는 아니라' 하고"

요한이 밖에 나아가 데리고 들어오는 베드로를 본 여종이 베드로에게 '너도 이 사람의 제자 중 하나가 아니냐?' 묻고 있다.

스승인 예수께서 대제사장과 군병들을 혼내줄 것을 생각하고 따라간 여종에게 추궁을 당하자 당황해진 베드로는 '나는 아니라'고 부인하고 있다.

18절 "그 때에 추운고로 종과 하속들이 숯불을 피우고 서서 쬐니 베드로도 함께 서서 쬐더라."

'나는 아니라'고 예수의 제자임을 부인하고 대제사장의 집 뜰에 무사히 들어간 베드로가 스승님이 결박을 털어내고 큰 소리를 내시며 저들을 굴복시키실 기적적인 일들을 지켜보기 위하여 하속들과 같이 서서 숯불을 쬐고 있었다.

베드로는 그래도 인간으로서 스승 예수님에 대한 희망의 끈을 끝까지 놓지 않았음을 본다.

2016년 4월 10일 발표

〈제80과〉
대제사장 가야바와 베드로(하)

본문 말씀 18: 19-27

“19대제사장이 예수에게 그의 제자들과 그의 교훈에 대하여 물으니
20예수께서 대답하시되 내가 드러내어 놓고 세상에 말하였노라. 모든 유대인들의 모이는 회당과 성전에서 항상 가르쳤고, 은밀히는 아무 것도 말하지 아니하였거늘
21어찌하여 내게 묻느냐? 내가 무슨 말을 하였는지 들은 자들에게 물어 보라. 저희가 나의 하던 말을 아느니라.
22이 말씀을 하시매 곁에 섰는 하속 하나가 손으로 예수를 쳐 가로되 네가 대제사장에게 이 같이 대답하느냐? 하니
23예수께서 대답하시되 내가 말을 잘못하였으면 그 잘못한 것을 증거하라. 잘하였으면 네가 어찌하여 나를 치느냐? 하시더라.
24안나스가 예수를 결박한 그대로 대제사장 가야바에게 보내니라.
25시몬 베드로가 서서 불을 쬐더니 사람들이 묻되 ‘너도 그 제자 중 하나가 아니냐?’ 베드로가 부인하여 가로되 ‘나는 아니라!’ 하니
26대제사장의 종 하나는 베드로에게 귀를 베어 버리운 사람의 일가라. 가로되 네가 그 사람과 함께 동산에 있던 것을 내가 보지 아니하였느냐.
27이에 베드로가 또 부인하니 곧 닭이 울더라.”

대제사장과 그의 하속이 예수 그리스도를 능멸하다

예수 그리스도를 십자가에 달아 죽이기 전에 예수 그리스도를 능멸하는 사람들이 있었다. 그들이 바로 여호와를 잘 믿고, 율법을 잘 지킨다는 대제사장과 그의 하속들이다.

대제사장이 “예수께 그의 제자들과 교훈에 대하여 물으니” 예수께서 대답하신다. “내가 드러내어 놓고 세상에 말하였노라. 모든 유대인들의 모이는 회당과 성전에서 항상 가르쳤고, 은밀히는 아무 것도 말하지 아니 하였거늘” (중략) “이 말씀을 하시매 곁에 섰던 하속 하나가 손으로 예수를 쳐 가로되 네가 대제사장에게 이

같이 대답하느냐?" 하며 손으로 예수를 쳤다.

2000년 전이나, 지금이나 참되지 못한 위정자들과 종교지도자들은 항상 하속(현대의 세칭 똘마니)들을 데리고 다닌다. 그래서 이들을 앞세워 반대파들을 말이나 행동으로 협박하고, 또는 주먹으로 겁박하며 죽이고 하여 자신들의 욕심을 채우곤 한다. 당시 "누구든지 예수를 그리스도로 시인하는 자는 출교하기로 결의"(요한 9;22)한 것을 볼 때 예수 그리스도는 정치범으로 십자가에서 죽었다고 볼 수도 있을 것이다. (필자가 '똘마니'의 속어를 사용한 것은 그 시대의 대제사장을 깡패 같은 무리로 보기 때문이다.)

"한 사람이 백성을 위하여 죽어서 온 민족이 망하지 않는 것이 너희에게 유익한 줄을 생각지 아니하는도다." 라고 했던 가야바의 말대로 예수 그리스도는 그의 선동에서 벗어나지 못했고, 결국 죽음의 길을 가야 했다. 가야바는 자기의 경쟁자로 나타난 예수 그리스도를 자기의 생각대로 죽음으로 몰고 간 것이다. 그렇다면 대제사장 가야바의 권모술수(權謀術數)는 성공한 것인가?

아니다. 가야바가 벌인 예수님을 십자가에 매단 사건은 하나님의 섭리에 의한 참포도나무와 들포도나무의 죽음이다.

참포도나무인 예수 그리스도는 자신의 생명의 피를 들포도나무인 인류에게 주기 위해 죽고, 들포도나무인 인류로 대변되는 강도들은 예수님의 십자가 좌우에 매달려 죽음으로써 들포도의 몸은 다리가 꺾인 채 죽어 없어지고, 참포도나무의 진액인 참생명을 받을 수가 있었다. 이처럼 위대한 일을 농부이신 하나님이 하신 것이다.

이러한 은혜의 일은 예수 그리스도를 우리의 생명으로 마음에 영접함으로 이루어지는 신앙의 역사요, 예수 그리스도를 나의 생명의 근원으로 영접하여 그 생명으로 작은 예수 그리스도로 사는 것이 우리 그리스도인들의 삶이다.

본문공부

19,20절 "대제사장이 예수에게 그의 제자들과 그의 교훈에 대하여 물으니 ◇예수께서 대답하시되 내가 드러내어 놓고 세상에 말하였노라. 모든 유대인들의 모이는 회당과 성전에서 항상 가르쳤고, 은밀히는 아무 것도 말하지 아니하였거늘"

예수 그리스도를 죄인처럼 결박하여 데려간 대제사장이 예수의 동향과 직제자들에 대하여 가르친 내용을 잘 알면서도 묻고 있다.

예수께서 답하신다. '내가 드러내어 놓고 세상에 말하였노라'고. 나는 비밀스레 가르치지 않았고, 드러내서 가르쳤다. 그래서 너희 대제사장들과 유대인들은 내 가르침에 대한 이야기를 다 들었을 터이다. 내가 말하였던 장소는 "모든 유대인들의 모이는 회당과 성전"이었다. 하늘나라 복음! 곧, 인간들을 새롭게 갱신하는 복된 말을 은밀히 말할 하나의 이유도 없었다는 말씀이다.

21절 "어찌하여 내게 묻느냐? 내가 무슨 말을 하였는지 들은 자들에게 물어 보라. 저희가 나의 하던 말을 아느니라."

'어찌하여 내게 묻느냐?' 은밀히 가르친 말은 한 마디도 없었는데 왜 나에게 묻느냐? 너희가 잘 알아듣지 못하였으면 '저희' 들은 사람들이 '나의 하던 말을 들어서 알고 있을 테니' 함께 들었던 사람들에게 물어보라고 말씀하신다.

22절 "이 말씀을 하시매 곁에 섰는 하속 하나가 손으로 예수를 쳐 가로되 네가 대제사장에게 이 같이 대답하느냐? 하니"

여기서 옛날 2000년 전 예수 그리스도 시대의 종교위정자들이 요즘의 깡패 집단과 같다는 것이 여실히 들어난다. 깡패들은 사람을 이렇게 겁박한다. 두목이 위협적으로 질문을 하고, 하속인 똘마니가 주먹질을 한다. 마찬가지로, 본문에서도 똘마니들인 하속이 '대제사장에게 이 같이 대답하느냐?'며 큰소리를 치면서 주먹질을 하는데, 바로 이런 행위들이 오늘날 깡패들의 짓거리다.

23,4절 "예수께서 대답하시되 내가 말을 잘못하였으면 그 잘못한 것을 증거하라. 잘하였으면 네가 어찌하여 나를 치느냐? 하시더라. ◇안나스가 예수를 결박한 그대로 대제사장 가야바에게 보내니라."

예수께서는 정말 바른 말씀을 하셨다. 나를 책잡으려면 들었던 자(者)들에게 물어서 나의 잘못된 말이 있다면 말해 보아라. 그 말이 무엇인지 물어보지도 않고 나를 치는 것은 부당한 일이라고 말씀하신다.

안나스가 예수를 신문하다가 결박한 그대로 대제사장 가야바에게 보낸다. 안나스는 AD6년 무렵 수리아 총독을 역임한 그 당시의 원로 정치인이었다. 그런 그가 예수님을 신문하다가 사위인 대제사장 가야바에게 보내고 있다.

25절 "시몬 베드로가 서서 불을 쬐더니 사람들이 묻되 '너도 그 제자 중 하나가 아니냐?' 베드로가 부인하여 가로되 '나는 아니라!' 하니"

붙잡혀가는 스승을 따라간 베드로가 '서서 불을 쬐며' 저들이 스승에게 어떻게 하는가를 지켜보고 있었다. 그런데 옆에서 함께 불을 쬐던 하속들이 **'너도 그 제자 중 하나가 아니냐?'** 하며 묻는 말에 깜작 놀란 베드로가 '나는 아니라!'고 부인하고 있다. 모르긴 해도 이때 베드로는 두 손바닥과 고개를 흔들며 '나는 아니라!' 고 하지 않았을까.

26절 "대제사장의 종 하나는 베드로에게 귀를 베어 버리운 사람의 일가라. 가로되 네가 그 사람과 함께 동산에 있던 것을 내가 보지 아니하였느냐."

베드로가 '나는 아니라'고 부인을 하니, 동산에서 베드로에게 귀를 베인 말고의 일가인 하속이 베드로에게 '네가 그 사람과 함께 동산에 있던 것을 내가 분명히 보았는데 아니라고 하느냐?'고 다그친다.

27절 "이에 베드로가 또 부인하니 곧 닭이 울더라."

이 기사의 핵심은 사도요한이 베드로에게 스승 예수를 그리스도로 인정하라는 요구이다. 스승 예수께서 잡히기 전에 예언하신 대로 베드로는 자기가 '예수의 제자'임을 세 번이나 부인하고 있다. 이렇게 부인한 베드로지만, '곧 닭이 울더라' 닭울음소리를 듣자 그제서야 스승 예수의 말씀이 떠올랐다. 하지만, '예수 그리스도를 자신의 생명의 근원으로 인정'할 것을 요구하는 것이 이 기사의 의미라고 하겠다.

그런데 더욱 더 좋은 말은 베드로가 스승의 말씀이 떠오르자 곧 바로 통곡하며 자신을 돌아보고 죄책감에 견딜 수 없는 시간을 보낸다. 그러다가 '디베랴' 바닷가에서 예수 그리스도와의 진정한 만남이 이루어진다. 여기서 부활하신 예수 그리스도를 새롭게 보는 눈이 열리게 된다. 아! 스승을 모른다고 부인하였던 죄된 몸은 강도의 모습으로 그리스도와 함께 죽고, "예수 그리스도의 피 뿌림을 받아" 그 생명으로 부활을 믿게 된다(벧전1:2).

만약에 예수를 팔아버린 '유다'가 자살(自殺)하지 않았다면, 예수 그리스도는 제일 먼저 '유다'를 찾았을지도 모른다. 그런데 유다는 그러한 기회를 예수 그리스도에게 주지 않았다. 이래서 자살은 살인이다.

한국 무교회의 고 노평구 선생은 자살을 미화한 적이 있다. 그러나 자살의 미화는 그리스도교 진리를 왜곡하는 일이 아닐 수 없다. 자살은 자기 자신을 죽이는 살인이다.

2016년 5월 10일 발표

〈제81과〉

네 말과 같이 내가 왕이니라

본문 말씀 18: 28~40

"28저희가 예수를 가야바에게서 관정으로 끌고 가니 새벽이라. 저희
는 더럽힘을 받지 아니하고 유월절 잔치를 먹고자 하여 관정에 들어가
지 아니하더라. 29그러므로 빌라도가 밖으로 저희에게 나가서 말하되
너희가 무슨 일로 이 사람을 고소하느냐? 30대답하여 가로되 이 사람
이 행악자가 아니었더면 우리가 당신에게 넘기지 아니하였겠나이다. 31
빌라도가 가로되 너희가 저를 데려다가 너희 법대로 재판하라. 유대인
들이 가로되 우리에게는 사람을 죽이는 권한이 없나이다 하니 32이는
예수께서 자기가 어떠한 죽음으로 죽을 것을 가리켜 하신 말씀을 응하
게 하려 함이러라. 33이에 빌라도가 다시 관정에 들어가 예수를 불러
가로되 네가 유대인의 왕이냐? 34예수께서 대답하시되 이는 네가 스스
로 하는 말이뇨, 다른 사람들이 나를 대하여 네게 한 말이뇨? 35빌라도
가 대답하되 내가 유대인이냐? 네 나라 사람과 대제사장들이 너를 내
게 넘겼으니 네가 무엇을 하였느냐? 36예수께서 대답하시되 내 나라는
이 세상에 속한 것이 아니라. 만일 내 나라가 이 세상에 속한 것이었더
면 내 종들이 싸워 나로 유대인들에게 넘기우지 않게 하였으리라. 이제
내 나라는 여기에 속한 것이 아니니라. 37빌라도가 가로되 그러면 네가
왕이 아니냐? 예수께서 대답하시되 네 말과 같이 내가 왕이니라. 내가
이를 위하여 났으며 이를 위하여 세상에 왔나니 곧 진리에 대하여 증거
하려 함이로라. 무릇 진리에 속한 자는 내 소리를 듣느니라 하신대 38
빌라도가 가로되 진리가 무엇이냐? 하더라. 이 말을 하고 다시 유대인
들에게 나가서 이르되 나는 그에게서 아무 죄도 찾지 못하노라. 39유월
절이면 내가 너희에게 한 사람을 놓아 주는 전례가 있으니 그러면 너희
는 내가 유대인의 왕을 너희에게 놓아 주기를 원하느냐? 하니 40저희
가 또 소리질러 가로되 이 사람이 아니라 '바라바'라 하니 '바라바'는
강도러라."

내 나라는 세상에 속한 것이 아니다

예수께서는 "내 나라는 세상에 속한 것이 아니다"라고 하신다.

예수님의 나라가 세상에 있지 않다고 한다면 예수께서는 인류와 다르다는 말씀이다.

그렇다면 어떻게 다른가?

◯ 하나님 품속에 있던 하나님의 아드님이다(1:18).

◯ 자신은 베들레헴 떡집의 아들로 온 생명의 떡(6:51)으로써, 인류는 이 떡을 먹어야 산다.

◯ 나는 참포도나무! 너희는 나의 생명을 받아야 나의 가지가 된다(15:5).
인류는 참 포도나무의 가지를 받아야 그리스도의 생명으로 산다.

◯ 접붙임 할 능력이 하나님께 있다(로마서11장).

그런데 어떻게 중세기의 개혁자들이 이러한 내용을 대속으로 보았을까? 그것은 구약을 연결하여 구약에 소나 양의 피로 올리는 속죄(贖罪)의 제사를 상상하였을 것으로 생각된다. 그러나 구약에서의 도(道)가 아닌, 새롭게 사는 길을 말할 때에는 아니다. 새로운 길, 새로운 말씀이다. 곧 영접으로 이루어지는 접목이다.

네 말과 같이 내가 왕이니라

예수 그리스도는 인류의 생명의 근원이요, 인류의 왕이시다. 곧 아버지 품속에 계시던 생넝이요, 생명의 근원이시기에 왕이시다. 십자가상에서 접목으로 주신 우리 인류의 생명의 주인이시니 바로 생명의 주인이요, 王이시다.

그래서 예수께서 "내가 왕이니라. 내가 이를 위하여 났으며 이를 위하여 세상에 왔나니 곧 진리에 대하여 증거하려 함이로라. 무릇 진리에 속한 자는 내 소리를 듣느니라"고 말씀하신다.

본문 공부

28절 "저희가 예수를 가야바에게서 관정으로 끌고 가니 새벽이라. 저희는 더럽힘을 받지 아니하고 유월절 잔치를 먹고자 하여 관정에 들어가지 아니하더라."

예수를 대제사장 가야바에게서 총독 빌라도의 관정으로 끌고 갔다, 이때까지는 종교위정자인 가야바 일당들에게 억압상태에 있었다. 이 시대의 종교권력은 매우 커서 통치세력도 함부로 할 수 없었다. 그런데 놀라운 일은 유대교 지도자들의 속마음은 예수 그리스도를 죽이고 싶어 하면서도 겉으로는 더럽힘을 받지 아니하고 유월절 음식을 먹고자 관정에 들어가지 않았다. 이미 마음으로는 살인을 자행한 자들의 우스운 모습이다.

29,30절 "그러므로 빌라도가 밖으로 저희에게 나가서 말하되 너희가 무슨 일로 이 사람을 고소하느냐? ◇대답하여 가로되 이 사람이 행악자가 아니었더면 우리가 당신에게 넘기지 아니하였겠나이다."

'너희가 무슨 일로 이 사람을 고소하느냐?' 유대교 위정자들이 관정에 들어오지 않으므로 빌라도가 밖으로 직접 나가서 저들에게 고발 이유를 묻고 있다.

앞에서의 빌라도의 물음에 '이 사람이 행악자가 아니었더면 우리가 당신에게 넘기지 아니하였을 것'이라고 대답한다. 예수 그리스도를 행악자로 몰아가는 살인자들의 당당함을 본다.

31,2절 "빌라도가 가로되 너희가 저를 데려다가 너희 법대로 재

판하라. 유대인들이 가로되 우리에게는 사람을 죽이는 권한이 없나이다 하니 ◇이는 예수께서 자기가 어떠한 죽음으로 죽을 것을 가리켜 하신 말씀을 응하게 하려 함이러라."

빌라도가 '너희가 저를 데려다가 너희 법대로 재판하라' 고 유대인들에게 말한다.

그러자 유대인들이 대답한다. '우리에게는 사람을 죽이는 권한이 없어서 권한이 있는 당신이 우리 유대인 대신 죽여 달라고 고발합니다.'

유대인들의 대답에서 그들은 이미 마음으로 살인을 계획하고 고발하였다는 것을 스스로 증거하고 있다.

요한복음을 기록한 사도요한은 예수 그리스도에 대하여 '이사야' 등 여러 선지자들의 예언을 생각하며 예수 그리스도의 죽음의 과정을 전하고 있다.

33,4절 "이에 빌라도가 다시 관정에 들어가 예수를 불러 가로되 네가 유대인의 왕이냐? ◇예수께서 대답하시되 이는 네가 스스로 하는 말이뇨, 다른 사람들이 나를 대하여 네게 한 말이뇨?"

유대인들의 '우리에게는 사람을 죽이는 권한이 없나이다.'라는 말을 듣고 빌라도가 관정에 다시 들어와 예수를 신문한다. '네가 유대인의 왕이냐?' 빌라도는 정치적으로 몰고 갈 증거를 잡으려 하고 있다.

이러한 빌라도에게 예수께서 반문하신다. 내가 '유대인의 왕'이란 말은 '네가 스스로 하는 말이냐, 아니면 다른 사람들이 나를 대하여 네게 한 말이냐?'

35절 "빌라도가 대답하되 내가 유대인이냐? 네 나라 사람과 대제사장들이 너를 내게 넘겼으니 네가 무엇을 하였느냐?"

'나를 유대인의 왕이라고 한 것이 누구의 말이냐?'는 예수님의 질문에 빌라도가 '내가 유대인이냐? 네 나라 사람과 대제사장들이 너를 내게 넘겼으니' 너를 심문할 뿐이다. 도대체 '네가 무슨 말을 하였느냐?'고 되묻고 있다.

36절 "예수께서 대답하시되 내 나라는 이 세상에 속한 것이 아니라. 만일 내 나라가 이 세상에 속한 것이었더면 내 종들이 싸워 나로 유대인들에게 넘기우지 않게 하였으리라. 이제 내 나라는 여기에 속한 것이 아니니라."

'네가 무엇을 하였느냐?'는 빌라도의 묻음에 예수 그리스도께서 새로운 말씀으로 답을 하신다.

'내 나라는 이 세상에 속한 것이 아니다'

'만일 내 나라가 이 세상에 속했다면 내 종들이 싸워서라도 나를 유대인들에게 넘기지 않았을 것이다.'

37절 "빌라도가 가로되 그러면 네가 왕이 아니냐? 예수께서 대답하시되 네 말과 같이 내가 왕이니라. 내가 이를 위하여 났으며 이를 위하여 세상에 왔나니 곧 진리에 대하여 증거하려 함이로라. 무릇 진리에 속한 자는 내 소리를 듣느니라 하신대"

앞절에서 예수님의 '내 나라는 여기에 속한 것이 아니라'는 말씀에 빌라도가 '그러면 네가 왕이 아니냐!?'고 묻고 있다.

여기에 대한 예수님의 답변을 아래처럼 간추릴 수 있겠다.

-. 네 말과 같이 내가 왕이다

－. 내가 이를 위하여 났으며 이를 위하여 세상에 왔다

－. 진리에 대하여 증거하기 위함이다

－. 진리에 속한 자는 내 소리를 듣는다

이렇게 예수 그리스도는 자신을 왕이라고 하신다. 그런데 우리는 여기서 아래의 말씀들을 주목해야 한다.

'내가 이를 위하여 났으며, 이를 위하여 세상에 왔나니' 여기서 이를 위하여는 '왕이 되기 위하여'라는 말이 되겠다.

즉, 왕이 되기 위하여 태어났고, 왕이 되기 위하여 세상에 왔다는 말이다.

인류는 모두 아담의 자손으로 죄에 물들어 죽어 없어지고, 예수 그리스도의 생명을 받아 새롭게 창조된 - 다시 말하여 거듭난 생명들의 왕이 되고자 왔다는 말씀이다. 이 일은 하나님 아버지의 역사로 십자가상에서 참 포도나무와 들포도나무가 접붙임되어 새로운 참생명으로 나라가 이루어지게 되며, 그리스도는 이 새 나라의 왕이시다.

38절 "빌라도가 가로되 진리가 무엇이냐? 하더라. 이 말을 하고 다시 유대인들에게 나가서 이르되 나는 그에게서 아무죄도 찾지 못하노라."

예수께서 '무릇 진리에 속한 자는 내 소리를 듣느니라'고 하시니 빌라도가 '진리가 무엇이냐?' 고 묻는다. 여기서 깊이 생각 할 일이 있다. 2000여 년 전에 '빌라도' 같은 사람이 '진리가 무엇이냐'고 물었는데, 빌라도 같은 지배층도 진리를 알지 못했다는 말이다.

그런데 여기서의 진리는 예수 그리스도께서 이루는 역사를 말

한다. 곧 예수 그리스도의 길 - 십자가상에서 이루어지는 일들이 진리이다. 무슨 진리인가? 인류 갱신 즉, 인류가 새롭게 태어나는 진리이다. 이는 들포도나무가 참포도나무의 생명을 받는 진리이다.

"이 말을 하고 다시 유대인들에게 나가서 이르되 나는 그에게서 아무 죄도 찾지 못하노라." 예수 그리스도가 이루는 역사가 진리라는 것을 깨닫지 못한 빌라도가 밖에 있는 유대인들에게 가서 '나는 그에게서 아무 죄도 찾지 못하노라' 고 하였다. 예수 그리스도에게서 죄를 찾지 못했으면 무죄를 선고하면 되는 일이었다.

39절 "유월절이면 내가 너희에게 한 사람을 놓아 주는 전례가 있으니 그러면 너희는 내가 유대인의 왕을 너희에게 놓아 주기를 원하느냐? 하니"

빌라도는 유대인들에게 '유월절이면 내가 너희에게 한 사람을 놓아 주는 전례가 있으니 그러면 너희는 내가 유대인의 왕을 너희에게 놓아 주기를 원하느냐?' 고 묻는다.

요한복음을 공부하는 나 자신은 39,40절은 대속을 주장하는 분들이 훗날에 삽입했을 것으로 본다.

40절 "저희가 또 소리질러 가로되 이 사람이 아니라 '바라바' 라 하니 '바라바' 는 강도러라."

'전례대로 유대인의 왕을 너희에게 놓아 주기를 원하느냐?' 는 빌라도의 물음에 유대인들이 '아니다. 강도 바라바를 놓아 달라' 고 소리친다.

앞에서 39,40절을 훗날 삽입했을 것으로 본다고 하였는데, 죄

많은 '바라바'는 살고 죄 없는 예수는 죽은 것을 대속으로 보고 훗날 삽입하지 않았는가 하는 생각이다.

2016년 6월 10일 발표

〈제82과〉
십자가에 못 박게 하소서(상)

본문 말씀 19: 1-7

"1이에 빌라도가 예수를 데려다가 채찍질 하더라. 2군병들이 가시로
면류관을 엮어 그의 머리에 씌우고 자색 옷을 입히고 3앞에 와서 가로
되, 유대인의왕이여 평안할 찌어다 하며 손바닥으로 때리더라. 4빌라도
가 다시 밖에 나가 말하되 보라, 이 사람을 데리고 너희에게 나오나니
이는 내가 그에게서 아무 죄도 찾지 못한 것을 너희로 알게 하려 함이
로라 하더라. 5이에 예수께서 가시 면류관을 쓰고 자색 옷을 입고 나오
시니 빌라도가 저희에게 말하되, 보라 이 사람이로다 하매 6대제사장들
과 하속들이 예수를 보고 소리 질러 가로되 십자가에 못 박게 하소서,
십자가에 못 박게 하소서 하는지라. 빌라도가 가로되 너희가 친히 데려
다가 십자가에 못 박으라. 나는 그에게서 죄를 찾지 못하노라. 7유대인
들이 대답하되, 우리에게 법이 있으니 그 법대로 하면 저가 당연히 죽
을 것은 저가 자기를 하나님의 아들이라 함이니이다."

십자가에 못 박게 하소서 십자가에 못 박게 하소서

요한복음19장은 예수님의 십자가의 죽음을 기록한 장이다.

신약성서가 기록된 이래 지금까지 성서학자들은 성서를 잘 못 읽어냈다. 바꾸어 말하면 십자가 위에서의 세 사람의 죽음 가운데 강도의 죽음에서는 가치 의미(價値意味)를 찾아내지 못하고 간과했다는 것이다.

예언자 세례 요한은 "세상 죄를 잡아 죽이는 하나님의 아들"로 예수 그리스도를 정의하고 있다. 여기서 죄(罪)는 인간들의 죄를 말하는데, 강도들은 인간 즉, 들포도나무의 밑동이 절단 되어 죽기 위하여 십자가상에 매달렸으며, 예수 그리스도는 좌 · 우

의 절단된 들포도나무의 몸통에 '참포도나무의 가지의 진액 곧, 피를 흘려 주기위해 돌아가신다. 베드로는 이 장면을 인용하여 **"예수 그리스도의 피 뿌림을 얻기 위하여 택하심을 입은 자들에게 편지"**(벧전1:2)한다고 쓰고 있다.

그런데 '헬라어'를 가르치시는 광주의 전준덕 선생은 "앞에서도 누누이 지적했지만 '예수와 함께 십자가에서 죽은 강도'는 예수와 상관없는 존재"라고 기록하고 있다(성서신애 2010년 3월호 통권342호 35쪽).

전준덕 선생뿐만 아니라 중세의 루터나 칼뱅 이후에도 개신교회에서는 강도의 죽음의 의미와 가치를 읽어내지 못했다. 하지만 지금 자연과학은 눈이 부시게 발전하고 있는데, 그리스도교에서 내세우는 진리는 500년 전이나 지금이나 앵무새처럼 속죄의 신앙, 대속의 신앙만을 내세우고 있어 기독교는 쇠락의 길을 가고 있다.

그렇다면 기독교가 이대로 쇠락하도록 방치해야 하는가? 아니다. 종교가 통치세력을 업고 칼날을 휘두르던 옛날에는 칼뱅의 전통신앙관에서 벗어나면 죽임을 면치 못했기 때문에 설령 진리를 발견했다고 하드라도 발표를 못하거나, 그 연구가 위축되어 왔었다. 그러나 지금 개신교에서는 누구나 성서 해석을 허용하고 있으므로 타당한 진리를 발견한다면 누구든 그 진리를 주창할 필요가 있다. 그 길만이 기독교의 쇠락을 멈추게 할 것이다.

"세상 죄(罪)를 제거하는 하나님!"

"이튿날 요한이 예수께서 자기에게 나아오심을 보고 가로되, '보라! 세상 죄를 지고 가는 하나님의 어린 양(羊)'이로다."

(1:29절)

위의 말씀만을 보면 ***'예수가 세상 죄를 지고 가는'*** *이라고 했으니 마틴 루터가 주장한 대속의 신앙을 뒷받침하는 말씀으로 볼 수 있다.*

그런데 日本의 신(新) 공동번역 성서에는 아래와 같이 되어 있다.

*"その翌日　ヨハネは 自分の方へイエスが来られるの見て言った　見よ世の*__*罪を取り除く*__*神の小羊だ."*

여기에서 ***罪を取り除く****이 부분의 우리말 성서는 '죄를 지고 가는' 으로 되어 있다. 그러나 '取り'〈도리〉는 한국어로는 얻다, 받다, 잡다 등의 뜻이다. 한마디로 이야기 하면 '손으로 잡다' 즉, '죄를 잡아'로 번역하면 될 것이다.*

'除く'〈노죠꾸〉는 '없애다, 치우다, 제거하다, 죽이다'로 번역할 수 있으며, 전체를 번역하면 "죄를 잡아 제거하는 하나님!"으로 본다. 죄를 잡아 없애는 일을 농부인 하나님이 하신다는 것이다. 그런데 두 강도와 예수가 십자가상에서 로마 군병에 의하여 못을 박아 죽임을 당하는데, 강도와 예수의 죽음의 의미가 각각 다르다는 것이다.

인류의 대표인 강도는 강도의 죄 된 몸을 제거하기 위하여 본문 말씀과 같이 ***'죄를 잡아 제거하는'*** *의미의 죽음을 당하는 것이고, 예수는 하나님의 아들 어린양으로서 희생양의 피-곧, 참포도나무의 가지를 하나님이 취(取)하기 위하여 죽이는 것이다."*
(공부 제 6과에서)

본문 공부

1,2절 "이에 빌라도가 예수를 데려다가 채찍질 하더라. ◇군병들이 가시로 면류관을 엮어 그의 머리에 씌우고 자색 옷을 입히고"

앞 과에서 공부한 18장 38절 말씀에서 빌라도는 **'나는 그에게서 아무 죄도 찾지 못하노라'** 하면서 예수를 놓아주겠다고 하니 유대인들이 **'이 사람이 아니라 바라바'**를 놓아달라고 소릴 지른다. 그러자 빌라도는 어쩔 수 없이 예수에게 모질게 채찍을 가했다.

빌라도가 예수께 모질게 채찍질을 하자 군병들은 한발 더 나아가 가시로 면류관을 엮어 예수님의 머리에 씌우고, 자색 옷을 입혔다. 그 재판관에 그 군병이다.

3,4절 "앞에 와서 가로되, 유대인의 왕이여 평안할 찌어다 하며 손바닥으로 때리더라. ◇빌라도가 다시 밖에 나가 말하되 보라, 이 사람을 데리고 너희에게 나오나니 이는 내가 그에게서 아무 죄도 찾지 못한 것을 너희로 알게 하려 함이로라 하더라."

예수님의 머리에 가시면류관을 만들어 씌우고, 자색 옷을 입힌 군병들이 이번에는 예수 그리스도 앞에 와서 '유대인의 왕이여 평안할 찌어다' 하면서 손바닥으로 때리며 야유를 하고 있다.

채찍질을 끝낸 빌라도가 예수님을 끌고 밖에 나가서 유대인들에게 '자기는 저토록 매질까지 했지만, 예수에게서 아무런 죄도 찾지 못했다'고 말한다.

여기서 빌라도의 마음으로 돌아가 보면, 아무런 죄도 없는 예수를 가혹하게 채찍질해서라도 유대인들의 마음을 누그러지게 하려는 생각이었을 것이다.

5절 "이에 예수께서 가시 면류관을 쓰고 자색 옷을 입고 나오시니 빌라도가 저희에게 말하되, 보라 이 사람이로다 하매"

채찍질에 몸은 축 늘어지고, 머리에는 가시 면류관을 쓰고, 몸에는 자색 옷이 입혀진 예수 그리스도의 형체(形體)는 알아 볼 수 없는 모습이었을 것이다. 그런 예수를 가리키며 빌라도는 유대인들에게 '보라 이 사람이로다' 라고 한다. 이 말에는 '불쌍하지도 않느냐'는 의미가 담겨있다.

면류관은 왕의 의관을 상징한다. 비록 '가시 면류관'이긴 하지만 인류의 새로운 왕, 참생명을 받은 사람들의 왕으로 서신 예수 그리스도를 본다.

6절 "대제사장들과 하속들이 예수를 보고 소리 질러 가로되 십자가에 못 박게 하소서, 십자가에 못 박게 하소서 하는지라. 빌라도가 가로되 너희가 친히 데려다가 십자가에 못 박으라. 나는 그에게서 죄를 찾지 못하노라."

빌라도는 대제사장들과 군병들, 백성들에게 동정심을 얻기 위하여 예수를 채찍질 하였는데, 유대인들의 반응은 변하지 않고 오직 예수를 십자가에 못 박게 해달라고만 한다. 그러자 빌라도는 '나는 그에게서 죄를 찾지 못했으니 너희가 데려다가 마음대로 하라'고 한다. 유대인들의 극렬한 요구에 빌라도가 손을 든 것이다.

7절 "유대인들이 대답하되 우리에게 법이 있으니 그 법대로 하면 저가 당연히 죽을 것은 저가 자기를 하나님의 아들이라 함이니이다."

대제사장과 유대인들이 예수 그리스도를 죽이도록 미워한 죄목은 "저가 자기를 하나님의 아들이라 함"이었다.

하나님의 아들이라고 하였던 것이 유대인들에게는 죽어야 할 죄목인 셈이다. 그런데 그리스도教에서 예수 그리스도의 생명을 받으면 모두가 하나님의 아들이다. 본래 하나님을 본 사람이 없으되 '아버지 품속에서 독생' 하신 하나님이 나타내셨으니" 곧 하나님의 품속에 있던 예수 그리스도는 진정 하나님의 아들이시다.

당시의 사형제도

예수님 당시의 팔레스티나 지방과 유럽의 대부분 지역은 로마의 지배를 받고 있었다.

이때 이런 지역들에서는 죄인들을 다루는 재판권이 로마 관리에 있었고, 사형수는 반드시 십자가에 매달고 못을 박아 죽게 했다. 단, 로마 시민권자는 십자가형에서 제외되었다.

초기 기독교를 이방세계에 널리 알린 바울은 로마 시민권을 갖고 있어서 전도하는 과정에서 여러 위험으로부터 로마 군인들의 도움을 받았기에 여러 지역을 돌아다니며 전도할 수가 있었다. 이 또한 예수 그리스도의 크신 역사요, 은혜다.

"규스다 부 도레"의 성화 설명

"규스다 부 도레"는 세계적인 프랑스의 삽화가다. 日本語 版 "그림으로 본 성서"에는 "도레"의 십자가상의 성화삽화 두 장이 들어있다. 그 성화를 참고로 여기에 싣는다.

“규스다 부 도레”는 십자가의 삽화에서 ‘포인트(point)를 ‘다리’에 두었음을 본다.

2016년 7월 10일 발표

〈제83과〉
십자가에 못 박게 하소서(하)

본문 말씀 19:8~16

"8빌라도가 이 말을 듣고 더욱 두려워하여 9다시 관정에 들어가서
예수께 말하되 너는 어디로서냐? 하되, 예수께서 대답하여 주지 아니하
시는지라. 10빌라도가 가로되 내게 말하지 아니하느냐? 내가 너를 놓을
권세도 있고, 십자가에 못 박을 권세도 있는 줄 알지 못하느냐? 11예수
께서 대답하시되 위에서 주지 아니하면 나를 해할 권세가 없었으리니
그러므로 나를 네게 넘겨 준 자의 죄는 더 크니라 하시니 12이러하므로
빌라도가 예수를 놓으려고 힘썼으나 유대인들이 소리질러 가로되 이 사
람을 놓으면 가이사의 충신이 아니니이다! 13무릇 자기를 왕이라 하는
자는 가이사를 반역하는 것이니이다! 빌라도가 이 말을 듣고 예수를 끌
고 나와서 박석(히브리 말로 가바다)이란 곳에서 재판석에 앉았더라. 14
이 날은 유월절의 예비일이요 때는 제 육시라. 빌라도가 유대인들에게
이르되 보라, 너희 왕이로다. 15저희가 소리지르되 없이 하소서! 없이
하소서! 저를 십자가에 못 박게 하소서! 빌라도가 가로되 내가 너희 왕
을 십자가에 못 박으랴? 대제사장들이 대답하되 가이사 외에는 우리에
게 왕이 없나이다 하니 16이에 예수를 십자가에 못 박히게 저희에게 넘
겨 주니라."

우리가 사는 세상은 들 포도나무 농장

예수 그리스도께서는 비유를 들어 말씀을 많이 하셨다.

특히 자신에 대하여

○ 나는 참 포도나무다

○ 나는 생명의 떡이다.

○ 나는 길이요, 진리요, 생명이다.

이 외에도 많은 비유가 있으며, 제자나 사람들에게 가르침의 말씀을 하실 때에도 여러 가지 비유를 들었다.

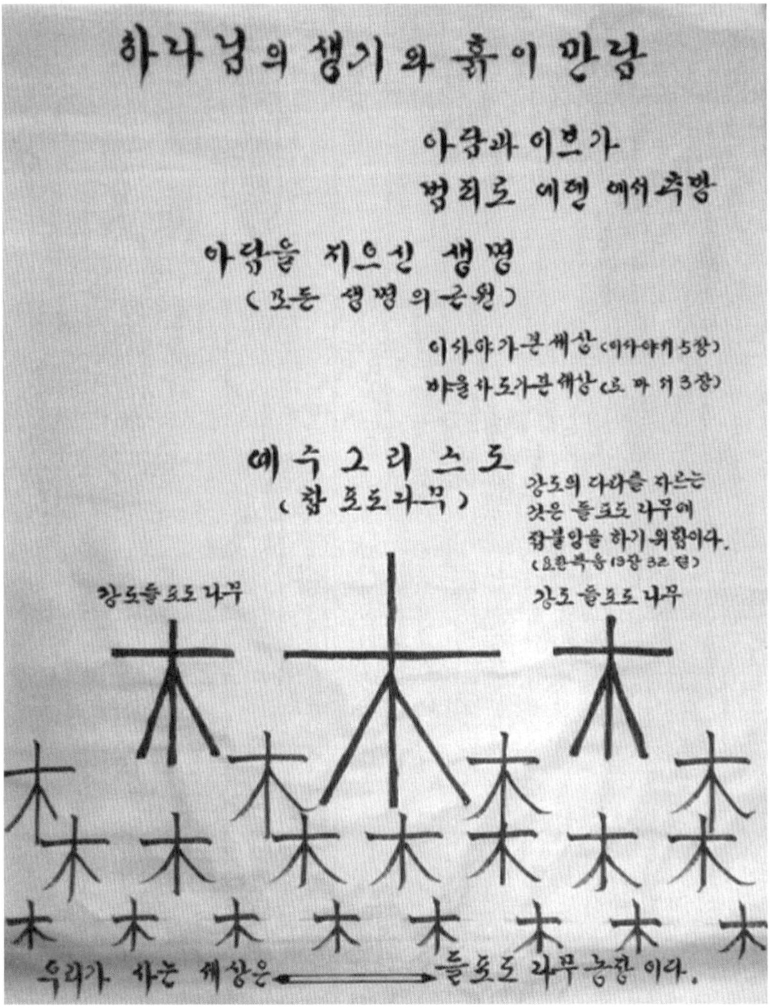

○ 가라지 비유

○ 씨 뿌림의 비유

○ 달란트 비유 등

이러한 비유는 장차 겪게 될 자신의 십자가 사건을 설명하기 위한 것으로, 특히 십자가의 의미(意味)가 잘 나타나 있다. 다시 말하여 "나는 참 포도나무요, 너희는 가지"라고 할 때에 너희가 나의 생명의 떡을 받아먹어야 '나의 가지' 곧 '참포도나무의 가지'가 될 수 있다고 하셨다.

증언자 바울 선생은 **"참감람나무와 돌감람나무의 접붙임의 능력이 하나님께 있다"**고 하였다(롬11:23). 이는 예수 그리스도께서 말씀하신 **"나는 참포도나무, 너희는 나의 가지, 아버지는 농부"**라는 말씀을 잘 나타내고 있다. 예수께서는 **'나는 참포도나무, 너희는 가지'**라고 하셨는데, 바울은 '참감람나무와 돌감람나무'를 예로 들고 있다. 예수님과 바울의 접붙임의 대상이 포도나무와 감람나무로 나뉘어 있지만, 들포도나무나 돌감람나무 모두가 접목의 단계를 거친 후에서야 참포도나무나 참감람나무가 되기 때문에 표현만 다를 뿐, 예수님의 십자가사건으로 접목을 설명하는 데에는 같다고 하겠다. **"또한 가지 얼마가 꺾여졌는데, 돌감람나무인 네가 그들 중에 접붙임이 되어 참감람나무 뿌리의 진액을 함께 받는 자 되었은 즉"** 이는 곧 참감람나무인 예수 그리스도의 가지가 채찍에 의해 흘린 피로 돌감람나무인 우리에게 접붙임이 되었다는 말씀이다.

또 수제자인 베드로는 증언자로서 **"예수 그리스도의 피 뿌림을 얻기 위하여 택하심을 입은 자들에게 편지"**한다고 했는데, '그리스도의 피로 접붙임을 입은 자들에게 편지 한다'는 말이다.

"너희가 거듭난 것이 썩어질 씨로 된 것이 아니요, 썩지 아니할 씨로 된 것이니 하나님의 살아 있고 항상 있는 말씀으로 되었느니라."(벧전1:2, 1:23)

살펴본 대로 증언들 모도가 십자가의 사건은 대속의 사건이 아니라 접붙임의 사건임을 말해주고 있다.

본문 공부

8,9절 "빌라도가 이 말을 듣고 더욱 두려워하여 ◇다시 관정에 들어가서 예수께 말하되 너는 어디로서냐? 하되 예수께서 대답하여 주지 아니하시는지라"

앞과 공부에서 '예수에게서 죄를 찾지 못했다'는 빌라도의 말에 유대인들이 '저(예수)가 사람이면서 하나님의 아들'이라는 참람한 말을 하였으므로 죽이는 것이 당연하다고 한다. 그러자 빌라도가 '혹시 예수가 정말 하나님의 아들일까?' 하는 두려운 마음이 생겨 다시 관정에 들어가서 예수께 되묻는다. 도대체 '너는 어디에서 왔느냐?' 예수 그리스도의 정체를 알고 싶었던 것이다. 그러나 예수께서는 대답해주지 않는다.

10절 "빌라도가 가로되 내게 말하지 아니하느냐? 내가 너를 놓을 권세도 있고 십자가에 못 박을 권세도 있는 줄 알지 못하느냐?"

빌라도가 자신이 묻는 말에 예수께서 대답을 하지 않으므로 이번에는 자신의 권세를 내새워 압박한다. '내가 너를 놓을 권세도 있고 십자가에 못 박을 권세도 있는 줄 알지 못하느냐?'라고. 사람의 목숨을 좌우할 수 있는 권세야말로 인간세상에서는 큰 권세 아닌가. 일반인들이라면 그 앞에서 자연 머리를 굽히게 된다.

11절 "예수께서 대답하시되 위에서 주지 아니하셨다면 나를 해할 권세가 없었으리니 그러므로 나를 네게 넘겨 준 자의 죄는 더 크니라 하시니"

자신의 권세로 압박하는 빌라도에게 예수께서 말씀하신다. '위에서 주지 아니하셨다면' 즉 아버지께서 너에게 주지 아니하셨다면 나를 해할 권세가 없었을 것이다. '그러므로 나를 네게 넘겨준 자의 죄는 더 크다' 고 하신다.

12절 "이러하므로 빌라도가 예수를 놓으려고 힘썼으나 유대인들이 소리질러 가로되 이 사람을 놓으면 가이사의 충신이 아니니이다! 무릇 자기를 왕이라 하는 자는 가이사를 반역하는 것이니이다!"

빌라도는 예수를 놓으려고 힘썼으나 유대인들이 큰소리로 외친다. '이 사람을 놓으면 당신은 가이사의 충신이 아닙니다! 무릇 자기를 왕이라 하는 자는 가이사에 반역하는 것입니다!'

당시 유태지역은 로마의 지배 아래 있었으므로 유대인들의 왕은 로마의 가이사인데, 예수가 자신을 왕이라고 하였으니 가이사에 대한 반역이라는 유대인들의 말이다. 바꾸어 말하면 반역자를 놓아주면 총독 당신도 반역자가 된다고 유대인들이 협박을 하고 있는 것이다.

13,4절 "빌라도가 이 말을 듣고 예수를 끌고 나와서 박석(히브리 말로 가바다)이란 곳에서 재판석에 앉았더라. ◇이 날은 유월절의 예비일이요 때는 제 육시라. 빌라도가 유대인들에게 이르되 보라, 너희 왕이로다."

유대인들의 협박성 외침을 들은 빌라도가 재판석에 앉았다. 어떻게든 판결을 해야 할 것 같았기 때문이다.

'보라, 너희 왕이로다.' 빌라도가 유대인들에게 말한다. '보라, 너희 왕이로다.' 이 말에는 두 가지 의미가 담겨 있다.

첫째, '너희의 왕'이라는 유대인을 비하하는 의미

둘째, '너희 왕을 내가 십자가의 못 박으랴? 하고 묻는 의미

15절 "저희가 소리 지르되 없이 하소서! 없이 하소서! 저를 십자가에 못 박게 하소서! 빌라도가 가로되 내가 너희 왕을 십자가에 못 박으랴? 대제사장들이 대답하되 가이사 외에는 우리에게 왕이 없나이다 하니"

우둔(愚鈍)한 유대인들은 발라도가 자신들을 비하하고, 심지어 '내가 너희의 왕을 십자가에 못 박으랴?' 하면서 유대민족을 비아냥대는데도 그저 '십자가에 못 박게 하소서! 십자가에 못 박게 하소서! 한다. 요즘의 우리 대한민국 위정자들이 유엔에서 북한을 징벌하라고 외치는 모습과 흡사하다고 느껴지는 것은 왜일까.

16절 "이에 예수를 십자가에 못 박히게 저희에게 넘겨 주니라."

결국 빌라도는 유대인들의 소원대로 예수 그리스도를 십자가에 못 박으라는 판결을 한다.

여기서 깊이 생각해야 할 일은 유대인들의 소원대로 예수 그리스도를 십자가에 못 박아 죽였지만, 위에서 허락하신 죽음이다. 인류! 들포도나무에게 그리스도의 피를 흘려주어 그 생명으로 거듭났으니 바로 새사람은 기독교인이다.

예수님의 수제자인 베드로는 증언자로서 **"예수 그리스도의 피 뿌림을 얻기 위하여 택하심을 입은 자들에게 편지하노니"** 라고 쓰고 있다. 이 말은 곧, 그리스도의 피로 접붙임을 입은 자들에게

편지한다는 말이다.

"너희가 거듭난 것이 썩어질 씨로 된 것이 아니요, 썩지 아니할 씨로 된 것이니 하나님의 살아 있고 항상 있는 말씀으로 되었느니라."

이상 살펴본 대로 예수님의 십자가 사건은 대속의 사건이 아니라 접붙임의 사건이다.

2016년 8월 10일 발표

〈제84과〉

인류를 재창조하신 왕

본문 말씀 19 : 17~22

"[17]저희가 예수를 맡으매 예수께서 자기의 십자가를 지시고 해골(히
브리 말로 골고다)이라 하는 곳에 나오시니 [18]저희가 거기서 예수를 십
자가에 못 박을쌔 다른 두 사람도 그와 함께 좌우편에 못 박으니 예수
는 가운데 있더라. [19]빌라도가 패를 써서 십자가 위에 붙이니 '나사렛
예수 유대인의 왕'이라 기록되었더라. [20]예수의 못 박히신 곳이 성에서
가까운 고로 많은 유대인이 이패를 읽는데 히브리와 로마와 헬라 말로
기록 되었더라. [21]유대인의 대제사장들이 빌라도에게 이르되 '유대인의
왕'이라 말고, '자칭 유대인의 왕'이라 쓰라 하니 [22]빌라도가 대답하되
나의 쓸 것을 썼다 하니라."

인류를 재창조하신 왕

'유대인의 왕' 인류 역사상 십자가에서 죽을 죄인에게 '왕'이라는 호칭을 붙인 적이 있었던가? 없었다, 오직 예수 그리스도뿐이다. 그런데 이 왕이라는 호칭은 빌라도의 치기(稚氣)인가, 우연(偶然)인가? 아니다. 예언자들의 예언이 이루어졌다는 사실이다.

이사야는 장차 올 예수 그리스도를 '평강의 왕'으로 예언한다.

"이는 한 아기가 우리에게 났고
한 아들을 우리에게 주신 바 되었는데
그 어깨에는 정사(政事)를 메었고
그 이름은 기묘자(奇妙者)라 모사(謀士)라
전능하신 하나님이라 영존(永存)하시는 아버지라

평강의 왕이라 할 것임이라"(사9:6)

"자기 땅에 오메 자기 백성이 영접지 아니하였으나, 영접하는 자(者) 곧 그 이름을 믿는 者들에게는 하나님의 자녀가 되는 권세를 주셨으니"(요1:11,2)

사도요한은 세상을 예수 그리스도의 땅! 예수 그리스도의 백성으로 말하고 있다. 이러한 예언의 말씀을 죽어가는 십자가상에서 확인하는 일들이다. 비록 '가이사'라는 로마 왕의 자리를 넘보는 죄목으로 십자가에서 죽긴 하지만, 예수 그리스도는

○ 우주만물 창조주의 왕

○ 십자가에서의 죽음의 피로 인류를 갱신하는 왕

○ 인류를 갱신하는 그들의 '평강의 왕

○ 재창조를 다 이루었다 선언하신 왕

○ 세계 통용어였던 히브리어, 로마, 헬라어로 선포되었던 왕이시다.

본문 공부

17절 "저희가 예수를 맡으매 예수께서 자기의 십자가를 지시고 해골(히브리 말로 골고다)이라 하는 곳에 나오시니"

예수께서는 '가이사의 왕권을 넘보는 정치범'으로 몰려 총독 빌라도 앞에 섰지만, 빌라도의 무죄의 의견과는 다르게 십자가에 못 박아 죽이는 사형선고를 받고 사형장으로 끌려가시게 된다. '저희(로마병정)가 예수를 맡으매' 예수 그리스도는 무거운 십자가를 등에 지시고 해골(히브리 말로 골고다)이라는 곳까지 가신다. 가시는 길에 예수께서는 온갖 모욕을 받는다. 뿐만 아니라 로

마병정의 채찍을 수없이 맞아 살은 찢어지고 피는 흘러 머리에 서부터 발목까지 적시었다. 어린양이 도살장으로 끌려가는 모양으로 해골, 즉 골고다 언덕에 도착하신 것이다.

18절 "저희가 거기서 예수를 십자가에 못 박을새 다른 두 사람도 그와 함께 좌우편에 못 박으니 예수는 가운데 있더라."

'저희가 거기서 예수를 십자가에 못 박을새' 요한복음을 공부하는 우리는 지금 예수 그리스도를 십자가에 못 박았던 장소를 깊이 생각해야 한다. 거기서 란 성서 기록대로 골고다 언덕인가?

여기서 비유적으로 예를 들어 생각해보면 세상 한가운데인가? 아니면 우리들의 마음 깊은 곳에서 체험으로 이루어지는 일인가?

우리가 사는 세상은 들포도나무 농장이다. 들포도나무 농장 한가운데에 예수 그리스도라는 참포도나무가 심어졌다. 좌우의 강도는 예수를 둘러싸고 있는 들포도나무로, 세상 죄인들의 상징(象徵)즉, 들포도나무의 대표이다.

이리하여 예수 그리스도와 좌우의 강도 세 사람이 십자가상에서 죽었다. 그러나 접붙임으로 보면 농장에 있는 들포도나무 전체가 밑둥이 절단되어 없어지고, 그곳에 예수 그리스도의 흘린 피가 흘러들면서 새로운 참포도나무로 접붙임되는 복음이다(벧전1:2).

부활이란 십자가상에서 흘린 예수 그리스도의 피가 흘러들어 피의 생명이 새싹으로 곧, 참포도나무 가지로 산다는 말이다('가지'라는 뜻은 근본(根本)에서 갈라져 나온 것).

그러므로 예수 그리스도는 참포도나무요, 우리 그리스도인은 참포도나무 가지인 것이다.

그런데 루터의 종교개혁 이후 자리 잡은 대속과 속죄의 신앙관으로 보면 예수만 십자가에서 죽어야 대속이나 속죄의 신앙관으로 볼 수 있는데, 십자가 사건은 분명히 예수와 좌 · 우의 강도 등 세 사람이 죽었다. 들포도나무 두 포기! 즉 강도가 죽었는데, 한 강도는 예수 그리스도의 피 내림을 받아 자신의 생명체로 믿어 구원에 이르고, 한 강도는 피 내림을 받고도 믿지 않음으로 낙원에 못가는 안타까운 기사가 누가복음에 있다.

바울은 '믿음으로 서고' 곧 살고, '믿지 않음으로 끊긴다' 곧, 죽는다고 했다(롬11장). 이는 '믿으면 살고, 믿지 않으면 죽는다'는 것을 가르치는 말씀이다.

19절 "빌라도가 패를 써서 십자가 위에 붙이니 '나사렛 예수 유대인의 왕'이라 기록되었더라."

'나사렛 예수 유대인의 왕' 빌라도가 십자가에서 죽어갈 예수 그리스도의 머리 위에 패를 써서 붙였다. 내용은 '나사렛 예수 유대인의 왕'으로, 참으로 합당한 이름이다. 위에서 보았듯이 예수 그리스도는 분명히 왕 중에 왕이시기 때문이다.

20절 "예수의 못 박히신 곳이 성에서 가까운 고로 많은 유대인이 이 패를 읽는데 히브리와 로마와 헬라 말로 기록되었더라."

왕 중에 왕! '나사렛 예수 유대인의 왕'이라는 참으로 합당한 칭호다. 예수의 못 박히신 곳이 예루살렘성에서 가까웠기에 많은 유대인이 이 패를 읽었다.

그런데 당시 사람들 누구나 읽을 수 있게 '히브리와 로마, 헬라

말로 기록되었더라'고 하였다. 2000년 전 당시의 세계 통용어는 로마와 헬라어였다. 그러니 유대인이 아니더라도 그곳에 온 사람이라면 누구라도 다 읽을 수 있었다는 말이다.

21절 "유대인의 대제사장들이 빌라도에게 이르되 '유대인의 왕'이라 말고, '자칭 유대인의 왕'이라 쓰라 하니"

성령의 역사로 '나사렛 예수 유대인의 왕'이라는 칭호가 빌라도를 통해 붙여졌는데, 유대인은 그것이 싫어서 빌라도에게 부탁을 한다. '유대인의 왕'이라는 패를 '자칭 유대인의 왕'이라고 고쳐 써달라는 요구였다. 그러나 빌라도는 그 요구를 일축(一蹴)한다.

22절 "빌라도가 대답하되 나의 쓸 것을 썼다 하니라."

빌라도는 처음부터 예수 그리스도를 살리려고 애를 썼다. 그러나 유대인들이 '가이사' 왕권을 넘보는 정치범으로 몰아와서 어쩔 수 없이 죽이게 되었다. 그런데 그것도 부족하여 유대인들은 스스로 왕이라고 하였다고 고쳐 쓰기를 요구하고 있다.

이에 빌라도가 대답한다. '나의 쓸 것을 썼다'고.

대제사장과 그 하속들은 얼마나 민망하였을까? 빌라도의 거절에 할 말을 잊었을 것이다.

2016년 9월 10일 발표

〈제85과〉
다 이루었다

본문 말씀 19: 23~30

"[23]군병들이 예수를 십자가에 못 박고 그의 옷을 취하여 네 깃에 나눠 각각 한 깃씩 얻고 속옷도 취하니 이 속옷은 호지 아니하고 위에서부터 통으로 짠 것이라. [24]군병들이 서로 말하되 '이것을 찢지 말고 누가 얻나 제비 뽑자' 하니 이는 성경에 '저희가 내 옷을 나누고 내 옷을 제비 뽑나이다' 한 것을 응하게 하려 함이러라. 군병들은 이런 일을 하고 [25]예수의 십자가 곁에는 그 모친과 이모와 글로바의 아내 마리아와 막달라 마리아가 섰는지라 [26]예수께서 그 모친과 사랑하시는 제자가 곁에 섰는 것을 보시고 그 모친께 말씀하시되 '여자여 보소서, 아들이니이다' 하시고 [27]또 그 제자에게 이르시되 '보라, 네 어머니라' 하신대 그 때부터 그 제자가 자기 집에 모시니라. [28]이 후에 예수께서 모든 일이 이미 이룬 줄 아시고 성경으로 응하게 하려하사 가라사대 '내가 목마르다' 하시니 [29]거기 신 포도주가 가득히 담긴 그릇이 있는지라 사람들이 신 포도주를 머금은 해융을 우슬초에 매어 예수의 입에 대니 [30]예수께서 신 포도주를 받으신 후 가라사대 '다 이루었다' 하시고 머리를 숙이시고 영혼이 돌아가시니라."

다 이루었다!

예수 그리스도께서 무엇을 '다 이루었다'고 하셨는가?

성서에는 '다 이루었다'가 두 번 나온다. 첫 번째는 야훼께서 우주만물을 창조 하신 후 그 지으신 모든 것을 보시고 좋아하시며 '다 이루었다'고 하신다.

이 말씀은 천지 만물과 인류를 다 지으셨다는 의미이다. 그 다음날은 일곱째 날이므로 야훼께서는 안식하신다.

두 번째 '다 이루었다'는 예수께서 십자가상에서 돌아가시기 직전에 하신다.

신약 곧 요한복음 6장에서 예수께서는 **"나는 하늘로서 내려온 산 떡이니 사람들이 이 떡을 먹으면 영생하리라"**고 하셨다. 이 말씀은 곧, "인류가 '나의 산 떡'이라는 '영혼의 육'을 먹으면 영생하리라"고 하신 것이다. 그리고 이를 먹는 방법으로써 '영혼의 육' 즉, 예수 그리스도의 진리의 말씀을 받아들이면 된다고 하시며, '나는 참 포도나무니 너희가 나의 떡을 먹으면 너희는 나의 가지'라는 뜻으로 '너희는 가지'라고 하신다.

위의 말씀은 구약의 유월절에 양을 잡아먹는 기사를 보면 더욱 뚜렷해진다. '한 집에서 먹되 그 고기를 조금도 집 밖으로 내지 말고 뼈도 꺾지 말찌니'(출12:46) 라고 하였다. 이스라엘 민족이 애급에서 이 양의 고기를 먹으므로 재앙을 면하고 살게 되는 구원을 얻는다. 그런데 양의 고기는 먹되, 그 뼈는 상하지 않게 '뼈도 꺾지 말라'고 하였다. 십자가상의 예수 그리스도께서도 그 뼈는 꺾지 않은 일로 **'이루었다'**고 하신다.

다시 말하여 이스라엘 민족이 애급에서 살아남기 위해서는 양을 잡아먹는 일이요, 신약에서 인류가 구원 받는 일은 생명의 떡을 먹는 일이며, 이 일은 바로 하나님 아버지께서 십자가 사건으로 접붙임을 하시는 일이다.

증언자 바울 선생은 인류의 구원론이라는 로마서에서 접붙임의 능력이 하나님께 있다고 증언하고 있다(롬 11장).

예수 그리스도께서 하신 "다 이루었다"는 말씀은 **인류 갱신(更新)**을 **다 이루었다**고 하는 말씀이다.

앞에서도 살펴보았지만, 첫 번째 **'다 이루었다'**는 야훼 하나님께서 '우주만물과 인류의 창조를 **다 이루었다**'(창 2:1)고 하셨고, 두 번째 '**다 이루었다**'는 죄로 물든 인류! 들포도나무를 생명의 떡이라는 예수 그리스도의 피 흘려주심으로 접붙임의 일을 다 하였다는 말씀으로 '**다 이루었다**'고 하신다.

예수 그리스도의 수제자인 베드로는 예수 그리스도의 피 흘려주심을 받고서야 그 진리를 깨닫고, "**곧 하나님 아버지의 미리 아심을 따라 성령의 거룩하게 하심으로 순종함과 예수 그리스도의 피 뿌림을 얻기 위하여 택하심을 입은 자들에게 편지하노니 은혜와 평강이 너희에게 더욱 많을찌어다.**" 라고 쓰고 있다.

사실, 베드로전서 1장 2절만 정밀하게 공부하려 해도 한번으로는 부족하지만, 여기서는 아주 간단히 분해만 하여 생각해 보기로 한다.

- '**곧**'이라는 말은 우주만물 창조 때부터 계속 이어지고 있음을 말한다. 아버지의 미리 아심을 따라 창조자의 계획으로 이루는 일이라는 말씀이다.
- '**성령의 거룩하게 하심으로 순종함과**' 하나님의 성령이 충만하심으로 아버지 하나님께 순종하여 십자가의 길을 가셨다는 말씀이다.
- '**예수 그리스도의 피 뿌림**' 죄인 인류가 받아먹도록 하기 위한 예수 그리스도께서 흘리신 피
- '**택하심을 입은 자들에게 편지하노니**' 택하심을 받은 사람들에게 편지하노니
- '**은혜와 평강이 너희에게 더욱 많을찌어다**' 영생의 생명의 떡을 믿음으로 받아먹은 너희! 즉 우리에게, 우리 그리스도인은 택하심을 얻었다는 말씀이다. 이렇게 택하심을 입은 그리스도인에게 더욱 은혜와 평강이 많을찌어다.

본문 공부

23절 "군병들이 예수를 십자가에 못 박고 그의 옷을 취하여 네 깃에 나눠 각각 한 깃씩 얻고 속옷도 취하니 이 속옷은 호지 아니하고 위에서부터 통으로 짠 것이라."

예수를 십자가에 못 박을 때에 겉옷을 다 벗기고, 속옷도 벗겼다. 군병들이 벗긴 옷을 어떻게 처리할까 궁리를 하다가 겉옷은 한 깃씩 나누었지만, 속옷은 위로부터 아래까지 통으로 짠 것이라서 조각을 내면 못 쓰게 된다는 상황설명이다.

24절 "군병들이 서로 말하되 '이것을 찢지 말고 누가 얻나 제비 뽑자' 하니 이는 성경에 '저희가 내 옷을 나누고 내 옷을 제비 뽑나이다' 한 것을 응하게 하려 함이러라. 군병들은 이런 일을 하고"

군병들이 통으로 짠 속옷을 놓고 '누가 얻나 제비 뽑자' 고 하는데, 저들의 행동은 **'겉옷은 나누며 속옷은 제비 뽑나이다'**(시 22:18) 라고 한 말씀을 응하게 함이었다는 기사이다.

25 "예수의 십자가 곁에는 그 모친과 이모와 글로바의 아내 마리아와 막달라 마리아가 섰는지라"

예수께서 십자가에 못 박힌 장소에는 그 모친께서 나와 울며서 있었고, 그 옆에는 이모와 글로바의 아내 마리아와 막달라 마리아 등이 있었다.

십자가에 못 박히는 아들을 보는 모친의 마음이 얼마나 아팠을까? 짐작이 간다.

26,7절 "예수께서 그 모친과 사랑하시는 제자가 곁에 섰는 것을 보시고 그 모친께 말씀하시되 '여자여 보소서 아들이니이다' 하시고 ◇또 그 제자에게 이르시되 '보라, 네 어머니라' 하신대 그 때부터 그 제자가 자기 집에 모시니라."

"여자여! 보십시오. 아들입니다." 예수께서 마음 아파하는 모친께 말씀을 한다. '여자여!' 우리나라에서는 자신의 모친에게 '여자'라고 할 수 없지만, 이스라엘 민족은 '여자!' 란 호칭이 여인에 대한 최고의 존칭어라고 한다.

여기에서 우리 그리스도인들이 생각할 일이 있다. 예수 그리스도께서는 성령의 역사로 하나님 야훼의 아들로 이 땅에 왔다. 그러나 자신을 이 땅에 오게 하신 육친의 모친께도 최고의 효를 다 함을 본다.

'네 어머니'라고 사랑하는 제자에게 부탁을 한다. 바꾸어 말하면 '내가 죽더라도 나의 어머니를 네 어머니처럼 모셔주기 바란다'는 말씀이다. 그 때부터 그 제자는 스승의 어머니 마리아를 자기 집에 모시게 된다.

인류의 갱신으로 대(大) 사업을 완성하시는 시점에서 모친을 잊지 않고 살피는 그 모습을 우리 그리스도인은 깊이 생각해 보아야 한다. 예수 그리스도를 믿는 일은 육친의 부모를 잘 살피는 일로 부터라고 감히 말하고 싶나.

눈에 보이는 육친을 챙기지 못하면서 눈에 보이지 않는 하나님을 섬긴다는 것은 헛된 소리가 아니겠는가.

그렇다면 '그 제자'는 누구일까? 여러 학자들의 의견은 대체로 '사도 요한'으로 모아져 있다.

28,9절 "이 후에 예수께서 모든 일이 이미 이룬 줄 아시고 성경으로 응하게 하려하사 가라사대 '내가 목마르다' 하시니 ◇거기 신 포도주가 가득히 담긴 그릇이 있는지라 사람들이 신 포도주를 머금은 해융을 우슬초에 매어 예수의 입에 대니"

인류의 갱신의 일이 다 이루지는 때에 육친의 모친 일까지 사랑하는 제자에게 부탁을 하였으므로 예수 그리스도는 자신의 일들이 끝자락에 와 있음을 아시고, 목이 마르다고 하신다.

신 포도주! 신 포도주는 갈증을 풀어주는 데에 아주 좋다. 십자가에 못 박혀 고통에 시달리면서도 목이 마르다고 하시는 예수께 사람들이 신 포도주를 해융! 곧 솜털 같은 것에 신 포도주를 적셔서 우슬초 막대기로 예수님의 입에 대어주고 있다.

30절 "예수께서 신 포도주를 받으신 후 가라사대 '다 이루었다' 하시고 머리를 숙이시고 영혼이 돌아가시니라"

신 포도주를 먹음으로 갈증이 가시니 정신을 가다듬으시고 마지막으로 '다 이루었다' 고 말씀을 하신다. 인류갱신(人類更新)의 일을 '다 이루었다' 는 말씀이다.

그런데 여기서 '다 이루었다' 하시고, '영혼이 돌아가시니라' 로 되어 있는데, 노승무 선생의 원어 번역서에는 **'영혼을 인류에게 주었다'**로 되어있다.

그런데 여기서 우리 그리스도인들이 깊이 생각 할 부분이 있다.

농부인 야훼 하나님께서 인류를 갱신하실 때에 인류만 갱신하신 것이 아니다. 인류! 곧 나 한사람이 그리스도 예수의 생명(生命)으로 갱신(更新)받은 그 시각에 대변혁(大變革)이 일어나 우주만물(宇宙萬物) 또한 모두 갱신(更新)되어 신천지(新天地)! 즉, 새 하늘과 새 땅으로 된 것이다. 이리하여 인류의 갱신(更新)은 물론 우주만물이 更新되는 일로 '다 이루었다' 이다.

2016년 10월 10일 발표

〈제86과〉
예수와 함께 못 박힌 좌·우 사람의 다리가 꺾이다

본문 말씀 19:31~37

"31이 날은 예비일이라 유대인들은 그 안식일이 큰 날이므로 그 안
식일에 시체들을 십자가에 두지 아니하려 하여 빌라도에게 그들의 다리
를 꺾어 시체를 치워 달라 하니 32군병들이 가서 예수와 함께 못 박힌
첫째 사람과 또 그 다른 사람의 다리를 꺾고 33예수께 이르러는 이미
죽은 것을 보고 다리를 꺾지 아니하고, 34그 중 한 군병이 창으로 옆구
리를 찌르니 곧 피와 물이 나오더라. 35이를 본 자가 증거 하였으니 그
증거가 참이라. 저가 자기의 말하는 것이 참인 줄 알고 너희로 믿게 하
려 함이니라. 36이 일이 이룬 것은 '그 뼈가 하나도 꺾이우지 아니하리
라' 한 성경을 응하게 하려 함이라. 37또 다른 성경에 '저희가 그 찌른
자를 보리라' 하였느니라."

예수와 함께 못 박힌 좌 · 우 두 사람의 다리를 꺾음

예수와 함께 못 박힌 좌 · 우 두 사람의 다리를 꺾은 것은 자연과학에서의 접붙임과 같은 순서요, 이치이다. 곧 돌감람나무만 무성한 농장 한 가운데에 '본래 하나님을 본 사람이 없으되 아버지 품속에 있는 독생(獨生) 하신 하나님'이 나타나셨다(1:18).

돌감람나무! 인류라는 농장에 돌감람나무만 무성하였는데, 그 가운데에 하나님 품에 계시던 예수 그리스도가 심어졌다. 유일한 참감람나무로 이 땅에 오신 것이다. 그런데 로마 군병이 예수 그리스도와 함께 십자가에 못 박힌 좌우의 죄인 중 첫째 사람의 다리를 꺾고, 참감람나무인 예수 그리스도를 건너서 다른 죄인의

다리를 꺾었다고 했다. 예수께 이르러서는 이미 죽었음을 보고 다리는 꺾지 아니하고, 창으로 옆구리를 찌르니 곧 피와 물이 나왔다. 베드로는 이 장면을 **"피와 물을 받기 위하여 택하심을 입었다"**고 하였다.

베드로는 **'예수 그리스도의 피 뿌림을 얻기 위하여 택하심을 입은 자(者)들'**에게 편지하고 있다(벧전1:2). 개신교에서 500년 동안 이 베드로의 전 · 후서를 정확히 읽어내지 못하여 수제자인 베드로가 바울보다 뒤지는 것처럼 되어 있었다. 그러나 '예수 그리스도의 피 뿌림을 얻기 위하여 택하심을 입은 사람들에게 보낸 편지'를 읽어보면 베드로는 결코 바울에 뒤지지 않는, 수제자 중 수제자이다. 왜 그럴까? 그것은 '피 뿌림을 얻기 위함'은 바로 **'천국의 열쇠'**이기 때문이다. 즉, 예수 그리스도의 피와 우리들의 피와의 만남이 그리스도의 생명으로 사는 십자가의 도(道)이기 때문이다. 바울의 **'너희 안에 예수 그리스도의 영이 없으면 너희는 버려진 사람'**이라는 말과 같다. 예수께서 십자가상에서 흘리신 피가 내 안에 살아야 우리가 참다운 그리스도인이다.

十字架 상에서 죄인들의 다리가 꺾인 것은 자연과학적인 접붙임과 동일한 순서로 이루어지고 있다. 감나무농장의 돌감람나무를 먼저 베어내고, 그 곳에 참감람나무의 가지! 즉, 그리스도 예수의 허리에서 나온 피로 접붙임하는 순서이다. 이 그리스도 예수의 피는 참감람나무의 살아있는 가지이다.

예수 그리스도가 십자가상에서 흘리신 피는 온 인류가 모두 받을 수 있는 피다. 이래서 농부요, 하나님인 예수 그리스도께서는 "다 이루었다"고 하셨다. 즉, 접붙임의 일을 다 하셨다는 말씀이다. 예수 그리스도의 십자가상에서 죽은 후 사흘만의 부활에서

이 사흘은 하나의 계절(季節)을 말해준다. 이른 봄에 접목을 하면 봄이 다 가기 전에 새 싹이 돋는다는 말이 되겠다.

이와 같이 돌감람나무에서 참감람나무로 갱신(更新)이 이루어져, 우리 그리스도인 안에 예수 그리스도께서 사시는 진리이다.

본문 공부

31절 "이 날은 예비일이라 유대인들은 그 안식일이 큰 날이므로 그 안식일에 시체들을 십자가에 두지 아니하려 하여 빌라도에게 그들의 다리를 꺾어 시체를 치워 달라 하니"

유대인들이나 한국 사람들의 풍속이 비슷한 부분이 있다. 우리나라 사람들도 자기 집 경사(慶事)를 앞두고는 상가(喪家)에 가지 않으려는 풍속이 있는데, 이는 부정한 일들을 보지 않고 깨끗한 마음으로 경사를 치루기 위함이다. 유대인들도 안식일이라는 큰 날에 시체들을 십자가상에 두는 것을 부정(不淨)한 일로 생각하였다. 죽지 않은 사람을 십자가상에서 치우는 방법은 여러 가지가 있을 수 있다. 예를 들자면 사람을 끌어내려 죽이는 방법도 있을 것이고, 창으로 숨통을 찔러 죽이는 방법도 있을 수 있다. 그런데 다리(足)를 끊어 죽이는 방법은 고통을 최대한 오래 주어서 죽이는 방법이다. 그럼에도 불구하고 '빌라도'에게 '그들의 다리를 꺾어 시체를 치워 달라'고 한 것은 접붙임의 진리를 이루기 위한 하나님의 역사이다.

32절 "군병들이 가서 예수와 함께 못 박힌 첫째 사람과 또 그 다른 사람의 다리를 꺾고"

예수와 함께 십자가에 못 박힌 사람은 세 사람이다. 그 가운데 군병들이 죄수들의 다리를 꺾어야 한다면 첫째 사람의 다리를 꺾고, 다음에는 두 번째인 예수께 가서 예수 그리스도의 다리를 꺾어야 맞다. 그런데 군병들은 예수 그리스도를 지나 '또 그 다른 사람의 다리를' 꺾었는데, 이러한 군병들의 일들 모두가 접붙임의 진리를 보충하고 있다.

접붙임의 순서를 보면 이렇다. 돌감람나무의 밑동을 베어내고, 나중에 접목할 가지를 꺾어 접목하게 된다. 그런데 그 상당부분의 과정을 로마 군병들이 이뤄냈다. 이 자체가 하나님의 역사가 아닌가.

33,4절 "예수께 이르러는 이미 죽은 것을 보고 다리를 꺾지 아니하고, ◇그 중 한 군병이 창으로 옆구리를 찌르니 곧 피와 물이 나오더라."

병사들이 예수께 와서 보니 다리를 꺾지 않도록 이미 죽어 있었다.

'창으로 옆구리를 찌르니' 누가 찌르라고 하지 않았는데도, 여러 병사들 중에 '한 군병이 창으로 옆구리를 찌르니, 피와 물이 나오더라'고 하였다. 피와 물은 생명이다. 이는 예수 그리스도의 생명인 것이다.

베드로는 이 '피와 물'을 어떻게 표현하였을까? **'예수 그리스도의 피 뿌림을 얻기 위하여 택하심을 입은 자(者)들에게 편지'**(벧전1:2)한다고 하였다. 나를 포함한 우리 그리스도인과의 연결고리인 피! 예수 그리스도의 피는 하늘나라에 가는 열쇠요, 이 피로 새롭게 태어난 생명체는 하늘 백성이다.

바울은 **'내가 그리스도와 함께 십자가에 못 박혔나니 그런즉**

이제는 내가 산 것이 아니라 오직 내 안에 (십자가상에서 피 흘리신) 그리스도께서 사신 것이라. 이제 내가 육체 가운데 사는 것은 나를 사랑하사 나를 위하여 자기 (피를 흘려) 몸을 버리신 하나님의 아들을 믿는 믿음 안에서 사는 것'이라고 하였다(괄호 안은 필자 삽입).

35절 "이를 본 자가 증거 하였으니 그 증거가 참이라. 저가 자기의 말하는 것이 참인 줄 알고 너희로 믿게 하려 함이니라."

거듭 말하지만 그리스도教 2천년, 개신교 500년을 지나오는 동안에 인류는 예수 그리스도 좌우의 강도의 다리(足)를 꺾고, 예수님의 허리에서 물과 피가 나온 의미를 제대로 읽어내지 못하였다. 그러나 이 중요한 의미를 깨달은 사도 요한은 이날의 다리를 꺾고, 허리를 찌르는 광경을 '본 자가 증거 하였다'고, '그 증거가 참'이라고 기술하고 있다. '저가 자기의 말하는 것이 참인 줄 알고 너희로 믿게 하려 함이니라.' 사도 요한의 위대함이 확연히 보인다. 자신의 기록으로도 부족하여 증거자가 있다고, 증거자의 증언이라고 한다.

인류는 강도의 다리가 꺾이고, 예수께서 흘린 피의 의미를 제대로 읽어내지 못하고, 예수 그리스도는 십자가상에서 혼자 죽은 것으로 대속만을 내세워 왔다. 그러나 '대속의 신앙'은 진정한 의미가 되지 못한다. 예수 그리스도 혼자서만 죽는 죽음이라야 대속이 된다. 그렇지만 역사적인 사실은 십자가에서 세 사람이 같은 날 같은 시각에 못 박혀 죽었음을 증명하고 있다. 예수 그리스도와 좌우의 강도들 - 곧, 돌감람나무이다. 돌감람나무인 인류! 참감람나무인 예수님과 함께 매달려 죽은 돌감람나무는 한사람, 한사람이 나 자신을 상징한다.

36절 "이 일이 이룬 것은 '그 뼈가 하나도 꺾이우지 아니하리라' 한 성경을 응하게 하려 함이라."

예수 그리스도의 십자가 사건! 이는 '그 뼈가 하나도 꺾이우지 아니하리라'고 한 성경을 응하게 하려 함이라고 사도 요한은 외치고 있다. 왜 예수 그리스도의 뼈는 하나도 상함이 없었는가? 접붙임에는 가지와 피! 곧 진액이 필요하기 때문이다.

뼈가 꺾이지 않아야 사흘! 한 계절이 지나면 새 싹이 나올 수 있다. 곧 다시 사는 부활이다.

37절 "또 다른 성경에 '저희가 그 찌른 자를 보리라' 하였느니라."

사도 요한은, 예수 그리스도의 피 뿌림의 복음을 말하고 있다. 이 기사는 사도 요한 자기(自己)만의 이야기가 아니라는 것을 강조하는 말이다.

'저희가 그 찌른 자를 보리라' 예수 그리스도의 '옆구리를 찌른 자(者)를 보리라고 기록된 성경'이 또 있다는 말이다.

요한복음을 공부하면서 위대한 요한과의 대화를 나누는 사람은 복이 있다.

2016년 11월 10일 발표

〈제87과〉

勇壯 아래마대 사람 요셉!

본문 말씀 19: 38-42

"38아래마대 사람 요셉이 예수의 제자나 유대인을 두려워하여 은휘하더니 이 일 후에 빌라도더러 예수의 시체를 가져가기를 구하매 빌라도가 허락하는지라 이에 가서 예수의 시체를 가져 가니라. 39일찍 예수께 밤에 나아왔던 니고데모도 몰약과 침향 섞은 것을 백 근쯤 가지고 온지라 40이에 예수의 시체를 가져다가 유대인의 장례법대로 그 향품과 함께 세마포로 쌌더라. 41예수의 십자가에 못 박히신 곳에 동산이 있고, 동산 안에 아직 사람을 장사한 일이 없는 새 무덤이 있는지라 42이 날은 유대인의 예비일이요, 또 무덤이 가까운 고로 예수를 거기 두니라."

勇壯 아래마대 사람 요셉!

사람들은 자신이 모시는 상사나 군대에서 상관에게 최선으로 따르는 사람을 충직한 사람! 또는 나라의 왕이나 집권자에게 자신의 목숨을 걸고 섬기는 사람을 충신이라고 말들 한다. 반면에 죽음을 앞에 두었거나 어려운 처지에 있는 사람에게 등을 돌리는 사람들을 배신자라고 한다. 예수 그리스도의 제자들은 스승의 죽음을 앞에 두고 모두 달아났고, 베드로는 달아나진 않았지만 스승을 모른다고 하였다.

죽어있는 사람에게 충심을 보이기는 정말 어려운 일이다. 오죽하면 '정승(政丞)집 개가 죽으면 조문객이 많지만, 정승이 죽으면 사람이 없다'는 속담이 생겨났겠는가?

평소에 예수 그리스도를 믿고 따르던 '아래마대 사람 요셉'이 있었다. 요셉은 십자가에 매달려 죽은 예수 그리스도의 시신을 자신이 수습하겠다고 용감하게 나섰다. 즉, 왕으로 칭했다는 정치적 모함을 받고 죽은 예수 그리스도의 시체를 달라고 나선 것이다. 자신이 장사(葬事)를 치러드려야겠다는 생각에서였다. 이런 용감한 사람을 세상에서는 용장(勇壯)이라고 한다.

성서에 나오는 인물들 중에는 아래마대 사람 요셉처럼 예수님 사후에 스승을 위하여 자신의 생명을 헌신짝처럼 버리는 사람들이 많았다. 스데반, 베드로, 바울 등 제자들이 바로 그들이다.

왜 이토록 자신들의 죽음을 생각지 않고 스승을 섬길 수 있었던가? 그것은 스데반, 베드로, 바울 등이 예수 그리스도의 십자가 접붙임으로 생명을 받는 진리(眞理)란 것을 알고 있었기 때문이다. 곧, 자신들 안에는 예수 그리스도를 영접하여서 그리스도 예수가 살고 있다는 것을 알고 있었다는 말이다. 그래서 바울은 **"누구든지 그리스도 안에 있으면 새로운 피조물"**이라고 하였다. 또한 **"이제 내 육체가 사는 것은 나를 위하여** (십자가상에서 피를 흘리며) **자기 몸을 버리신 하나님의 아들을 믿는 믿음으로 사는 것"**이라고 고백을 한다(괄호 안은 필자 삽입). 이처럼 성서 속 인물들은 예수님 좌우에서 십자가에 매달려 죽은 강도들을 따라 죄인인 돌감람나무 자신들은 죽고, 예수 그리스도의 피가 자신들에게 흘러들어 그분의 피의 생명이 사는 것으로 보았다.

그러나 루터와 칼뱅 같은 개혁자들은 성서를 잘못 읽었기 때문에 '대속' '속죄'의 구원론을 들고 나와 도리어 진리가 감추인 형국이 되었다.

우리는 여기서 깊게 생각해 보자!

- 예수 그리스도는 나와 접목되어 내 안에 계신다는 것을 믿는다.

- 예수 그리스도가 내 죄를 대신 지고 죽었다는 것을 믿는다.

위의 두 믿음 중 어떤 믿음이 더욱 나와 가까이 있는가?

물론, 내 안에 들어와 계시는 그리스도와 더불어 산다는 믿음이 더욱 가까이 있다. 이런 신앙이 곧 스데반의 신앙이요, 베드로의 신앙이며, 바울의 신앙이자 나의 신앙이다. 이리하여 나는 작은 예수 그리스도로 산다.

본문 공부

38절 "아래마대 사람 요셉이 예수의 제자나 유대인을 두려워하여 은휘하더니 이 일 후에 빌라도더러 예수의 시체를 가져가기를 구하매 빌라도가 허락하는지라 이에 가서 예수의 시체를 가져 가니라."

아래마대 사람 요셉은 예수 그리스도가 살아 활동 할 때는 '유대인이 두려워 은휘(隱諱)하며' 살았다. '은휘'라는 말의 사전적인 의미는 '꺼리어 감추거나 숨긴다'는 뜻이다. 아래마대 요셉은 예수 그리스도의 제자이면서도 은휘! 즉 제자란 것을 숨기며 살았다는 말이겠다. 그러한 요셉이지만 예수 사후에는 용장(勇壯)으로 돌변한다.

요셉이 그럴 수 있었던 것은 예수 그리스도를 자신의 마음에 영접하여 주인으로 믿었기 때문이다. 이제까지는 예수 그리스도가 자신의 생명의 근원이라는 것을 알지 못했지만, 예수 그리스도의 흘린 피(血)가 자신의 생명의 근원이란 것을 깨달아 믿게 되었다.

39,40절 "일찍 예수께 밤에 나아왔던 니고데모도 몰약과 침향

석은 것을 백 근쯤 가지고 온지라 ◇이에 예수의 시체를 가져다가 유대인의 장례법대로 그 향품과 함께 세마포로 쌌더라."

일찍이 밤에 예수 그리스도를 찾았던(요한복음 3장) '니고데모'도 '몰약과 침향(시체에 바르는 향료)을 가지고 왔다' 니고데모도 아래마대 요셉처럼 예수 그리스도를 믿으면서도 '은휘'하며 살았던 사람이다.

예수의 시체를 가져다가 니고데모가 가져온 향품 즉, 몰약과 침향을 섞은 향료를 시체에 바르고 유대인의 장례법대로 세마포로 쌌다는 말이다. 예수 그리스도가 살아 활동할 때에는 은휘하였던 두 사람이 힘을 합하여 예수의 시체를 내려다가 장사 준비를 한 것이다.

41절 "예수의 십자가에 못 박히신 곳에 동산이 있고 동산 안에 아직 사람을 장사한 일이 없는 새 무덤이 있는지라"

예수 그리스도가 십자가에 못 박힌 부근에 동산이 있었는데, 동산에는 마침 아직 사람을 장사한 일이 없었던 새 무덤이 있어서 그곳에 예수를 장사하였다.

아래마대 사람 요셉은 많은 돈을 들여 준비해 두었던 새 무덤에 예수를 장사한 것이다.

죽은 자! 곧, 그리스도 예수께 정성을 다 하는 모습을 본다.

42절 "이 날은 유대인의 예비일이요, 또 무덤이 가까운 고로 예수를 거기 두니라."

유대인들에게는 유대인의 명절 전날에 시체를 십자가 위에 놓아두는 것을 부정한 일로 여기는 생각들 때문에 일어난 일들이다. 곧 예수 그리스도의 죽은 시체가 십자가에 달린 것을 그냥 두고 보지 않는다는 사고에서 온 일들이다.

그러나 그 내면의 기사는 접붙임의 사실적 내용을 써지게 하기 위하여 농부이신 하나님의 계획으로 이루어진 일들이라고 보아야 할 것이다.

이리하여 요한사도의 기록으로 예수 그리스도의 십자가의 참 의미를 배우고 알게 된 것에 감사한다. 즉, 예수 그리스도에 대하여 정확히 기록한 사도요한과 대화하면서 요한복음을 공부하는 나 자신이 복이 있고, 이 공부에 함께 하는 많은 분들도 복이 있다.

2016년 12월 10일 발표

〈第88과〉
예수 그리스도의 부활과 다시 태어난 나의 부활신앙(1)

본문 말씀 20:1~10

"[1]안식 후 첫날 이른 아침, 아직 어두울 때에 막달라 마리아가 무덤
에 와서 돌이 무덤에서 옮겨간 것을 보고 [2]시몬 베드로와 예수의 사랑
하시던 그 다른 제자에게 달려가서 말하되 '사람이 주를 무덤에서 가져
다가 어디 두었는지 우리가 알지 못하겠다' 하니 [3]베드로와 그 다른 제
자가 나가서 무덤으로 갈쌔 [4]둘이 같이 달음질하더니 그 다른 제자가
베드로보다 먼저 무덤에 이르러 [5]구푸려 세마포 놓인 것을 보았으나 들
어가지는 아니하였더니 [6]시몬 베드로도 따라 와서 무덤에 들어가 보니
세마포가 놓였고 [7]또 머리를 쌌던 수건은 세마포와 함께 놓이지 않고
딴 곳에 개켜 있더라. [8]그 때에야 무덤에 먼저 왔던 그 다른 제자도 들
어가 보고 믿더라. [9](저희는 성경에 그가 죽은 자 가운데서 다시 살아
나야 하리라 하신 말씀을 아직 알지 못하더라.) [10]이에 두 제자가 자기
집으로 돌아 가니라."

예수 그리스도의 부활과 다시 태어난 나의 부활신앙(1)

부활절이 가까워지면 많은 교회와 그리스도인들이 예수 그리스도의 부활을 이야기하며, 예수 그리스도의 부활을 축하하고 그 날을 기념한다. 하지만 참 의미는 알려 하지 않는다.

부활의 참 의미는 예수 그리스도의 부활에만 있는 것이 아니다. 예수 그리스도는 참감람나무로서 다시 사는 부활의 몸체도 참감람나무였다. 그러나 우리 인류 - 곧, 예수 그리스도가 매달리신 십자가 좌 · 우에 강도로 매달린 우리가 십자가에서 죽을 때는 돌감람나무였다. 그러나 예수 그리스도의 피 흘려주심으로

그 피를 받아 부활할 때에는 참감람나무로서의 부활이다. 그러므로 예수 그리스도의 부활의 의미보다 더욱 큰 의미의 부활은 곧 나 자신의 부활이다.

이것을 바울 사도는 '누구든지 그리스도 안에 있으면 새로운 피조물'이라고 하였다. '피조물'이라는 뜻은 '예수 그리스도의 피로 새로 지음을 받았다'는 뜻이다.

예수 그리스도의 수제자 베드로는 십자가에서 **'예수 그리스도의 피 뿌림을 얻기 위하여 택하심을 입은 자들에게 편지'**한다고 하였다(벧1:2). 이렇게 나 자신 한사람, 한사람의 부활의 의미가 더욱 크건만 나 자신의 부활에 감사는 하지 않고 예수 그리스도의 부활만 축하한다. 그러나 아니다. 내 안에서의 예수 그리스도의 생명으로서의 부활! 이런 은혜를 내려주신 주 하나님 아버지께 대한 감사의 폭발이 진정한 부활의 의미이다. 생명의 피를 흘려주신 예수 그리스도께 감사를 돌리며, 그래서 늘 감사와 감격의 찬미를 하는 것이 그리스도인의 삶이요, 부활 신앙이다.

이럼에도 불구하고 세계 어디서나 그리스도교회에서는 예수 그리스도의 부활에만 '포인트'를 두고 부활의 의미를 축소하여 축하하고 있으니 참으로 안타깝기 그지없다. 바울 시대의 초대교회 이후 인류의 부활의 참 의미와 인류의 갱신은 잊은 채로 2000여 년이란 세월이 무의미하게 흘러간 것이다.

예수 그리스도의 부활도 중요하지만, 예수께서 흘리신 피에 의한 우리 인류의 갱신(更新)은 더욱 중요한 부활이라 하겠다.

이와 같은 명백한 부활의 의미를 알지 못한 저 종교 위정자들은 아직까지도 '세례'라는 의식으로 인간들의 죄를 씻는다는 가르침을 계속하고 있으니, 과학이 끝 모르게 발달하고 있는 21세기의 젊은이들이 받아들일 수 있겠는가? 검은 고양이를 앞에 두고 흰 고양이가 되라고 백날, 천날 세례라며 머리를 씻어주어도 검은 고양이는 절대로 흰 고양이가 될 수 없다. 오직 길이 있다면 그 길은 종(種)의 개량(改良) 뿐이다. 예수 그리스도는 인류의 새 생명의 근원이시다.

본문 공부

1절 "안식 후 첫날 이른 아침, 아직 어두울 때에 막달라 마리아가 무덤에 와서 돌이 무덤에서 옮겨간 것을 보고"

안식일은 하나님께서 천지 만물을 창조하시고 쉬신 날로, 유대인들 전체가 예배하며 쉬는 날이다. '안식 후 첫날'이란 곧, 활동을 하지 않는 안식일을 보내고 활동 시작의 첫 날을 말하는데 '막달라 마리아'는 그 첫날이 밝아오기도 전에 예수의 무덤에 왔다는 말이다.

마리아가 와서 보니 무덤을 막았던 돌이 무덤에서 옮겨져 있는 것을 보고 그녀는 놀란다.

2절 "시몬 베드로와 예수의 사랑하시던 그 다른 제자에게 달려가서 말하되 사람이 주를 무덤에서 가져다가 어디 두었는지 우리가 알지 못하겠다 하니"

무덤의 돌이 옮겨진 것을 보고 놀란 막달라 마리아가 예수의 제자인 시몬 베드로와 다른 제자에게 달려가서 '사람이 주를 무덤에서 가져다가 어디 두었는지 우리가 알지 못하겠다' 고 알린다.

여기서 '예수의 사랑하시던 다른 제자'란 요한 사도로 보면 되겠다.

3,4절 "베드로와 그 다른 제자가 나가서 무덤으로 갈새 ◇둘이 같이 달음질하더니 그 다른 제자가 베드로보다 먼저 무덤에 이르러"

막달라 마리아의 말을 들은 두 제자가 놀라서 무덤을 향해 달렸고, 다른 제자 즉, 요한이 베드로보다 먼저 무덤에 도착했다.

두 제자는 달려가면서도 선생님 무덤의 돌을 누가 왜 옮겼을까? 하고 많은 생각을 했을 것이다.

5,6절 "구푸려 세마포 놓인 것을 보았으나 들어가지는 아니하였더니 ◇시몬 베드로도 따라 와서 무덤에 들어가 보니 세마포가 놓였고"

무덤에 먼저 도착한 요한이 무덤 밖에서 몸을 구부려 '세마포 놓인 것을 보았으나' 무덤 안으로 들어가지는 않았고, 늦게 도착한 베드로가 먼저 무덤 안에 들어가 보니 예수님의 시신이 있어야 할 자리에는 세마포만 놓여있었다는 설명이다.

7,8절 "또 머리를 쌌던 수건은 세마포와 함께 놓이지 않고 딴 곳에 개켜 있더라. ◇그 때에야 무덤에 먼저 왔던 그 다른 제자도 들어가 보고 믿더라."

무덤 안에는 머리를 쌌던 수건과 세마포가 함께 놓이지 않고, 머리를 쌌던 수건은 딴 곳에 개켜져 있는 것을 무덤 안에 먼저 들어간 베드로가 보고, 뒤따라 들어간 요한도 그제서야 예수께서 그곳에 없다는 것을 확실히 믿었다는 기사이다.

9절 "(저희는 성경에 그가 죽은 자 가운데서 다시 살아나야 하리라 하신 말씀을 아직 알지 못하더라.)"

두 제자는 '그가 죽은 자 가운데서 다시 살아나야 하리라'는 성경말씀을 아직 모르고 있었다는 기사다.

예수 그리스도께서 십자가에 매달려 죽을 때에 인류에게 자신의 생명의 피를 흘려주고 죽는다는 말씀이 성경에 예고되어 있다는 것을 알지 못했다는 말이기도 하다. 그러니 생명의 피를 흘려주고 다시 부활한다는 것을 상상이나 하였겠는가.

10절 "이에 두 제자가 자기 집으로 돌아 가니라."

예수 그리스도에 대하여 근원적인 일들을 알지 못하는 두 제자는 스승의 시신을 보지도 못하고, 왜 없어졌는지도 알지 못한 채 힘없이 집으로 돌아가는 모습이 그려지는 대목이다.

여기에서 우리 그리스도인들이 깊이 생각할 게 있다.

기사에서처럼 아무리 뛰어나다는 두 제자라고 해도 예수 그리스도의 근원을 알지 못하면 힘없이 뒤돌아 설 수밖에 없음을 본다.

그런데 그리스도교를 사칭한 사이비 교회들에서는 인류의 구원문제를 대속이라고 속이고, 세례로 죄를 씻어야 한다고 속여왔다. 이것이 개신교 500여 년의 역사다. 그래서 오늘날 이 땅의 개신교회가 힘이 없고, 희망이 없는 쇠락의 길을 걷고 있다. 오죽했으면 개(犬)교회라는 말이 나왔을까.

예수 그리스도의 영접은 나의 '생명의 근원'으로 영접해야 한다. 예수 그리스도와 내가 '접붙임'으로 만나면서 나는 죽어 없어지고, 내 안에 그리스도께서 사시는 삶이라는 신앙이라야 우리가 하나님의 백성으로 우뚝 설 수 있다.

2017년 1월 10일 발표

〈제89과〉

예수 그리스도의 부활과 다시 태어난 나의 부활신앙(2)

본문 말씀 20:11~18

"11마리아는 무덤 밖에 서서 울고 있더니 울면서 구푸려 무덤 속을
들여다보니 12흰옷 입은 두 천사가 예수의 시체 뉘었던 곳에 하나는 머
리 편에, 하나는 발편에 앉았더라. 13천사들이 가로되 여자여 어찌하여
우느냐? 가로되 사람이 내 주를 가져다가 어디 두었는지 내가 알지 못
함이니이다. 14이 말을 하고 뒤로 돌이켜 예수의 서신 것을 보나 예수
신줄 알지 못하더라. 15예수께서 가라사대 여자여, 어찌하여 울며 누구
를 찾느냐? 하시니 마리아는 그가 동산지기인 줄로 알고 가로되 주여,
당신이 옮겨 갔거든 어디 두었는지 내게 이르소서. 그리하면 내가 가
져 가리이다. 16예수께서 마리아야! 하시거늘 마리아가 돌이켜 히브리
말로 랍오니여! 하니 (이는 선생님이라) 17예수께서 이르시되 나를 만
지지 말라. 내가 아직 아버지께로 올라가지 못하였노라. 너는 내 형제들
에게 가서 이르되 내가 '내 아버지 곧 너희 아버지, 내 하나님 곧 너희
하나님'께로 올라간다 하라 하신대 18막달라 마리아가 가서 제자들에게
내가 주를 보았다 하고, 또 주께서 자기에게 이렇게 말씀하셨다 이르니
라."

예수 그리스도의 부활과 다시 태어난 나의 부활 신앙(2)

'내 아버지 곧 너희 아버지, 내 하나님 곧 너희 하나님'은 예수 그리스도께서 부활 후에 하신 첫마디 말씀이다. 그런데 십자가에서 돌아가시기 전까지는 성서 어디에도 '내 아버지 곧 너희 아버지' - 즉, **'우리 그리스도인의 아버지'**란 표현을 쓰지 않으셨다. 그런데 부활 후의 첫마디 말씀으로 '내 아버지 곧 너희들의 아버지'라고 하신다.

이 말씀은 십자가에서 숨을 거두시기 직전에 하신 **'다 이루었다'**와 통하는 말씀이다. **'다 이루었다'** 이 말씀은 농부 - 즉 하나님께서 돌감람나무 밑동을 잘라내고, 그 자리에 참감람나무로 접붙임을 다 하셨다는 말씀이다.

돌감람나무는 밑동이 절단되어 죽어 없어지고, 갱신(更新)! 즉, 부활시에는 참감람나무인 그리스도의 가지가 살기 때문에 **'내 아버지 곧 참감람나무로 사는 너희 아버지'**라는 표현을 쓰신 말씀이다. 다시 말하면 그리스도 예수와 믿는 우리는 한 혈통임을 강조하시는 '내 아버지 곧 너희 아버지'라는 말씀인 것이다.

이 말씀 **'다 이루었다'**와 '내 아버지 곧 너희 아버지'라는 말씀은 하나로 이어지는 말씀이다.

아담의 자손, 아벨을 죽인 살인자의 자손인 돌감람나무의 갱신(更新)은 대속(代贖)이라는 믿음으로 되는 것이 아니라, 참감람나무로의 종(種)의 갱신(更新)으로만 가능한 일이다.

(이사야는 인류를 들포도로, 예수 그리스도는 자신을 참포도나무로, 바울 사도는 인류를 돌감람나무로 표현하였고, 예수를 참감람나무로 기록하고 있다. 표현은 어떻든 십자가의 사건을 자연과학으로 설명하는 데에는 차이가 없다.

'내 아버지 곧 너희 아버지'란 말씀은 예수께서 당신의 하나님을 너희 - 즉. 우리들의 아버지로 선언하신 말씀이다. 십자가에서 돌아가시고, 사흘만에 부활하신 후의 첫 말씀이 **'인류는 갱신되어 하나님의 자녀가 되었다'**는 선언이다.

예수 그리스도께서는 하나님의 품속에 있던 영원한 생명이시기 때문에 그 생명 가지로 접붙임을 받은 우리 그리스도인은 하나님의 자녀가 되는 자격을 주신다는 선언이기도 하다.

이리하여 바울은 '누구든지 그리스도 안에 있으면 새로운 피조물'이라고 하였다. '피조물'이라는 뜻은 예수 그리스도의 흘린 피로 새로 지음을 받았다는 뜻이다. 또 바울은 '내가 그리스도와 함께 십자가에 못 박혔나니 그런즉 이제는 내가 사는 것이 아니요, (접붙임의 가지로 오신) 오직 내 안에 그리스도께서 사시는 것이라'고 하였다(괄호 안은 필자 삽입).

이 모든 과정을 지켜본 예수 그리스도의 수제자 베드로는 '하늘나라에 들어가는 열쇠'와 같은 글을 쓰고 있다.

'예수 그리스도의 피 뿌림을 얻기 위하여 택하심을 받은 자들에게 편지하노니'(벧전1:2).

또한 베드로는 너희가 구원을 받는 것은 '오직 흠 없고 점 없는 어린 양 같은 그리스도의 보배로운 피로 된 것이라'(1:19)고 하였다.

또 베드로는 '너희가 거듭난 것은 썩어질 씨로 된 것이 아니요, 썩지 아니할 씨로 된 것이니 살아 있고 항상 있는 하나님의 말씀으로 되었느니라'(1:23)고도 하였다.

베드로는 계속 설파한다. '너희가 전에는 백성이 아니더니 이제는 하나님의 백성이요, 전에는 긍휼을 얻지 못하였더니 이제는 긍휼을 얻은 자'(2:10)라고.

이리하여 베드로는 '예수 그리스도의 피 뿌림을 얻기 위하여 택하심을 받은 자들이라고 말하므로 예수께서 말씀하신 '하늘나라에 들어가는 열쇠'와 같은 말을 하였다. 오직 그리스도의 피 흘려주심을 받은 우리 그리스도인들이 가는 곳이 하늘나라임을 말하고 있다. 예수 그리스도와 돌감람나무인 인류와의 만남! 이

것이 열쇠인 것이다. 즉 **그리스도의 피가 열쇠**이다.

이렇게 베드로는 수제자의 직분을 다 하였는데, 그리스도敎가 개혁된 지 500년이 지난 지금까지도 '대속의 진리'가 가로막아 베드로의 천국 가는 열쇠를 읽어내지 못하고 있으니 참으로 안타까울 뿐이다.

본문 공부

11절 "마리아는 무덤 밖에 서서 울고 있더니 울면서 구푸려 무덤 속을 들여다보니"

안식 후 첫날 이른 새벽 어두울 때에 막달라 마리아가 무덤에 와서 돌이 무덤에서 옮겨간 것을 보고 어찌된 일인지 알지 못한 상태에서 시몬 베드로와 다른 제자가 와서 무덤 속을 다녀가고, 마리아는 밖에서 무덤 속을 들여다 본다. 88과 공부는 제자들의 이야기이며, 이번 89과 공부는 막달아 마리아의 이야기이다.

12~4절 "흰 옷 입은 두 천사가 예수의 시체 뉘었던 곳에 하나는 머리 편에 하나는 발편에 앉았더라. ◇천사들이 가로되 여자여 어찌하여 우느냐? 가로되 사람이 내 주를 가져다가 어디 두었는지 내가 알지 못함이니이다. ◇이 말을 하고 뒤로 돌이켜 예수의 서신 것을 보니 예수신줄 알지 못하더라."

마리아가 울면서 구푸려 무덤 속을 들여다보니 흰 옷 입은 두 천사가 예수의 시체 뉘었던 곳에 하나는 머리 편에, 하나는 발편에 앉아있는 것이 보였다.

'여자여 어찌하여 우느냐?' 두 천사 중에 한 천사가 마리아에게 물었다. '여자여 어찌하여 우느냐?' 고.

마리아가 울면서 대답한다. '사람이 내 주를 가져다가 어디 두었는지 내가 알지 못합니다.'

대답을 마친 마리아가 울면서 뒤를 돌아보니 예수가 서 계셨다. 그러나 마리아는 서 계시는 분이 예수님임을 알아보지 못한다,

15절 "예수께서 가라사대 여자여, 어찌하여 울며 누구를 찾느냐? 하시니 마리아는 그가 동산지기인 줄로 알고 가로되 주여, 당신이 옮겨 갔거든 어디 두었는지 내게 이르소서. 그리하면 내가 가져 가리이다."

뒤에 서계시는 분이 예수님이라는 것을 알지 못하는 마리아에게 예수께서 말씀하신다. '여자여 어찌하여 울며, 누구를 찾느냐?'

마리아는 그가 동산지기인 줄로 알고 말한다. '주여, 당신이 옮겨 갔거든 어디 두었는지 내게 이르소서. 그리하면 내가 가져가겠습니다.' 마리아의 간절함이 배어있는 말이다.

16절 "예수께서 마리아야! 하시거늘 마리아가 돌이켜 히브리말로 랍오니여! 하니(이는 선생님이라)"

스승의 시신을 찾겠다는 마리아의 귀에 갑자기 익은 목소리가 들려왔다.

'마리아야!'

얼마나 듣고 싶은 목소리인가. 귀가 번쩍 트인 마리아가 익은 선생님의 음성을 듣고, 감격하여 돌아보며 '랍오니여!' 하며 인사를 올린다.

히브리말로 '랍오니'는 '선생님'이다.

17절 "예수께서 이르시되 나를 만지지 말라. 내가 아직 아버지께로 올라가지 못하였노라. 너는 내형제들에게 가서 이르되 내가 '내 아버지 곧 너희 아버지, 내 하나님 곧 너희 하나님께로' 올라간다 하라 하신대"

반가워서 인사를 드리고 안아보려고 하는 마리아에게 '나를 만지지 말라. 내가 아직 아버지께로 올라가지 못하였노라' 하시며 새로운 분부의 말씀을 하신다.

가서 전(傳)하여라, "내가 '내 아버지 곧 너희 아버지, 내 하나님 곧 너희 하나님께로' 올라간다"고.

아, 위대한 말씀이여!

인류! 나 자신을 포함하여 한 사람, 한 사람을 하늘백성으로 선언하시는 순간이다.

예수 그리스도는 이렇게 인류를 갱신(更新)하셨다. 그렇지만, 이 진리를 알지 못함으로 인류는 늘 갈급하여 그리스도교는 기복신앙으로 변질되어 날이 갈수록 세상은 혼탁해져가고 있다.

이제 新요한복음 공부를 통해, 새로운 인류의 갱신(更新)됨을 알고 믿어 하늘 백성으로 감사하며 하늘나라의 시민권자(者)로 우뚝 서서 살아야 한다.

18절 "막달라 마리아가 가서 제자들에게 내가 주를 보았다 하고, 또 주께서 자기에게 이렇게 말씀하셨다 이르니라."

마리아는 제자들에게 가서 예수의 살아나심과 하신 말씀을 전(傳)하였다.

- 내가 부활하신 주(主)를 보았다.
- '내 아버지 곧 너희 아버지, 내 하나님 너희 하나님께로 간다'고 하셨다.

예수 그리스도와 한 혈통으로 하나님이 우리 그리스도인의 아버지란 것을 傳하라는 말씀이다. 믿음이란 이것을 믿는 일이다.

2017년 2월 10일 발표

〈제90과〉
너희에게 하늘의 평강이 있을지어다

본문 말씀 20:19~23

"[19]이날 곧, 안식 후 첫날 저녁 때에 제자들이 유대인들을 두려워하
여 모인 곳에 문들을 닫았더니 예수께서 오사 가운데 서서 가라사대 너
희에게 평강이 있을지어다. [20]이 말씀을 하시고 손과 옆구리를 보이시
니 제자들이 주를 보고 기뻐하더라. [21]예수께서 또 가라사대 너희에게
평강이 있을지어다. 아버지께서 나를 보내신 것 같이 나도 너희를 보내
노라. [22]이 말씀을 하시고 저희를 향하사 숨을 내쉬며 가라사대 성령을
받으라! [23]너희가 뉘 죄든지 사하면 사하여질 것이요, 뉘 죄든지 그대
로 두면 그대로 있으리라 하시니라."

다시 태어난 제자들과 그리스도인에게 성령의 교훈을 받아라

"인류역사에서 성서학자들은 하나님이 사람을 만드신 과정을 어떻게 보았는가"에 대하여 알아볼 필요가 있다.

『통독(通讀)을 위한 성서해설』(번역 문희석, 황성규)의 저자인 미국의 「아놀드 B 로드스」는 **"사람의 창조 과정"**을 이렇게 썼다.

"여호와 하나님이 흙으로 사람을 지으셨다." 여기서 "지으시다"라는 동사의 분사형(分詞形)은 "옹기장이"를 의미하고 있다. 하나님은 흙을 빚어서 원하는 형태를 만드시는 옹기장이로 설명되어 있다. 히브리어에는 교묘한 언어의 유희가 있는데, "사람"(adam)과 "흙"(adama)이 관련되어 있다는 사실을 나타내는 일종의 표현 양식이다(비교 고전15:47). 우리가 하나님의 형상으로 지으심을 받은 존재라는 것을 잊어버리지 말아야 하겠지만,

그러나 또 한편으로 우리가 흙에서 나온 존재라는 것도 기억해야 할 것이다." - 요한복음 공부 4년 기념 특집에서 -

이사야는 인간의 창조 당시의 상황을 이렇게 쓰고 있다. **"극상품 포도나무를 심었었도다. 그 중에 망대를 세웠고 그 안에 술틀을 팠었도다. 좋은 포도 맺기를 바랐더니 들포도를 맺혔도다."** (이사야5:2) 이사야는 하나님이 사람을 창조하실 때는 극상품의 포도나무를 창조하였으나 아담은 하나님께 죄를 짓고, 가인은 아벨을 죽이는 살인자가 되었으니 곧, '들포도 열매를 맺혔도다.'라고 하며 탄식한다.

예수 그리스도는 이 땅에 오셔서 "나는 참포도나무, 너희는 나의 살과 피를 먹으면! 생명의 근원으로 영접하면, 참포도나무 가지" 라고 하셨다.

증언자 바울 선생은 접붙임의 능력이 하나님께 있다고 하면서 「십자가의 사건이 접붙임의 만남의 사건」임을 증언한다.

위에서 보는 대로 처음 사람은 흙으로 만들어진 형상에 하나님의 생기를 불어넣어 창조되었다. 십자가의 사건도 인류 갱신(更新)의 논리인데, 참감람나무의 진액을 받아 새로 지음을 받은 나 자신을 포함한 인류는 제자들에게 성령을 받으라고 하셨다. **"저희를 향하사 숨을 내쉬며 말씀하셨다. 성령을 받으라!"**

예수 그리스도께서 피 흘려주심으로 생명을 받은 제자들 - 그리스도인들은 예수 그리스도가 말씀하신 성령의 교훈을 받아 영과 육이 충만 하라는 말씀이다. **"너희에게 하늘의 평강이 있을지어다."**

하나님이 불어넣어 주신 숨은 예수 그리스도 자신의 호흡이며 생명이다. 이는 예수 자신의 생명으로 살라는 말씀이다. 예수 그리스도의 생명! 곧 작은 그리스도로 살라는 부탁 말씀이기도 하다. 십자가에서 흘린 피로 거듭난 너희에게 하늘의 평강이 충만하기 위하여 성령의 교훈을 받으라고 하신다.

본문 공부

19절 "이날 곧 안식 후 첫날 저녁 때에 제자들이 유대인들을 두려워하여 모인 곳에 문들을 닫았더니 예수께서 오사 가운데 서서 가라사대 너희에게 평강이 있을지어다."

'제자들이 유대인들을 두려워하여 모인 곳에 문들을 닫았더니'

제자들은 존경하고 사랑하는 스승인 예수 그리스도께서 십자가에서 죽으신 후에 극도의 불안과 두려움에 쌓여 있었다.

그런 가운데에 안식 후 첫날 저녁때에 모여서 문을 꼭꼭 닫고, 앞으로 어찌 되어갈까 불안해 하고 있었는데 예수께서 오시어 가운데 서서 말씀하신다.

"너희에게 평강이 있을지어다."

'너희!' 여기서 '너희'는 제자들과 모든 인류 그리스도인을 가리킨다.

'너희에게 평강이 있을지어다.' 평강은 세상에서의 평강이 아닌 하늘의 평강! 하늘나라의 평강이다. 그리스도의 피로 생명을 얻은 제자들, 그리스도인들은 하늘의 평강이어야 이치에 맞는다. 곧 "하늘의 평강이 있을지어다."라는 말씀이다.

20절 "이 말씀을 하시고 손과 옆구리를 보이시니 제자들이 주를 보고 기뻐하더라."

예수께서는 당신의 부활을 믿지 못하는 제자들에게 십자가에서의 흔적을 보이신다. 그때서야 '제자들이 주를 보고 기뻐하더라.' 예수 그리스도의 부활을 분명히 하시는 내용의 말씀이다.

베드로와 요한은 스승의 시신이 없어진 것을 보았고, 막달라 마리아에게서 예수 그리스도의 부활하심을 듣긴 했지만, 실체를 보지 못했으니 믿어야 할까 말까 하는 제자들이 없지 않았을 것이다. 그런 차에 스승 예수께서 문을 잠그고 모여 있는 제자들에게 모습을 나타내셨으니 어느 제자인들 기쁘지 않았을까.

21절 "예수께서 또 가라사대 너희에게 평강이 있을지어다. 아버지께서 나를 보내신 것 같이 나도 너희를 보내노라."

예수 그리스도께서 '너희에게 평강이 있을지어다.'라고 하신다. 이 평강은 세상에 있는 평강이 아닌 하늘의 평강이다. 즉, 하나님 안에 있는 평강이다. 하나님은 만인을 공평하게 보시므로 공평의 평강이다. 인간들은 차등과 차별이 있을 수 있다. 그러나 하나님은 공평의 하나님이시다. 그래서 공평의 평강이다. 다(多)사랑의 평강이다.

'아버지께서 나를 보내신 것 같이 나도 너희를 보내노라'

십자가의 복음을 이루신 분은 예수 그리스도이시다. 하지만 복음을 전하는 것은 사도인 제자들이다. 그 중에는 新요한복음을 공부하는 나 자신도 전달자의 한 사람이다.

예수 그리스도께서는 '아버지께서 나를 보내시어, 십자가의 복음을 이루신 것과 같이 나는 너희를 세상에 보내니 너희는 나가서 복음을 전달하라'는 말씀이다. 이에 대하여 요한사도는 이렇게 쓰고 있다.

"오직 이것을 기록함은 너희로 예수께서 하나님의 아들 그리스도이심을 믿게 하려 함이요, 또 너희로 믿고 그 이름을 힘입어 생명을 얻게 하려 함이니라."

예수께서 이루어 놓은 인류 구원의 진리는 제자들과 사도들이 전파할 몫이다. 오직 복음을 듣는 사람들이 예수 그리스도의 생명을 받게 하기 위함이다.

22절 "이 말씀을 하시고 저희를 향하여 숨을 내쉬며 가라사대 성령을 받으라!"

예수께서 **'저희를 향하여 숨을 내쉬며'** 말씀하신다. '성령을 받으라!' 고. 예수 그리스도께서 내쉬는 숨은 바로 **'생명'**이다. 이는 그리스도의 생명으로 살아가라는 말씀이다.

'성령을 받으라' 는 말씀 또한 성령의 교훈을 받아 그 교훈으로 살아가라는 말씀이다. 즉, 예수 그리스도께서 세상에서 하신 말씀에 성령의 교훈을 더하여 하늘나라의 평강을 만들어 가며 살아가라는 말씀인 것이다.

예수께서 하신 말씀을 좀 더 살펴보자.

- 먼저 너희는 원수를 원수로 생각하지 말라. 너희 원수는 너희 하나님께서 갚을 것이다. 그러므로 원수를 사랑하라.

- 이웃을 너희 몸과 같이 사랑하라.

곧, 이웃을 너희 입장에서 생각하고 사랑하라는 말씀들이다.

모든 사람들이 이 두 가지 일만 잘하여도 세상에는 다툼이 없을 것이다.

23절 "너희가 뉘 죄든지 사하면 사하여질 것이요, 뉘 죄든지 그대로 두면 그대로 있으리라 하시니라."

종교 개혁자들은 이 말씀 또한 바로 읽어내지 못하였다.

예수께서 이렇게 말씀하신 일이 있다. **"내가 너희 죄를 사하는 권한이 없겠느냐?"**고 하신 말씀이다. 이 말씀은 '너희가 뉘 죄든지 사하면 사하여질 것이요' 라는 말씀과는 다르다. 그런데 이것을 혼동하여 성서를 읽어 왔다. 우리 인간들이 '뉘 죄든지 사하면 사하여질 것이요'가 아니라, 앞에서 논하였던 대로 그리스도의 피로 거듭난 너희가 다른 사람들에게도 바르게 전달하여 너희 말을 듣는 사람들도, 너희 전달자와 같이 그리스도의 피로 거듭난 사실을 알아듣고, 깨달아서 그들도 거듭남의 복음을 듣게 하라는 말씀이다. 누구든지 듣고 믿으면, 너희와 꼭 같다는 말씀이다. 그리스도의 피로 거듭나서 하늘 백성이 되었다는 것을 전하라는 말씀이다.

'뉘 죄든지 그대로 두면 그대로 있으리라.' 너희가 바르게 전하여도 알아듣지 못하는 사람들이나, 듣지 못하여 깨달음이 없는 사람은 그 죄가 그대로 있다는 말씀이다.

그리스도인들이 예수 그리스도의 십자가의 복음을 바르게 전해야 할 의무가 여기에 있다.

2017년 3월 10일

〈제91과 (종결편)〉

너희로, 예수 그리스도의 생명을 얻기 위하여 복음서를 기록하였다

본문 말씀 20: 24~31

"24열두 제자 중에 하나인 디두모라 하는 도마는 예수 오셨을 때에
함께 있지 아니한지라 25다른 제자들이 그에게 이르되 우리가 주를 보
았노라 하니 도마가 가로되 내가 그 손의 못자국을 보며 내 손가락을
그 못자국에 넣어 보지 않고는 믿지 아니하겠노라 하니라. 26여드레를
지나서 제자들이 다시 집안에 있을 때에 도마도 함께 있고, 문들이 닫
혔는데 예수께서 오사 가운데 서서 가라사대 너희에게 평강이 있을 찌
어다 하시고, 27도마에게 이르시되 네 손가락을 이리 내밀어 내 손을
보고, 네 손을 내밀어 내 옆구리에 넣어보라. 그리하고 믿음 없는 자가
되지 말고 믿는 자가 되라. 28도마가 대답하여 가로되 나의 주시며 나
의 하나님이시나이다. 29예수께서 가라사대 너는 나를 본 고로 믿느냐?
보지 못하고 믿는 자들은 복되도다 하시니라. 30예수께서 제자들 앞에
서 이 책에 기록되지 아니한 다른 표적도 많이 행하셨으나 31오직 이것
을 기록함은 너희로 예수께서 하나님의 아들 그리스도이심을 믿게 하려
함이요. 또 너희로 믿고 그 이름을 힘입어 생명을 얻게 하려 함이니라."

너희로, 예수 그리스도의 생명을 얻기 위하여 복음서를 기록함

사도요한의 요한복음서는 20장 31절에서 '너희로 하나님의 혈통! 곧 예수 그리스도의 생명을 얻게 하려 함'이라고 기록함으로써 사실상 끝을 맺는다.

사도요한은 예수 그리스도의 복음이라는 요한복음을 기록함에 있어 "태초에 말씀이 계시니라. 이 말씀이 하나님과 함께 계셨으니 이 말씀은 곧 하나님이시니라." 또한 "예수 그리스도는 하나님의 품속에 있는 분이 독생! 곧 스스로 육신의 몸을 입고 세상

에 오셨다"고 쓰면서 기록을 시작한다.

그리고 6장에서는 인류가 예수 그리스도의 살과 피를 먹어야 생명이 있다고 하였다. "내 살을 먹고 내 피를 마시는 자는 내 안에 거하고, 나도 그 안에 거하나니 살아계신 아버지께서 나를 보내시매 내가 아버지로 인하여 사는 것 같이 나를 먹는 그 사람도 나를 인하여 살리라."(6:56,7)

6장에서의 "생명의 떡" 기사는 장차 십자가에서 예수 그리스도 자신의 몸을 갈기갈기 찢어 - 곧, 살과 피를 흘려 인류에게 흘려준다는 것을 미리 보여주시는 말씀이다. 이는 장차 십자가 사건을 통하여 하나님께서 예수 그리스도라는 참포도나무의 가지를 손에 들고 하나하나 잘라 들포도나무인 우리에게 접붙임 하심으로써 들포도나무 농장을 참포도나무의 농장으로 바꾸는 큰일을 이루어 주신다는 말씀이기도 하다.

사도요한은 요한복음의 결론을 기록함에 있어 앞에서 보았던 '태초에 말씀이 계시니라. 이 말씀이 하나님과 함께 계셨으니 이 말씀은 곧 하나님이시니라'는 말씀과 '예수 그리스도도 하나님의 품속에 있는 분이 독생! 곧 스스로 육신의 몸을 입고 세상에 오셨다'는 말씀을 완성하기 위하여 '예수 그리스도의 생명을 너희 - 즉, 우리로 얻게 하기 위하여 요한복음을 기록한다'고 했다.

이렇기 때문에 예수 그리스도의 십자가 사건은 대속으로 볼 것이 아니라 접붙임으로 보아야 한다. 우리의 마음, 우리의 영혼 안에 예수 그리스도를 영접하는 것. 그것만이 접붙임으로 오신 예수 그리스도가 사는 삶이요 신앙이다. 증언자 바울 선생은 "이는 저희를 접붙이실 능력이 하나님께 있음이라"고 하였다(롬 11:23).

위대한 요한 사도는 십자가 사건을 통해 인류 - 즉, 우리들로 하여금 예수 그리스도의 생명을 얻게 하기 위하여 요한복음을 기록하면서 끝을 맺고 있다.

본문 공부

24절 "열 두 제자 중에 하나인 디두모라 하는 도마는 예수 오셨을 때에 함께 있지 아니한지라"

예수께서 부활하신 뒤에 제자들에게 오셨을 때에 디두모라고 하는 제자 도마는 그 자리에 없었다는 기록이다.

요한사도가 도마의 믿음 없음을 기사화 한 것은 무엇보다도 중요한 믿음을 강조하기 위함이다.

25절 "다른 제자들이 그에게 이르되 우리가 주를 보았노라 하니 도마가 가로되 내가 그 손의 못자국을 보며 내 손가락을 그 못자국에 넣어 보지 않고는 믿지 아니하겠노라 하니라."

도마는 다른 제자들이 자신에게 "우리가 주를 보았노라"고 하는 말을 믿지 못하여 "내가 그 손의 못자국을 보며 내 손가락을 그 못자국에 넣어 보지 않고는 믿지 아니하겠노라"고 한다. 자신이 예수님 손의 못자국을 직접 확인하지 않으면 믿지 못하겠다는 말이다.

26절 "여드레를 지나서 제자들이 다시 집안에 있을 때에 도마도 함께 있고, 문들이 닫혔는데 예수께서 오사 가운데 서서 가라사대 너희에게 평강이 있을 찌어다 하시고"

예수께서 제자들에게 다녀가신 지 여드레 후에 여러 제자들과 도마가 함께 문을 닫고 집안에 있을 때에 예수께서 오시어 가운데 서서 말씀하신다. "너희에게 평강이 있을 찌어다."

27절 "도마에게 이르시되 네 손가락을 이리 내밀어 내 손을 보고 네 손을 내밀어 내 옆구리에 넣어보라. 그리하고 믿음 없는 자가 되지 말고 믿는 자가 되라."

스승의 부활을 믿지 못하는 도마와 부활하신 예수 그리스도의 만남이다. 제자와 스승의 얼굴과 얼굴의 마주침이다. 예수께서는 믿음 약한 제자 도마에게 "네 손가락을 이리 내밀어 내 손을 보고 네 손을 내밀어 내 옆구리에 넣어보라"고 하신다. 이어서 "믿음 없는 자가 되지 말고 믿는 자가 되라"고도 하신다.

위에서 예수께서는 도마에게 "믿음 없는 자가 되지 말고 믿음이 있는 자가 되라"고 하셨다. 그렇다면 이 말씀은 도마에게만 국한되는 말씀일까? 아니다. 우리 모두에게 하신 말씀이다. 그러면 과연 믿음이란 무엇인가?

- 그가! 예수 그리스도가 태초에 하나님과 함께 계셨음을 믿는 마음이다.
- 그로! 예수 그리스도에 의해서 만물이 지은바 되었다고 믿는 마음이다.
- 예수 그리스도가! 하나님의 품속에 계시던 분이 스스로 이 땅에 오셨음을 믿는 마음이다. 곧, 예수 그리스도를 하나님으로 믿는 마음이다.
- 예수 그리스도께서 "하늘로서 내려오신 것은 예수님 자신의 뜻을 행하려 함이 아니요, 하나님의 뜻을 행하려 왔음"을 믿는 마음이다.

- 예수 그리스도는 우리들의 생명의 떡으로 오셨음을 믿는 마음이다. **"내 살을 먹고 내 피를 마시는 자는 내 안에 거하고 나도 그 안에 거하나니"** 말씀처럼 예수 그리스도와 우리가 더불어 살고 있음을 믿는 마음인 것이다.
- 십자가의 사건을 통해 예수 그리스도의 생명 얻음을 믿는 마음이다. 베드로의 고백처럼 **"예수 그리스도의 피 뿌림을 얻기 위하여 택하심을 입은 자들"**(벧전1:2)임을 믿는 마음인 것이다.
- 우리가 예수 그리스도를 믿음에 있어 추상적인 믿음이 아닌 요한복음의 기록을 구체적으로 믿는 마음이다.

28,9절 "도마가 대답하여 가로되 나의 주시며 나의 하나님이시나이다. ◇예수께서 가라사대 너는 나를 본 고로 믿느냐? 보지 못하고 믿는 자들은 복 되도다 하시니라."

도마는 자신의 믿음이 부족함을 지적한 스승 예수 그리스도를 향하여 고백을 한다. "나의 주시며 나의 하나님"이시라고.

도마의 고백에 예수께서는 제자의 약한 믿음을 책망하신다. 이는, 인류의 스승인 예수 그리스도 자신의 십자가의 죽음이 인류에게 생명을 주고, 인류와 함께 다시 사는 십자가의 길임을 알고 믿으라는 말씀이다.

30절 "예수께서 제자들 앞에서 이 책에 기록되지 아니한 다른 표적도 많이 행하셨으나"

요한복음 결론의 말이 시작된다.

이 책! 곧 요한복음서의 기록보다도 더 많은 예수 그리스도의 표적과 행적이 있지만, 생략한다는 기록이다.

31절 "오직 이것을 기록함은 너희로 예수께서 하나님의 아들 그리스도이심을 믿게 하려 함이요. 또 너희로 믿고 그 이름을 힘입어 생명을 얻게 하려 함이니라."

"오직 이것을 기록함은"

"너희로 예수께서 하나님의 아들 그리스도이심을 믿게 하려 함이요"

"너희로 믿고 그 이름을 힘입어 생명을 얻게 하려 함이니라"

이 말씀들은 곧 "예수 그리스도의 생명을 우리로 얻게 하려 함" 이다.

바꾸어 말하면 예수 그리스도의 생명이 우리 그리스도인들의 영혼 안에 사시는 것을 믿어야 하는 것이다.

2017년 4월 10일 발표

나가면서

요한사도는 '이 말씀을 전파(傳播)하기 위하여 기록'한다고 하며 20장에서 요한복음의 끝을 맺고 있다.

그렇다면 현재의 성경에는 왜 21장이 있을까? 여기에는 여러 가지 설이 있지만, 대체로 카톨릭 교황청에서 필요에 의하여 삽입하였다는 설이 주를 이룬다. 성경에서 어느 문구나 구절을 후대에 고치거나 삽입한 곳이 한둘은 아니지만, 요한복음처럼 한 장 전체를 삽입한 경우는 드물다. 이런 연유로 임중기의 新요한복음 공부 『바람으로 계시는 創造主 하나님의 靈』은 20장 31절 **"오직 이것을 기록함은 너희로 예수께서 하나님의 아들 그리스도이심을 믿게 하려 함이요, 또 너희로 믿고 그 이름을 힘입어 생명을 얻게 하려 함이니라"**에서 끝을 맺는다.

요한복음에서 "접붙임"이라는 새로운 진리를 찾게 해주신 주 하나님과 예수 그리스도께 무한한 찬미와 감사를 드립니다.

또한 진리를 탐구하는 공부에 처음부터 끝까지 함께 해 주시고, 격려해 주신 여러 선생님들께도 감사를 드립니다.

국립중앙도서관 출판시도서목록(CIP)

바람으로 계시는 創造主 하나님의 靈. 下, 요한복음 11장~20장 / 지은이: 임중기. -- 광주 : 시와사람, 2017
p. ; cm

ISBN 978-89-5665-500-0 03230 : ₩30000

요한 복음[--福音]

233.65-KDC6
226.5-DDC23 CIP2017030113

바람으로 계시는 創造主 하나님의 靈 · 下

2017년 11월 20일 인쇄
2017년 11월 30일 발행

지은이 | 임 중 기
펴낸이 | 강 경 호
인쇄·기획 | 도서출판 시와사람
등 록 | 1994년 6월 10일 제 05-01-0155호
주 소 | 광주시 동구 양림로119번길 21-1(학동)
전 화 | (062)224-5319, 227-5319
팩 스 | (062)225-5319
E-mail | jcapoet@hanmail.net

ISBN 978 89-5665-500-0 03230
ISBN 978-89-5665-497-3 (세트)

값 30,000원